Les Temps Modernes

Raul Hilberg

LE PHÉNOMÈNE GOLDHAGEN

L'ouvrage de Daniel Goldhagen, fondé sur sa thèse de doctorat de science politique, parut au printemps 1996. Le titre anglais, *Hitler's Willing Executioners,* énonce en gros caractères ce que nous avons toujours su : ces hommes furent non seulement des tueurs, mais des tueurs « volontaires ». Dans le sous-titre, *Ordinary Germans and the Holocaust,* Goldhagen reprend un autre fait déjà établi : les agents des opérations de tuerie ne furent pas, dans leur grande majorité, spéciale-ment désignés pour cette tâche ; c'étaient de simples policiers allemands qui assuraient l'ordre dans les rues allemandes ordinaires. Le choix des termes, *Ordinary Germans,* n'est pas innocent non plus, mais intentionnel. Il vise un spécialiste confirmé, Christopher Browning, auteur d'un ouvrage intitulé *Ordinary Men* [1]. L'étude de Goldhagen fait la part belle au 101e bataillon de réserve de la police allemande, dont les effectifs originaires de la région de Hambourg massacrèrent des Juifs en Pologne. Browning consacrait son livre à ce bataillon précis.

---

1. *Ordinary Men : Reserve Police Battalion 101 and the Final Solution in Poland,* New York, 1992 [trad. française : *Des hommes ordinaires : Le 101e bataillon de réserve de la police allemande et la solution finale en Pologne,* par Elie Barnavie, Paris, Les Belles Lettres, 1994].

C'est Browning qui avait fait une découverte et qui en avait compris l'importance. La première fois que le bataillon eut à tuer des Juifs, son commandant, Wilhelm Trapp, parla à ses hommes et leur laissa le choix de ne pas tirer sur les victimes. Quelques-uns se détachèrent des rangs, les autres armèrent leur pistolet. Cette scène est une révélation, car elle ébranle les fondements mêmes de l'hypothèse, longtemps retenue, qu'il fallut des ordres.

Pourquoi, alors, Goldhagen décida-t-il d'écrire un autre livre sur le même épisode ? Il voulait ajouter une précision. Pour Goldhagen, les exécuteurs ne furent pas seulement volontaires, mais accomplirent leur mission avec zèle et brutalité. Etant donné que l'Holocauste peut être qualifié dans son entier d'acte de brutalité, on doit se demander ce qu'il avait en tête en appliquant ce terme à l'action du bataillon et quelles preuves il cite à l'appui de ses dires. Voici comment il décrit le déroulement des fusillades :

> ...ils avaient choisi de faire irruption dans l'hôpital, un établissement destiné à soigner, et d'abattre les malades qui les avaient certainement suppliés, en hurlant, de les épargner. Ils avaient tué des bébés. Aucun de ces Allemands n'a jugé approprié de raconter cette tuerie-là. Selon toute probabilité, le tueur abattait le bébé dans les bras de sa mère, et peut-être la mère aussi, pour faire bonne mesure ; ou bien encore, comme c'était l'habitude en ces temps-là, il l'attrapait par le pied et le brandissait à bout de bras avant de lui tirer un coup de pistolet. Et peut-être la mère était-elle là, horrifiée. Ensuite, on laissait tomber le petit corps, comme un déchet, destiné à pourrir sur place [2].

Ce n'est pas vraiment tout. Goldhagen voulait décrire les pensées de ces hommes pendant qu'ils exécutaient de tels actes. Comme il s'agissait de simples policiers, même pas affiliés au parti pour la plupart, il ne les imagine pas agir sous le coup de l'endoctrinement. Il ne doute pas, cependant, qu'ils

---

2. *Les bourreaux volontaires de Hitler*, p. 222.

haïssaient les Juifs pour agir ainsi, et que cette haine devait être si « omniprésente » et « profonde » dans la société allemande qu'ils en étaient normalement imprégnés. L'origine de cette haine, poursuit-il, ne pouvait être que l'antisémitisme, mais, puisque cette idéologie existait ailleurs que chez les Allemands, la variété allemande devait être un produit spécial, comportant une « potentialité de génocide ». Cette variété, il lui accole l'étiquette d'« exterminationniste ». Seule une idéologie si généralisée, déclare-t-il, pouvait engendrer une « culture de cruauté » vis-à-vis des Juifs.

L'antisémitisme était largement répandu en Europe à la fin du XIXe siècle et dans les années qui précédèrent le début de la Première Guerre mondiale. Les antisémites affichaient leurs convictions dans des discours, des pamphlets et des programmes politiques. Dans certains pays ce mouvement entraîna une discrimination contre les Juifs, et en Russie il fut suffisamment dangereux pour susciter des pogroms que le ministre de l'Intérieur tsariste, le comte Nikolaï Pavlovitch Ignatiev, compara au verdict d'un « tribunal du peuple ».

L'antisémitisme allemand, en revanche, était non seulement moins virulent que la variété d'Europe orientale, mais en 1914, il amorça son déclin. Même si les Nazis lui donnèrent un second souffle dans leurs écrits de propagande, il ne devint jamais entièrement honorable ni vraiment dominant. Dans son livre pesant, Goldhagen n'examine pas les nombreuses organisations qui formaient le Gestalt connu sous le nom d'Allemagne nazie. L'appareil bureaucratique était dirigé par des avocats, des ingénieurs, des comptables et autres membres de professions réglementées. Ces fonctionnaires étaient des individus modernes, dotés de lucidité et d'une indispensable compréhension de la complexité. Les chemins de fer qui transportèrent les Juifs à la mort, ou les divisions financières qui confisquèrent leurs biens, ou les près de deux cents firmes privées qui participèrent à la construction d'Auschwitz, n'abritaient pas de purs antisémites dans leurs services, les forces de police non plus. Soucieux de montrer que presque toute l'Allemagne nourrissait un antisémitisme virulent, Goldhagen produit comme éléments de preuve des graffiti en bouts rimés et la conférence d'un dirigeant de l'Eglise chrétienne allemande. Il cite aussi Mein Kampf, mais non le paragraphe où

Hitler écrit que son propre père considérait l'antisémitisme comme un signe d'arriération. Et il ne se réfère pas davantage au journal personnel du jeune Heinrich Himmler qui jugeait « excessif » un tract antisémite.

Goldhagen exagère l'étendue et la profondeur de l'antisémitisme allemand. En même temps, il minimise deux facteurs qui affaiblissent considérablement sa thèse de base : les exécuteurs ne furent pas tous allemands, les victimes ne furent pas toutes juives.

On trouvait parmi les tueurs des Allemands ethniques, issus de minorités vivant depuis des générations hors des frontières de l'Allemagne. Les membres d'un commando recrutés dans des villages de la région de Berezovka-Mostovoïé, dans l'ouest de l'Ukraine, massacrèrent plus de 30 000 Juifs de ce secteur. Par ailleurs, ces mêmes Allemands ethniques ne s'en tinrent pas au rôle d'exécuteurs : en 1944, ils représentaient plus d'un tiers des gardes d'Auschwitz. Ces hommes, Goldhagen n'y fait même pas allusion. Les « bourreaux » comptèrent également un nombre important de Roumains, Croates, Ukrainiens, Estoniens, Lettons et Lituaniens. Les formations roumaines et croates appliquèrent la politique de leurs propres gouvernements. Le grand massacre d'Odessa d'octobre 1941 fut roumain, et c'est le maréchal roumain Ion Antonescu qui demanda le 16 décembre 1941 : « Attendrons-nous que Berlin décide ? » avant que ses hommes massacrent 70 000 Juifs dans la préfecture de Golta. Des milliers de ces Juifs périrent brûlés vifs. Quant aux Croates, des photographies témoignent de ce qui se passa dans cet Etat satellite. Les Allemands ne purent se passer d'auxiliaires baltes, comme dans le cas des polices municipale et portuaire lettones qui participèrent largement aux tueries massives de Juifs à Riga. Parmi les unités de la police lituanienne qu'on mit de force à la tâche, le 2e bataillon retient spécialement l'attention. En octobre de cette année 1941, il reçut l'ordre de quitter Kaunas pour rejoindre en Biélorussie le 11e bataillon de réserve de la police allemande. Sa mission : tuer des Juifs. Face aux victimes, un jeune Lituanien se dit incapable d'abattre des hommes, des femmes et des enfants, sur quoi le commandant de la compagnie, Juozas Kristaponis, convia ceux qui éprouvaient les mêmes scrupules à s'écarter. Certains le firent, la plupart ne bougèrent pas. Plus tard cette unité participa à d'autres tueries, et à Slutsk, au vu de certains agissements, un officier de police allemand ne put s'empêcher de traiter les Lituaniens de « cochons ».

Il serait difficile d'attribuer à tous ces hommes, qui n'appartenaient pas à la société allemande, la variété d'antisémitisme allemand qui recelait un « potentiel exterminationniste » comme le veut Goldhagen. Et manifestement impossible de rattacher un antisémitisme quelconque au déclenchement d'opérations de tuerie visant des non-Juifs. Or il y en eut. Un quart environ des malades mentaux de l'Allemagne furent gazés. Ces individus, sélectionnés dans les hôpitaux psychiatriques, n'apparaissaient nullement comme une menace pour la nation allemande. Par la suite, personnel et techniques furent transférés, au sens littéral, des cendres d'euthanasie d'Allemagne aux camps de Pologne, de sorte que les Juifs moururent, quoique en nombre infiniment plus considérable, comme ces Allemands placés en institutions. La séquence s'inversa dans le cas des tsiganes et des Juifs : malgré l'idée très différente que les nazis se faisaient de ces deux groupes, ce furent les tsiganes qu'on traita comme les Juifs. Ils furent acheminés par milliers jusqu'aux ghettos de Lodz et de Varsovie. Ils furent tués au même moment ou un peu plus tard que les Juifs de Serbie, de Lettonie et de Crimée, entre autres. Et ils furent gazés dans les chambres où l'on asphyxiait les Juifs à Kulmhof, Treblinka et Auschwitz.

Que reste-t-il, alors, à prendre au sérieux dans le livre de Goldhagen ? Voici plus de cinquante ans que l'on étudie les exécuteurs. Ils ont fait l'objet d'ouvrages de haute tenue en plusieurs langues. Devant ces progrès indiscutables de la recherche, pourquoi ce livre précis, à ce point dépourvu de contenu factuel et de rigueur logique, retient-il autant l'attention ?

L'éditeur américain de Goldhagen, Alfred E. Knopf, Inc, affirme sur la jaquette du volume que l'ouvrage « nous oblige à réviser de fond en comble nos idées sur la période 1933-1945 ». Knopf avait prévenu les critiques et les éditeurs étrangers : on tenait là un livre de première importance. Peu après sa publication, des analyses extrêmement favorables parurent dans les quotidiens américains et britanniques. Les auteurs des recensions, principalement des journalistes et des romanciers, saluaient un ouvrage qui ferait date et le couvraient d'éloges : « l'annulation de décennies d'interprétations conventionnelles émanant d'éminents spécialistes », « la seule explication plausible », « un monument », « magistral », « formidable contribution ». En un rien de temps, *Hitler's Willing Executioners* figura dans la liste hebdomadaire du *New York Times* des quinze meilleures ventes d'ouvrages de non-fiction aux Etats-Unis et s'y incrusta. Goldhagen resta deux mois sur cette liste.

L'éditeur organisa aussi, en liaison avec le « Holocaust Memorial Museum » de Washington, un colloque consacré à l'ouvrage de Goldhagen. La presse couvrit l'événement qui fut retransmis par une chaîne télévisée regardée par les intellectuels. Sur les quatre universitaires chargés de le commenter, deux étaient professeurs en résidence à l'institut à l'époque : Christopher Browning, que Goldhagen avait attaqué, et Konrad Kwiet, un chercheur australien possédant une connaissance inégalée des archives en matière d'études de l'Holocauste. Comme l'on pensait qu'ils allaient attaquer la thèse de Goldhagen, deux intervenants qu'on jugeait devoir épouser les vues de l'auteur furent appelés à la rescousse : Hans-Heinrich Wilhelm, de Berlin, auteur d'une monographie sur l'Einsotzgruppe A, une unité de la Police de sécurité de la taille d'un bataillon opérant dans le nord de l'Union soviétique occupée où elle tua par fusillades plus de 200 000 Juifs, et Yehuda Bauer, qui fut durant de nombreuses années le grand spécialiste de l'Holocauste à l'Université hébraïque de Jérusalem. Wilhelm et Bauer eurent une réaction entièrement négative, et Bauer alla jusqu'à mettre en doute le sens commun des professeurs de Harvard qui avaient octroyé le doctorat à Goldhagen.

Le colloque ne fut qu'un avant-goût des réactions universitaires qui suivirent. Des spécialistes de renom, tel Henry Friedlander qui avait écrit un livre éclairant sur les agents du programme d'euthanasie [3], ou Peter Hayes, auteur de l'ouvrage de référence sur le « Konzern » I.G. Farben et de travaux sur

---

3. Henry Friedlander, *The Origins of Nazi Genocide : From Euthanasia to the Final Solution*, Chapel Hill, N.C., 1995.

la spoliation des entreprises juives avant la guerre [4], stigmatisèrent le peu de substance de l'ouvrage de Goldhagen. Les spécialistes allemands en firent autant. A la fin de 1996, il était clair que le monde universitaire, à l'inverse des lecteurs profanes, avait rayé Goldhagen de la carte.

Lorsqu'on s'interroge sur les raisons du succès commercial de Goldhagen, on ne doit pas oublier, certes, l'imprimatur de Harvard ni la campagne de promotion intensive de Knopf. Ce double appui n'aurait pourtant pas réussi à susciter un tel enthousiasme si le public n'avait rien pu tirer des pages du livre lui-même.

Goldhagen promettait à ses lecteurs, d'abord et surtout, une explication de l'Holocauste. Il s'attaquait très imprudemment à la question perturbante du « pourquoi » et, sourd à toute mise en garde, il optait pour une et une seule réponse. Et la répétait jusqu'à l'épuisement au fil des chapitres et des notes. Affirmant avec témérité que lui seul détenait la solution, il déclarait à qui voulait l'entendre que désormais l'affaire était réglée.

Dans le numéro d'automne 1988 de la *Nouvelle Revue de Psychanalyse,* Claude Lanzmann nous mettait en garde contre les exercices académiques qui promettent une explication de la *Shoah.* Ces abstractions, en effet, n'ont souvent réussi qu'à émousser ou à travestir l'événement oblitérant la réalité sans parvenir à clarifier quoi que ce soit. On ne fouille pas aisément la psyché des exécuteurs. Après tout, ces gens ne s'analysaient pas et ne mettaient pas davantage à nu leurs pensées. Dans l'abîme que fut Auschwitz, ils pouvaient même s'enorgueillir de la futilité de toute tentative d'explication de leurs actes. Lanzmann lance cet ultime avertissement en citant Primo Levi qui, détenu à Auschwitz, entendit un garde S.S. proférer : « *Hier ist kein Warum* » (« Ici, il n'y a pas de pourquoi »).

Pour les spécialistes qui se sont attachés à rassembler les faits et à les transmettre, l'« explication » bancale proposée

---

4. Peter Hayes, « Big Business and " Aryanization " in Germany 1933-1939 », *Jahrbuch für Antisemitismusforschung* 3 (1994). – *Industry and Ideology : IG Farben in the Nazi Era,* Cambridge, Grande-Bretagne, 1987.

par Goldhagen n'avait, bien entendu, aucune valeur. Elle n'en
séduisit pas moins de nombreux acheteurs de livres incapables
d'effectuer des recherches, mais qui réclamaient depuis longtemps une interprétation tranchée leur paraissant suffisante
et, par là même, satisfaisante. Ce n'est pas une preuve par
les faits qui les convainquit, car l'auteur n'en avait aucune,
mais un simple enchaînement dont ils connaissaient les divers
éléments par ouï-dire : Allemands-antisémitisme-haine-sauva-
gerie. Ce n'est même pas une quelconque originalité de l'énoncé
qui emporta leur adhésion, mais le son familier qu'il rendait
à leurs oreilles. Pour lui donner une tonalité encore plus
familière, Goldhagen martelait ces mots dans ses six cents
pages et en ajoutait d'autres : « indicidible », « destructeur »,
« terrifiant », « démoniaque », « corrosif », « effroyable ». Les
épithètes portent un jugement ; elles appartiennent au domaine
de la politique et non de la science politique, mais elles
permirent à Goldhagen de faire sauter les réticences d'un
public qui avait voulu les dire, mais ne les avait pas lancées
haut et clair, à propos du peuple allemand de l'ère nazie.

On ne s'en étonnera pas, l'Allemagne réagit d'abord avec
indignation à l'exposé de Goldhagen. Avant même la parution
de la traduction, la presse allemande était remplie de comptes
rendus éreintant le livre. L'hebdomadaire *Der Spiegel* n'hésita
pas à réunir une équipe d'écrivains pour répliquer à l'auteur.
Toutes ces analyses, peu différentes les unes des autres, qua-
lifiaient la thèse de Goldhagen de « provocation » utilisant à
longueur de pages la terminologie des années 50 et chargée
d'allusions à la culpabilité collective, ou de « diabolisation »
des Allemands déguisant de la littérature de gare en réflexion
sociologique. On le traita d'« exécuteur de basses œuvres »,
ou on le rangea dans la catégorie des « petits historiens »
écrivant sur de « petits Hitler ». Mais, six mois plus tard
seulement, Josef Joffe, chroniqueur d'un journal allemand et
membre associé d'un institut de Harvard, écrivit un long essai
dans la *New York Review of Books,* intitulé « Goldhagen
conquiert l'Allemagne ». A ce jour, rapportait Joffe, Goldhagen avait rempli une salle de 2 500 places à Munich, à dix
dollars l'entrée, et plus de 130 000 exemplaires de la traduction allemande de son livre avaient envahi les rayons des
librairies. Que s'était-il passé pendant cette brève période ?

En temps normal, des critiques presque unanimement négatives ne font pas monter les ventes. Quand on signalait que l'historien Eberhard Jäckel parlait d'un livre « indigne d'une analyse » *(unter Niveau)*, cette seule appréciation aurait dû décourager l'acheteur. De plus, ce livre n'est pas de ceux qui éveillent la curiosité ou incitent à aller juger sur pièce : les critiques allemands ont reconnu d'une seule voix que Goldhagen ne dévoilait aucun fait nouveau et n'offrait aucune piste encore inexplorée. Impossible, donc, d'échapper à la conclusion que quelque chose, dans ce livre, servait les Allemands ordinaires en cette dernière décennie du siècle.

L'Allemagne a longtemps refoulé l'Holocauste dans la plus grande partie de ses détails et implications. Lorsqu'elle accepta de l'examiner un tant soit peu, elle y vit essentiellement les agissements de nazis ou de SS fanatisés. Un fils ne pouvait pas demander à son père : qu'as-tu fait ? Il fallut que cette génération eût quitté la scène pour que les fils et les filles, les petits-fils et les petites-filles commencent à poser, résolument, des questions. C'était presque une affaire de généalogie désormais, d'examen de conscience et d'identité. Parfois la jeune génération supposa le pire. Extrêmement rares furent ceux qui obtinrent les informations précises qu'ils cherchaient ; mais, s'ils en voulaient à leurs aînés ou s'ils les rejetaient, ils purent se raccrocher au livre de Daniel Goldhagen précisément en raison de sa discordance de ton. Ils purent, au moins, s'en servir pour confirmer leurs sentiments et brandir les sept cents pages de sa traduction allemande [5].

Goldhagen nous a laissé l'image d'une sorte d'incube médiéval, un démon latent tapi dans l'esprit allemand qui attendait son heure pour en jaillir avec furie. On nous demande de croire qu'il prit alors la forme d'un super-pogrom exécuté par des tueurs et des gardes. Dans cette présentation, l'Holocauste prend un tour orgiaque, et ses principaux attributs sont l'avilissement et la torture des victimes. Tout le reste, y compris les chambres à gaz dans lesquelles deux millions et demi de Juifs moururent hors du regard des exécuteurs, est

---

5. La traduction française réussit à tenir en moins de six cents pages particulièrement denses [*N. d. T.*].

secondaire, une simple « toile de fond » au massacre à ciel ouvert. Goldhagen n'a que faire des innombrables lois, décisions et décrets élaborés par les exécuteurs, ou des obstacles auxquels ils ne cessèrent de se heurter. Il n'observe pas les procédures courantes, ces composantes ordinaires de toute la mise en œuvre. Ce n'est pas son affaire. Il n'explore pas la machine administrative ni les pulsations bureaucratiques qui en animaient les rouages, qui gagnaient en puissance à mesure que le processus parvenait au summum de son gigantesque déploiement. Il a préféré rétrécir l'Holocauste, remplaçant ses mécanismes enchevêtrés par des pistolets, des fouets, des poings.

De part et d'autre de l'Atlantique les spécialistes se sont demandés avec effarement, entre eux et chacun personnellement, si l'ouvrage de Goldhagen constituait une manifestation éphémère ou un apport durable à tout ce que l'on avait écrit. Ils savent pourtant que, par pur effet d'élan, le volume sera présent sur les rayonnages des librairies, en édition cartonnée ou de poche, pendant les prochaines années. Ils comprennent que le développement des connaissances se fait lentement, douloureusement, et qu'il faut du temps, souvent des décennies, pour que l'information soit absorbée par la communauté des historiens, sans même parler du grand public. Dans l'intervalle, Goldhagen sera cité par des généralistes ignorants, qui ne soupçonnent même pas les avancées permises par l'ouverture des archives et les possibilités qui sollicitent aujourd'hui l'historien. Le nuage déployé par Goldhagen sur le paysage universitaire pèse sur l'horizon de la recherche. Il n'est pas près de se dissiper.

Raul HILBERG

(traduit par Marie-France de Paloméra)

Claude Lanzmann

NOTES ANTE ET ANTI ELIMINATIONNISTES

Je remercie Raul Hilberg d'avoir accepté, à ma prière, de rédiger pour les Temps Modernes l'article qu'on vient de lire. C'est la première fois qu'il consent à s'exprimer par écrit sur ce sujet.

Je ne tiens pas à ajouter actuellement quoi que ce soit au débat, sinon les quelques notes qui suivent [1]. Elles portent, on le verra, sur le « Eurêka » de ce jeune homme à la question du « Pourquoi », que nous attendions depuis cinquante ans ; sur le soi-disant renversement copernicien de ses « découvertes » : nous aurions ainsi propagé le mensonge que le nazisme était le fait d'une poignée de gangsters, exonérant les Allemands dans leur ensemble de toute implication (voir l'article publié par Libération*), sur l'antisémitisme, sur le problème de l'engendrement de la violence, enfin sur la « mort douce » dans les chambres à gaz, dont Goldhagen, dans sa fougue tautologique, ose écrire qu'il les tient pour un « épiphénomène », délivrant ainsi les Allemands, ses lecteurs et lui-même de l'obligation d'avoir à penser et à affronter ce qu'il y eut d'absolument unique et sans précédent dans la destruction des Juifs d'Europe. Exonérant les Allemands ordinaires du gaz, les changeant en massacreurs eux aussi ordinaires, bestiaux, cruels, sadiques, bras éclaboussés de*

---

1. Certains de ces textes ont été repris intégralement dans « Au sujet de *Shoah*, le film de Claude Lanzmann », Belin, 1990.

*sang et de cervelle, Goldhagen les réintègre à l'humanité
commune et les libère croyant les accabler. Massacre à grande
échelle, mais massacre, donc précédent. L'humanité a l'habitude des Saint-Barthélemy. C'est là une raison centrale du
succès des « Bourreaux volontaires » en Allemagne. Il y en a
d'autres, dont Pierre Bouretz, Liliane Kandel et Pierre-Yves
Gaudard parlent plus loin. J'y reviendrai moi-même.*

Claude LANZMANN

HIER IST KEIN WARUM [2]

Il suffit peut-être de formuler la question au plus simple,
de demander : « Pourquoi les Juifs ont-ils été tués ? » Elle
dévoile d'emblée son obscénité. Il y a bien une obscénité
absolue du projet de comprendre.

Ne pas comprendre fut ma loi d'airain pendant toutes les
années de l'élaboration et de la réalisation de *Shoah* : je me
suis arc-bouté à ce refus comme à l'unique attitude possible,
éthique et opératoire à la fois. Cette garde haute, ces œillères,
cet aveuglement furent pour moi la condition vitale de la
création.

Aveuglement doit s'entendre ici comme le mode le plus
pur du regard, seule façon de ne pas le détourner d'une réalité
à la lettre aveuglante : la clairvoyance même. Diriger sur
l'horreur un regard frontal exige qu'on renonce aux distrac-
tions et échappatoires, d'abord à la première d'entre elles, la
plus faussement centrale, la question du pourquoi, avec la
suite indéfinie des académiques frivolités ou des canailleries
qu'elle ne cesse d'induire. « *Hier ist kein Warum* » (« Ici, il
n'y a pas de pourquoi ») : Primo Levi raconte que la règle
d'Auschwitz lui fut ainsi enseignée dès son arrivée au camp
par un garde S.S. « Pas de pourquoi » : cette loi vaut aussi
pour qui assume la charge d'une pareille transmission. Car
l'acte de transmettre seul importe et nulle intelligibilité, c'est-
à-dire nul savoir vrai, ne préexiste à la transmission. C'est la

---

2. *Nouvelle Revue de Psychanalyse*, « Le Mal », n° 38,
automne 1988.

transmission qui est le savoir même. La radicalité ne se divise pas : pas de pourquoi, mais pas non plus de réponse au pourquoi du refus du pourquoi sous peine de se réinscrire dans l'obscénité à l'instant énoncée.

RÉFLEXIONS SUR LE PASSAGE À L'ACTE [3]

Jusqu'à présent, toutes les œuvres cinématographiques qui ont voulu traiter de l'Holocauste ont essayé d'engendrer celui-ci par le biais de l'Histoire et de la chronologie : on commence en 1933, avec la montée des Nazis au pouvoir – ou même plus tôt encore, par exposer les divers courants de l'antisémitisme allemand au XIXe siècle (idéologie volkiste, formation de la conscience nationale allemande, etc.) – et on tente de parvenir, année après année, étape par étape, presque harmonieusement pour ainsi dire, à l'extermination. Comme si l'extermination de six millions d'hommes, de femmes et d'enfants, comme si un pareil massacre de masse pouvait s'engendrer.

A la destruction de six millions de Juifs, il y a bien évidemment des raisons et des explications : le caractère d'Adolf Hitler, sa relation au Juif considéré comme le « mauvais père », la défaite de 1918, le chômage, l'inflation, les racines religieuses de l'antisémitisme, la fonction des Juifs dans la société, l'image du Juif, l'endoctrinement de la jeunesse allemande, le rapt de l'Allemagne entière par le violeur de charme qu'était Adolf Hitler, la discipline germanique, l'esprit juif regardé comme le négatif absolu de l'esprit allemand, etc. Tous ces domaines d'explication (psychanalyse, sociologie, économie, religion, etc.) pris un à un ou tous ensemble sont à la fois vrais et faux, c'est-à-dire parfaitement insatisfaisants : s'ils ont été la condition nécessaire de l'extermination, ils n'en étaient pas la condition suffisante, la destruction des Juifs européens ne peut pas *se déduire* logiquement ou mathématiquement de ce système de présupposés. Entre les conditions qui ont permis l'extermination et l'extermination elle-même

---

3. Extrait de De l'Holocauste à *Holocauste* ou Comment s'en débarrasser, *Les Temps Modernes,* juin 1979.

– le *fait* de l'extermination – il y a solution de continuité, il
y a un hiatus, il y a un saut, il y a un abîme. L'extermination
ne s'engendre pas, et vouloir le faire, c'est d'une certaine
façon nier sa réalité, refuser le surgissement de la violence,
c'est vouloir habiller l'implacable nudité de celle-ci, la parer
et donc refuser de la voir, de la regarder en face dans ce
qu'elle a de plus aride et d'incomparable. En un mot, c'est
l'affaiblir. Tout discours qui cherche à engendrer la violence
est un rêve absurde de non-violent.

C'est de la violence nue qu'il faut partir et non pas, comme
on le fait toujours, des feux de camps, des chants, des têtes
blondes de la Hitlerjügend. Même pas des masses allemandes
fanatisées, des « Heil Hitler ! » et des millions de bras levés.
Pas non plus de la série de mesures antijuives qui, à partir de
1933, ont peu à peu rendu impossible la vie des Juifs allemands,
pas de la Kristallnacht : le récit chronologique qui partirait du
boycott d'avril 1933 pour déboucher *naturellement* sur l'entrée
dans les chambres à gaz d'Auschwitz ou de Treblinka ne serait
pas faux à proprement parler, il serait tristement plat et uni-
dimensionnel. Or, c'est d'une œuvre d'art qu'il s'agit, d'une
autre logique, d'un autre mode de récit : si l'on veut par exemple
que le spectateur soit touché au cœur par le scandale de la
Conférence d'Evian, il ne faut pas qu'Evian apparaisse dans le
film à la place chronologique qui a été la sienne dans le déroulement des douze années de l'Histoire du nazisme, il faut au
contraire commencer par la fin, par cette nuit du 7 décembre
1941 où les neuf cents Juifs de la petite ville de Kolo, dans le
comté de Konin (Voïvodie de Lodz), eurent le privilège d'être
les premiers gazés de la solution finale dans les bois de Ruszow.
Dans mon film, la solution finale ne doit pas être le point
d'arrivée du récit, mais son point de départ : le scandale d'Evian
n'apparaîtra dans toute sa force que si les camions à gaz sont
déjà en action et si le spectateur est saisi par le vertige de
l'accélération de l'Histoire : entre Evian et les premiers gazages
des Juifs du Wartheland, *trois ans seulement* se sont écoulés.

La rhétorique fleurie des délégués d'Amérique latine à la
Conférence, l'hypocrisie ordinaire des représentants britannique ou américain ne deviennent meurtrières que confrontées
à la réalité de l'extermination, à l'extermination en train de
s'accomplir.

Pour qu'il y ait tragédie, il faut que la fin soit déjà connue, que la mort soit présente à l'origine même du récit, qu'elle scande tous les épisodes de celui-ci, qu'elle soit la mesure unique des paroles, des silences, des actions, des refus d'action, des aveuglements qui la rendirent possible. Le récit chronologique, parce qu'il n'est rien d'autre qu'une plate succession d'avant et d'après, est antitragique par essence et la mort, lorsqu'elle survient, le fait toujours à son heure, c'est-à-dire comme non-violence et non-scandale. Les six millions de Juifs assassinés ne sont pas morts à leur heure.

LES JUIFS, L'ALLEMAGNE ET LES NATIONS [4]

J'ajoute – et ceci est capital – qu'il y a selon moi une spécificité absolue de l'antisémitisme, qui ne se laisse en rien réduire aux conflits d'ordre politique ou racial pris en général. L'antisémitisme est bien plus et bien autre chose qu'une simple figure particulière du racisme. De même – et ceci est lié à cela – que le destin et l'histoire du peuple juif ne se laissent comparer à ceux de nul autre peuple, de même le caractère cyclique de la persécution et de la haine antijuives (des sommets suivis de rémissions, des espoirs toujours fauchés), la longueur, la constance de la persécution, la puissance et l'extension de cette haine, avec toutes les productions mythiques et fantasmatiques qu'elle ne cesse pas de susciter, font de l'antisémitisme un phénomène unique et rendent dérisoires les tentatives de réduction auxquelles on s'essaie périodiquement. Le prodigieux vouloir-vivre du peuple juif explique la constance et l'escalade de la haine antisémite jusqu'à son sommet ultime, l'Holocauste. Raul Hilberg a résumé cela dans une sèche et magnifique formule : « Les missionnaires de la Chrétienté avaient dit en effet : Vous n'avez pas le droit de vivre parmi nous en tant que Juifs. Les chefs séculiers qui suivirent avaient proclamé : Vous n'avez pas le droit de vivre parmi nous. Les Nazis allemands à la fin décrétèrent : Vous n'avez pas le droit de vivre. »

---

4. Extrait de De l'Holocauste à *Holocauste* ou Comment s'en débarrasser, *Les Temps Modernes,* juin 1979.

A ceux maintenant qui regardent l'Holocauste comme une anomalie, comme une aberration si parfaite qu'elle échapperait à toute prise et interprétation historique, cette citation de Hilberg apporterait une première réponse. En voici d'autres :

Pour commencer – et si aberration il y a – les Juifs en ont été les victimes. L'aberration alors est au cœur même de leur propre Histoire, elle en est comme *l'acte fondateur* et on leur pardonnera de vouloir lui trouver un sens. Douze années de persécution méthodique, d'un lent processus de destruction poursuivi au su et au vu de tous, avec pour résultat l'anéantissement d'un tiers de leur peuple permettent au moins qu'ils s'interrogent sur ce qui a rendu l'anomalie possible.

Mais essentiellement, la théorie de l'aberration vise aujourd'hui à balayer l'idée même de *responsabilité historique,* celle de l'Allemagne et celle des nations. Or l'extermination des Juifs n'a pas été le fait d'une poignée de déments. En ce qui concerne l'Allemagne, le processus de destruction n'a pu s'accomplir que sur la base d'un consensus général de la nation allemande. L'annihilation de six millions de Juifs a été une tâche d'une difficulté et d'une complication extrêmes, qui a posé aux meurtriers d'immenses et multiples problèmes : il a fallu, pour la mener à bien, la participation active et patiente de la totalité de l'appareil administratif d'un grand Etat moderne.

D'autre part, l'Allemagne s'est appuyée sur l'existence d'un monde agressivement antisémite : la Pologne, la Hongrie, la Roumanie, l'URSS – pour ne citer qu'elles – étaient antisémites. Le fameux plan Madagascar est d'abord une idée polonaise (Commission Lepecki, 1936) et M. Georges Bonnet, ministre français des Affaires étrangères, en discutait calmement avec von Ribbentrop. C'est M. Rothmund, chef de la Police suisse, qui est le premier responsable – dès 1938 – de l'obligation, pour les réfugiés juifs allemands, d'avoir leurs passeports marqués de la lettre « J ». Lorsqu'il condamnait les Juifs, Hitler ne parlait pas un langage étranger, il « communiquait », il était compris et se savait compris (voir ses réflexions après l'échec de la Conférence d'Evian, le plan Rublee-Schacht où les entrées du journal de Goebbels en 1942-1943 : « Je suis convaincu que tout au fond les démocraties ne sont pas

mécontentes que nous les débarrassions de la " merde juive ". »
(Judische Riff-Raff.)

Si les démocraties s'étaient activement opposées à la
persécution ou – ce qui revient au même – avaient ouvert
leurs portes aux Juifs, avaient dit : « Vous n'en voulez pas,
soit, alors nous les prenons », l'Holocauste n'aurait pas eu lieu
ou n'aurait, à tout le moins, jamais atteint de pareilles dimensions. L'Holocauste a d'abord été rendu possible parce que
les nations se sont lavé les mains de la persécution des Juifs,
ont laissé les Nazis seuls avec le « problème ». Telles sont
les *responsabilités historiques* qu'on peut suivre, cas par cas
et étape par étape, jusqu'à la scandaleuse faillite du sauvetage
des Juifs de Hongrie : « Que ferai-je d'un million de Juifs ? »
demandait Lord Moyne, haut-commissaire britannique en
Egypte.

Il faut tenir fortement les deux bouts de la chaîne :
l'Holocauste est unique mais pas aberrant. Il n'est pas l'œuvre
d'un groupe de criminels irresponsables atypiques, mais doit
être regardé au contraire comme l'expression des tendances
les plus profondes de la civilisation occidentale. Tous étaient
fondamentalement d'accord pour tuer ceux *pour lesquels il
n'y avait pas de place.*

SONNAIT ALORS L'HEURE DE LA VIOLENCE NUE [5]

Filip Müller fait justice de cette légende qui veut que les
Juifs soient entrés dans les chambres à gaz sans pressentiment
ni violence, qui veut que leur mort ait été douce. Beaucoup
ne savaient pas – car comment penser l'impensable, comment
l'imaginer ? – mais tous ont pressenti le vrai et tous finalement
– quand les matraques et les fouets entraient en action pour
leur faire parcourir les derniers mètres – ont compris. D'autres
– bien plus nombreux qu'on ne l'a dit – étaient absolument
sans illusion : Juifs polonais des ghettos de Haute-Silésie
proches d'Auschwitz, comme ceux de Bendzin et de Sosnowitz,

5. Claude Lanzmann, préface au récit de Filip Müller : *Trois
ans dans une chambre à gaz d'Auschwitz,* Pygmalion, Gérard Watelet,
1980.

ou encore Juifs tchèques du « camp des familles » qui, après
six mois passés à Birkenau, savaient tout à fait à quoi s'en
tenir. Et les S.S., sachant qu'ils savaient, renonçaient à leurs
fables, celles des douches ou de la désinfection, jetaient bas
le masque : sonnait alors l'heure de la violence nue. Casqués,
bottés, sur pied de guerre, lourdement armés avec grenades
et lance-flammes, les S.S. attendaient dans la cour des crématoires les hordes juives sans défense, un chef se juchait sur
une estrade de fortune et tenait aux condamnés le moins fardé
des discours, leur donnant le choix entre la mort par le gaz
ou par les lance-flammes. Mais on ne leur laissait même pas
le temps de délibérer et de peser l'horreur : crosses, matraques,
tirs de mitrailleuses les affolaient d'emblée et c'est sur un
troupeau sanglant, tuméfié, éclaté, que se refermaient après
une lutte sans espoir les portes des chambres de supplice. Car
Filip Müller a observé les bourreaux autant que les victimes :
arrivé très tôt à Auschwitz – dès avril 1942, avec un des
premiers transports de Slovaquie –, il a commencé en mai à
« travailler » au crématoire I, celui du camp principal (les
grands crématoires de Birkenau n'existaient pas encore) et
dans la petite ferme dissimulée au cœur du bois de bouleaux
de Brezinka, appelée Bunker 2, puis plus tard Bunker V,
transformée artisanalement en chambre à gaz. A l'époque, les
Nazis ne savaient pas à la lettre comment opérer : ils furent
très largement des pionniers et des expérimentateurs, procé-
dant par essais et erreurs, inventant à la fois la méthode et
son objet, la perfectionnant, la raffinant au fil des mois et des
années. Violence d'abord, puis ruses et mensonges, violence
encore et enfin, car on la trouvait toujours au bout du chemin :
le soi-disant « ordre allemand » était en même temps un
désordre sans nom et les tueries de masse un bordel : elles ne
pouvaient être que cela.

Claude LANZMANN

Pierre Bouretz

DANIEL GOLDHAGEN, LA SHOAH ET L'ALLEMAGNE LES PILIERS ONT-ILS VRAIMENT TREMBLÉ ?

La critique sereine d'un ouvrage comme *Les bourreaux volontaires de Hitler* [1] est particulièrement difficile pour au moins trois raisons dont les effets se cumulent. La première tient à l'auteur lui-même, à son arrogance caricaturale, puis aux défauts évidents d'un travail moins révolutionnaire qu'il ne le dit et dont l'originalité essentielle n'est peut-être pas là où il la voit. Dénué de toute nuance de jugement et ne manifestant pas la moindre reconnaissance intellectuelle pour ses grands prédécesseurs chez qui il puise abondamment en même temps qu'il dévalorise leurs thèses, il sollicite aisément des appréciations elles-mêmes sans réserves. En tout premier lieu et pour ne prendre que deux exemples, Raul Hilberg et Christopher Browning sont en droit d'être offusqués du traitement qui leur est accordé [2]. A quoi s'ajoute qu'en voulant

---

1. Daniel Johan Goldhagen, *Les bourreaux volontaires de Hitler. Les Allemands ordinaires et l'Holocauste,* trad. P. Martin, Paris, Seuil, 1997.

2. La lecture de Goldhagen doit à l'évidence conduire ou revenir à celle de leurs ouvrages essentiels : Raul Hilberg, *La destruction des Juifs d'Europe,* trad. M.-F. de Paloméra et A. Charpentier, Paris, Fayard, 1988, Gallimard, « Folio histoire », 1992, 2 vol. et Christopher Browning, *Des hommes ordinaires* : *Le 101e bataillon de réserve de la police allemande et la solution finale en Pologne* (1992), trad. E. Barnavi, préface de Pierre Vidal-Naquet, Paris, Les Belles Lettres, 1994, 10/18, 1996.

faire œuvre d'historien tout en donnant aux meilleurs représentants de l'histoire de la Shoah des leçons de sciences sociales, Daniel Goldhagen expose quiconque chercherait à le défendre au risque de querelles disciplinaires d'autant plus vaines qu'il ne bouleverse pas là non plus les canons de la connaissance. Enfin et pour nous qui recevons l'ouvrage après les Américains et les Allemands, l'abondance des polémiques où l'injure a parfois remplacé la discussion peut devenir un obstacle. Mais du moins avons-nous la chance de bénéficier en retour de quelques bonnes analyses critiques de cet étrange débat, qui devraient aider à une lecture plus apaisée [3].

Ainsi peut-on dire d'emblée qu'il arrive au livre de parvenir à résister aux objections les plus fines qui lui sont opposées. A titre d'illustration, Fritz Stern débusque un parfait exemple des légèretés du jeune historien dans une citation de Thomas Mann que Daniel Goldhagen emprunte à l'un de ses ouvrages en la coupant, pour étayer sa thèse sur l'imprégnation de toute la société allemande par une « mentalité éliminationniste » : « Ce n'est pas un grand malheur après tout (...) que soit mis un terme à la présence juive dans les rangs de la justice [4]. » Affirmant qu'il n'avait lui-même exhumé ces propos que pour montrer « l'ambiguïté et la complexité de l'antisémitisme allemand » en soulignant « la fascinante indécision de ton et d'intention » propre à Thomas Mann, Fritz Stern dénonce avec raison le procédé qui consiste à transformer ce que ce dernier

---

3. Voir en premier lieu l'excellente mise en perspective de la discussion allemande qu'offre Edouard Husson dans *Une culpabilité ordinaire,* Hitler, les Allemands et la Shoah, Paris, François-Xavier de Guibert, 1996. Dans le dossier réuni par *Le Débat* (n° 93, janvier-février 1997), Josef Joffe éclaire également cette dimension : voir « Goldhagen en Allemagne » (*New York Review of Books,* 28 novembre 1996), p. 132-140.

4. Fritz Stern, « Une nation, un peuple, une théorie ? » (*Foreign Affairs,* novembre-décembre 1996), in *Le Débat, op. cit.,* p. 143, note 2. La citation incriminée se trouve p. 102 du livre de Goldhagen qui indique l'avoir empruntée à Fritz Stern, *Rêves et illusions,* Le drame de l'histoire allemande, trad. J. Etoré, Paris, Albin Michel, 1989, p. 247. On trouvera l'original dans Thomas Mann, *Journal,* 1918-1921, 1933-1939, trad. R. Simon, Paris, Gallimard, 1985, p. 229.

nommait des « pensées secrètes, intenses, gênantes » en preuves décisives [5]. Mais le retour aux sources réserve quelques surprises. Quatre pages plus loin dans le *Journal* de Thomas Mann en effet on peut lire : « La révolte contre le caractère juif bénéficierait dans une certaine mesure de ma compréhension si la disparition du contrôle de l'être allemand par l'esprit juif n'était pas si préjudiciable au premier et si le caractère allemand n'avait pas la bêtise de mettre mon type à moi dans le même sac et de m'exclure en même temps [6]. » Pensées indécises à nouveau, que Fritz Stern jugeait autrefois avec sévérité, en notant qu'elles marquaient « la rechute dans le Thomas Mann de *Wälsungenblut (Le sang des Wälsungen),* œuvre antisémite écrite en 1906 dans laquelle le mot " Juif " n'apparaît pas et que l'auteur retira de la publication à la demande de son beau-père ». Pourquoi ne pas admettre alors que la manière dont Fritz Stern retrouve chez l'immense Thomas Mann, qui contribua de toutes ses forces à la lutte contre le nazisme, ces propos embarrassants n'est pas sans apporter de l'eau au moulin de Daniel Goldhagen lorsqu'il veut montrer, avec moins de précision interprétative, que les meilleurs représentants de la culture allemande n'étaient pas exempts de toute trace d'antisémitisme [7] ?

Avant même de risquer un jugement concernant ce livre sulfureux, on ne peut faire l'économie de quelques remarques liminaires sur ce qu'il faut bien appeler l'effet Goldhagen et qui revient au phénomène suivant : un écart flagrant entre la mobilisation critique de la communauté des historiens et le très grand succès public du livre aux Etats-Unis et en Allemagne. Cette singularité ayant déjà fait l'objet de nombreux commentaires, il suffira de l'approcher au travers de deux types d'ana-

---

5. Fritz Stern, « Une nation, un peuple, une théorie ? », *loc. cit.,* p. 143.

6. Thomas Mann, *Journal, op. cit.,* p. 233.

7. Fritz Stern, *Rêves et illusions,* Le drame de l'histoire allemande, *op. cit.,* p. 247-248. Pour approfondir l'analyse des rapports complexes de l'auteur de *Joseph et ses frères* (1933-1943) avec l'Allemagne, on pourra se reporter à Odile Marcel, *La maladie européenne,* Thomas Mann et le XXe siècle, Paris, PUF, 1993 et Hans Mayer, *Thomas Mann,* trad. L. Ferec et V. Le Vot, Paris, PUF, 1994.

lyse, l'une vulgaire et souvent sauvage, l'autre subtile et pouvant
offrir un bon point de départ. Rapidement indiquée, l'analyse
vulgaire de l'effet Goldhagen prend à peu près la forme suivante : le public qui ignore les ouvrages « sérieux » sur la
question aime la facilité et on lui offre une thèse simple, dans
un habillage provocateur habilement médiatisé, de la part d'un
fils de survivant qui illustre son propos de photographies et
mobilise les sentiments de fascination devant l'horreur. Daniel
Goldhagen étant le meilleur avocat de son travail face à des
critiques de cet ordre, où la vulgarité vire parfois dans l'ignoble
(le « fils de survivant » qui ne pourrait être objectif...), on peut
s'intéresser davantage à des analyses subtiles de la part d'historiens spécialistes des questions traitées et dont Philippe Burin
serait le meilleur représentant [8]. L'auteur de Hitler et les Juifs
explique le succès public du livre par sa « structure en oignon ».
Au centre, on trouverait ainsi un honnête travail de doctorat,
construit autour de trois études de cas, sur les unités de police
opérant en Pologne entre 1942 et 1943, les assassinats de Juifs
dans les « camps de travail » et les « marches de la mort »
durant lesquelles les massacres systématiques continuaient
en dépit des ordres de Himmler. Ici, on peut faire droit à
Goldhagen de l'originalité des deux dernières enquêtes et surtout discuter les résultats de la première, en restituant ce qui
oppose son interprétation à celle de Christopher Browning : le
fait de ne voir que l'antisémitisme propre à des « Allemands
ordinaires », là où avait été montré le rôle de la pression du
groupe, de la légitimation par l'institution ou de l'acclimatation
à la violence pour expliquer les comportements d'« hommes
ordinaires ». Mais l'effet du livre vient plutôt de ses bords
externes que de ce noyau central, de la manière dont il entoure
un travail empirique acceptable dans ses grandes lignes d'une
thèse mal étayée sur l'éternel antisémitisme allemand et de
jugements péremptoires concernant l'adhésion de tout un peuple
au projet éliminationniste [9].

---

8. Voir Philippe Burin, « Il n'y a pas de peuple assassin », L'Histoire, n° 206, janvier 1997, p. 82-85 (avec une utile bibliographie).
Philippe Burin est l'auteur de Hitler et les Juifs, Genèse d'un
génocide, Paris, Seuil, 1989/1995.

9. Il faut préciser avec Philippe Burin que le véritable événement

Philippe Burin poursuit toutefois cette analyse par une série de remarques terminales qui paraissent plus discutables. La première, qu'il faudra bientôt réinterroger, consiste à reprocher au travail de Goldhagen sur la place de l'antisémitisme un retour de « cinquante ans en arrière », comme si la fermeté de son propos annulait brutalement les progrès d'une historiographie qui aurait acquis l'art des nuances. La dernière, sur laquelle on reviendra également, suggère que la manière dont Goldhagen verrouille l'idée d'un « peuple judéocide » veut offrir le contrepoint extrême de la thèse « révisionniste » par laquelle Ernst Nolte avait ouvert la « querelle des historiens » allemands de 1986, en voyant dans le génocide une « réaction » à la menace bolchevique. Mais c'est sans doute la remarque médiane qui présente le plus gros problème, lorsqu'elle pose l'hypothèse suivante : « à la différence de ce que sera probablement sa trajectoire dans l'historiographie du génocide, l'ouvrage a d'ores et déjà gagné sa place dans l'histoire de la mémoire de ce génocide ». A quoi Philippe Burin ajoute que les thèses à venir sur *Les bourreaux volontaires de Hitler* nous apprendront beaucoup « sur les sensibilités contemporaines et sur notre représentation du passé, en particulier dans les milieux les plus directement concernés ». A ces propositions qui résument bien l'accueil fait au livre dans une large partie de la communauté des spécialistes et même l'état d'esprit qui semble prévaloir au sein de celle-ci sur la question, on peut avoir envie d'opposer plusieurs éléments de réflexion.

En premier lieu, affirmée de manière tranchée et non réflexive l'opposition entre histoire et mémoire paraît renvoyer à une coupure brutale entre la « science » et les autres formes d'appréhension qui présente parmi d'autres inconvénients celui de priver l'historiographie du témoignage de la narration (Primo Levi ou Elie Wiesel pour ne prendre que des exemples), des images et du récit (*Nuit et brouillard* d'Alain Resnais ou

---

historiographique sur ces deux questions est constitué par la publication de Saul Friedländer, *Nasi Germany and the Jews,* vol. 1, *The Years of Persecution,* New York, Harper & Collins, 1997, à paraître aux Editions du Seuil.

Shoah de Claude Lanzmann), ou encore des analyses philosophiques (ne songeons qu'à Hannah Arendt) [10]. Mais cette scission que paradoxalement Goldhagen reproduit largement en ignorant totalement ces œuvres devient d'autant plus problématique qu'elle oppose les savants et « les milieux les plus directement concernés », comme si le destinataire naturel de tout travail sur ces questions n'était pas ce qu'il faut nommer un public universel, un milieu où s'estompent toutes distinctions d'origine et de nationalité, de spécialisation ou d'intérêt propre à l'« honnête homme » [11]. En surplus, on voit mal comment bon nombre d'historiens qui ont participé au débat (Goldhagen dirait sans doute « sans y être contraints... ») peuvent aussitôt s'en exclure pour le juger et tenir un discours sur lui où l'analyse se réduit au fait que l'indigence des thèses du livre et l'incompétence des lecteurs se renforcent mutuellement. C'est alors d'un historien que vient sans doute la bonne question, habilement reprise d'ailleurs par Goldhagen dans l'un de ses plaidoyers *pro domo* : si le contenu et la forme des *Bourreaux volontaires de Hitler* sont à ce point privés de toute valeur, « pourquoi les piliers ont-ils tremblé ? » [12].

---

10. Je me permets de renvoyer sur cette question à Pierre Bouretz, « Penser au XXᵉ siècle : la place de l'énigme totalitaire », *Esprit*, janvier-février 1996 et « Le totalitarisme, un concept philosophique pour la réflexion historique », *Communisme*, nº 47/48, 1986.

11. Sur l'articulation entre histoire et mémoire, puis les liens entre la dimension « communautaire » du souvenir et le travail historiographique, on pourra croiser deux approches : celle de l'ouvrage désormais classique de Yosef Hayim Yerushalmi, *Zakhor*, Histoire juive et mémoire juive, trad. E. Vigne, Paris, La Découverte, 1984/Gallimard, 1991, puis celle de Annette Wieviorka, *Déportation et génocide, Entre la mémoire et l'oubli,* Plon, 1992, Hachette « pluriel », 1995 et *Les Livres du souvenir,* Mémoriaux juifs de Pologne (présentation avec Itzhok Niborski), Paris, Gallimard, « Archives », 1983.

12. La question vient de Israel Gutmann, directeur du centre de recherche de Yad Vashem et de l'*Encyclopédie de l'Holocauste,* dans le quotidien *Ha'arets*. Elle est citée par Daniel Goldhagen *in* « Réponse à mes critiques », *Le Débat, op. cit.,* p. 188.

L'intentionnalisme revisité et le rôle de l'antisémitisme

Si elles pouvaient sembler nous éloigner du livre de Daniel Goldhagen, ces dernières remarques y reconduisent directement par la réponse que donne Israel Gutmann à sa propre interrogation : « La vérité est que le livre a attiré, dès sa parution, l'intérêt d'un large public parce qu'il a posé à nouveau, d'une façon univoque, les questions centrales qui, à dessein ou involontairement, ont été évacuées ou passées sous silence par le gros de la recherche sur l'Holocauste. » Ces questions sont pour l'essentiel au nombre de deux, intimement liées : l'existence ou non d'une intention d'éliminer les Juifs de la part des Nazis dès l'élaboration de leur projet et la part de l'antisémitisme dans le soutien au régime puis la réalisation de ce qu'il nommera la « solution finale ». Il faut admettre que sur ce point Daniel Goldhagen renverse délibérément la tendance de l'historiographie récente, en adoptant sans réserve la thèse « intentionnaliste » et en cherchant à la renforcer par la mise au jour d'une hostilité aux Juifs dans l'Allemagne moderne qui allait souvent jusqu'au désir plus ou moins secret de les éliminer. A l'inverse, une vision linéaire et non critique du « progrès » en histoire peut disqualifier *a priori* une telle entreprise, dans la mesure où le point de vue désormais dominant semble être celui du « fonctionnalisme », qui privilégie le rôle des conflits internes à l'appareil dirigeant, de l'échec des autres « solutions » comme la « ghettoïsation », ou encore des difficultés militaires rencontrées sur le front de l'Est [13]. Sous couvert de telles hypothèses, *La destruction des*

---

13. Le triomphe de ce paradigme était particulièrement visible dans la somme collective dirigée par François Bédarida et Jean-Pierre Azéma, *Les années de tourmente. De Munich à Prague*, Paris, Flammarion, 1995. Ajoutons que cet ouvrage qui a pour légitime ambition de présenter au grand public l'étiage actuel de la recherche ne contient pas d'article sur l'antisémitisme. Voir Pierre Bouretz, « Penser au XXᵉ siècle : la place de l'énigme totalitaire », *loc. cit.* Sur la controverse intentionnalisme/fonctionnalisme on pourra se reporter à Saul Friedländer, « De l'antisémitisme à l'extermination », in *L'Al-*

Juifs d'Europe pour reprendre le titre de Raul Hilberg apparaît de plus en plus comme n'étant qu'une réponse à des exigences de survie du régime dans le contexte de la guerre. Que devient alors le projet clairement affiché par Hitler d'éliminer une « race » définie avec quelques autres comme « inférieure » ? ? Qu'en est-il de l'hypothèse d'Hannah Arendt selon laquelle les Nazis voulaient prouver qu'une partie de l'humanité est radicalement « superflue » [14] ?

Même si l'ouvrage de Daniel Goldhagen se prête mal à une mise en perspective critique, par sa manière de confondre la discussion intellectuelle avec l'anathème et la guérilla de notes en bas de pages, il pourrait être l'occasion d'un retour réflexif sur cette querelle entre intentionnalisme et fonctionnalisme, dans le moment particulier de l'histoire de la Shoah qui semble être le nôtre et qui pourrait se situer à la charnière entre l'accumulation documentaire et une approche plus interprétative. Mais cela suppose à tout le moins que l'on accepte de ne pas caricaturer sa thèse, afin d'essayer de lui rendre sa forme précise : la destruction des Juifs a été conduite *grâce à* la guerre et *à cause* d'un antisémitisme qui avait affiché depuis longtemps ses visées d'élimination, et non *à cause* de la guerre ou de ses difficultés, comme si des flots de propos publics et réitérés ne valaient pas pour une intention. Puis vient le fait qu'en renversant pour une fois la charge de la preuve, on est en droit de demander aux historiens fonctionnalistes de fournir les arguments qui leur permettent d'écarter l'importance centrale de *Mein Kampf,* du discours prononcé par Hitler dès le 13 août 1920 et intitulé « pourquoi sommes-nous antisémites », puis de ceux des 30 janvier 1939 et 30 janvier 1941 où il ne cesse selon ses propres dires de prophétiser « l'anéantissement de la race juive en Europe [15] ». Qu'il faille corriger le caractère trop unilatéral de l'explication

---

lemagne nazie et le génocide juif, Paris, Gallimard-Le Seuil, 1985 et Ian Kershaw, *Qu'est-ce que le nazisme ?,* Problèmes et perspectives d'interprétation, trad. J. Carnaud, Paris, Gallimard, « folio histoire », 1992, p. 166 s.

14. Hannah Arendt, *Le système totalitaire,* trad. J.-L. Bourget, R. Davreu et P. Lévy, Paris, Seuil, 1972, p. 197, 227.

15. Voir *Les bourreaux volontaires de Hitler, op. cit.,* p. 150.

développée par Goldhagen en réintroduisant la part des facteurs qu'il omet pour mettre en avant la haine raciale relève de l'évidence. Reste que l'on ne peut simplement en finir avec l'effet de souffle produit par son accentuation de l'antisémitisme en disant qu'il relève de la résurrection de vieilles thèses depuis longtemps dépassées ou du goût du public pour les interprétations faciles.

C'est alors sur le plan d'une réflexion concernant la conscience historique, sa formation et ses évolutions qu'il faudrait conduire la discussion de ce livre. On voit trop bien en effet comment un certain nombre des réactions issues du milieu des spécialistes présupposent qu'il existe une sorte de progrès linéaire de l'historiographie, qui devait en passer par les approximations des premières approches sur l'Allemagne et son antisémitisme, puis par la thèse encore trop infantile de l'intentionnalisme, avant de venir vers les modèles sophistiqués du fonctionnalisme dans ses différentes variantes. Bouleversant cette confiance dans la marche vers la vérité, Daniel Goldhagen suggère qu'il existe des continents noirs avec lesquels on n'en a jamais terminé et qu'il convient toujours d'explorer à nouveau. De manière plus générale, son ouvrage et l'effet qu'il produit nous rappellent peut-être que l'histoire de la Shoah n'est pas seulement une affaire technique, tournant autour de quelques débats de dates, de documents ou de chiffres, mais qu'elle est au cœur du problème de la construction ou de la reconstruction d'une conscience historique à la fin du XXe siècle. Il faut alors souligner le fait que l'élaboration d'une telle conscience ne peut s'opérer que de manière réflexive, dans un espace public et par l'interaction entre au moins trois univers. Celui des historiens en premier lieu, c'est-à-dire d'une communauté à qui est confiée la tâche d'exhumer et de protéger la documentation, avant de produire sur elle des analyses critiques. Puis celui d'autres mondes intellectuels, qui peuvent contribuer par la diversité de leurs regards à renouveler les hypothèses ou à discuter les résultats. Mais on doit aussi leur ajouter la dimension d'une opinion publique, qui expose des demandes de sens et des représentations concurrentes, des retours d'intérêt ou des impatiences qui ne peuvent être ravalés au rang d'idéologies ou de pathos.

Avec et contre Max Weber : peut-on expliquer la Shoah ?

Au regard de telles considérations, l'un des paradoxes du livre de Daniel Goldhagen tient en ce qu'il dissimule sous des attendus méthodologiques souvent lourds et approximatifs une véritable originalité, qui pourrait se reconstruire à partir de ce que Max Weber décrivait comme le programme d'une « sociologie compréhensive ». Sans développer ici les hypothèses et le contenu d'un tel programme, on peut simplement rappeler qu'il oppose aux analyses de la société par des structures ou des lois l'idée selon laquelle seul le comportement des individus est intelligible et le projet d'expliquer les phénomènes historiques à partir des différentes modalités de l'activité [16]. Or, sous couvert de propos un peu vagues sur la « méthode des sciences sociales », c'est en quelque sorte cette démarche que suit Goldhagen lorsqu'il tente de produire une interprétation des causes de la destruction systématique à partir d'une restitution du point de vue des acteurs situés dans le contexte de leur « action », terme qui par une ironie tragique désignait aussi dans le langage du milieu et de l'époque, entre autres euphémismes, la besogne en question. C'est ici sans doute que réside alors la véritable différence entre son analyse et celles de Raul Hilberg ou Christopher Browning. Là où Hilberg voit des « exécutants » et cherche avant tout à donner forme au bourreau sous les traits d'un « agrégat de fonctionnaires allemands [17] », alors que Browning souligne les effets de la « pression des pairs » ou du conditionnement à la violence, Goldhagen questionne le rôle d'individus à partir de leurs « motivations » et dans l'univers de représentations ou de

16. Je me permets de renvoyer pour de plus amples développements à Pierre Bouretz, *Les promesses du monde,* Philosophie de Max Weber, Paris, Gallimard, 1996, chap. 1.

17. Raul Hilberg, *La politique de la mémoire,* trad. M.-F. de Paloméra, Paris, Gallimard, 1996, p. 125. Il faut souligner l'importance de ce livre où Raul Hilberg retrace la genèse de son magistral ouvrage et médite sur les conditions de sa réception.

relations sociales qui forment leur « monde vécu ». En un sens il n'est rien dans son livre qui ne soit déjà dans les leurs, mais la manière dont il regarde la même documentation complète l'effort visant à percer ses sinistres secrets.

Discuter cette démarche oblige alors une nouvelle fois à préciser la nature des hypothèses qui organisent notamment la partie empirique du livre. La première concerne le fait que sont en cause dans les *Ordnungsgruppen* menant ce qu'ils appelaient leurs « chasses aux Juifs », non pas des automates ou des marionnettes façonnés par le régime, mais des individus rationnels, en l'occurrence des adultes structurés, socialisés de longue date et qui obéissaient aux ordres en pleine connaissance de cause. Plus encore, lors même que la plupart de ces « policiers » n'étaient pas membres du parti, ils agissaient en fonction de valeurs fortes qui coïncidaient avec sa vision du monde, et plus précisément ils partageaient une haine profonde des Juifs, posés comme ennemis appartenant à une « sous-humanité ». Enfin, ce que Max Weber aurait qualifié de « rationalité par rapport à des valeurs » conduisait les acteurs de ces tueries sauvages à mesurer systématiquement l'efficacité de leurs gestes, à les mettre en scène dans de sordides fêtes, à les raconter aux proches qu'ils faisaient venir sur le terrain de leurs opérations ou encore à les photographier pour la postérité. Rappelant alors avec insistance que nul n'était obligé de participer à ces actions et que jamais un soldat allemand ne fut inquiété pour l'avoir refusé, Goldhagen a le mérite de faire ressurgir une dimension de responsabilité individuelle souvent occultée par des analyses qui ouvrent trop largement la focale. Mais la force majeure de son livre est dans ce registre de conduire ce que peu d'ouvrages comparables réalisent : une phénoménologie de la destruction, une description qui par nature est insoutenable de tueurs en face à face avec leurs victimes et qu'éclabousse par exemple le sang d'enfants massacrés. A ce titre, les pages les plus violentes ressemblent davantage au *Livre noir* établi avec d'immenses difficultés par Ilya Ehrenbourg et Vassili Grossman en Union soviétique stalinienne, mais à l'initiative d'un comité d'intellectuels juifs américains présidé par Albert Einstein, qu'à la plupart des travaux historiques récents, qui tendent à cerner l'horreur par des chiffres ou des métaphores plutôt que de la montrer [18]. On a reproché à Daniel Goldhagen cette forme de réalisme, soupçonnant chez lui un désir de solliciter le voyeurisme des lecteurs. Mais qui faut-il incriminer en l'affaire : celui qui montre l'horreur afin que la trace n'en disparaisse pas, ou les auteurs de crimes qui dépassent l'imagination humaine ?

La question que soulève en revanche cette restitution d'une documentation souvent hallucinante concerne le présupposé peut-être intempestif qui l'oriente : le phénomène de l'extermination serait mieux visible dans le face-à-face entre bourreaux et victimes des massacres sauvages que dans les institutions de la « tuerie industrielle ». Factuellement, Daniel Goldhagen a raison de rappeler que près de la moitié des Juifs assassinés par le nazisme le furent hors des camps d'extermination et du fait d'un nombre d'exécutants allemands qu'il estime entre 100 000 et 500 000. En ce sens, il accomplit le souhait de souligner la dimension « humaine » d'une action qui ne fut pas seulement conduite dans l'univers apparemment plus anonyme du système concentrationnaire par des « assassins de bureaux » et le chapitre qu'il consacre aux « marches de la mort » est particulièrement éclairant. Mais du moins peut-on dire qu'il n'est pas nécessaire de minimiser Auschwitz pour comprendre les « tueries archaïques » et que le véritable défi serait de parvenir un jour à relier ces phénomènes, en restituant aussi le rôle des populations occupées que Goldhagen oublie dans sa focalisation allemande. L'ouvrage le suggère lorsqu'il rappelle ce que Hannah Arendt avait mieux montré : le fait que l'institution des camps représente le lieu où le système prétend vérifier une hypothèse révolutionnaire sur la société en prouvant qu'une part de l'humanité est radicalement « en trop » [19]. Le problème serait alors de comprendre comment s'articule cette absolue nouveauté avec

---

18. Voir *Le livre noir,* Textes et témoignages réunis par Ilya Ehrenbourg et Vassili Grossman, trad. Sous la direction de M. Parfenov, Paris, Solin/Actes Sud, 1995. Sur l'histoire tourmentée de ce livre, sa réception critique par les historiens et la place qu'il doit néanmoins occuper dans la bibliothèque de la Shoah, voir mon compte-rendu in *Esprit,* janvier-février 1996, p. 240-244.

19. Voir *Les bourreaux volontaires de Hitler, op. cit.,* p. 450 et surtout Hannah Arendt, *Le système totalitaire, op. cit.,* p. 197.

la régression dans l'archaïsme le plus profond, afin de commencer peut-être de trouver une réponse à la question qui nous hante en dernier ressort : comment une telle barbarie fut-elle possible dans un monde que l'on croyait héritier des Lumières et de la raison ?

De manière étrange, alors que Daniel Goldhagen est souvent accusé d'« essentialisme » en raison de son utilisation systématique de la formule « les Allemands », la meilleure part de ses analyses empiriques, lorsqu'elles sont conformes au programme wébérien de la compréhension sociologique, apparaît dans leur capacité à décrire des sujets humains, là où tant d'autres mobilisent des entités abstraites comme « les nazis » ou « les SS ». Dans une perspective plus large, leur avantage essentiel est ainsi de corriger l'un des effets pervers de l'« historicisation » de la Shoah, à savoir l'occultation des acteurs et de leur responsabilité sous le poids des structures, de l'enchaînement des événements ou de causes trop lointaines et extérieures. Dans le contexte d'une recherche de causalité, on serait en droit de lui demander de nombreux compléments, tout en lui sachant gré d'avoir remis au premier plan l'importance de l'antisémitisme. On pourrait alors risquer qu'au regard du projet d'expliquer l'extermination par l'antisémitisme, son livre n'est au fond ni plus vrai ni plus faux que celui où Max Weber reliait *L'éthique protestante et l'esprit du capitalisme*. Peut-être le cadeau de cette comparaison apparaîtra-t-il trop beau, devant un ouvrage qui remplace souvent la souveraine maîtrise d'un Max Weber par une certitude hautaine. Mais il doit être corrigé par la considération des défauts désormais bien connus de la thèse de Weber et il faut admettre que, à l'exception de quelques dérapages, le livre de Goldhagen ne fait pas davantage de tous les Allemands des bourreaux que celui de Weber ne voyait dans chaque puritain un futur capitaine d'industrie. De façon similaire et à condition d'entendre « les Allemands *qui* » à chaque fois qu'il écrit « les Allemands », on peut reconnaître qu'il vise moins une indéfendable responsabilité collective qu'une réelle et trop souvent oubliée culpabilité individuelle dans des actes précis.

Tout porte alors à imaginer que l'ouvrage de Daniel Goldhagen cherche à prendre l'exact contrepied de ce que Martin

Broszat entendait en 1985 dans son « Plaidoyer pour une historicisation du national-socialisme » : le souci de le sortir d'une approche plus ou moins déterminée par des considérations morales et qui voit avant tout l'unicité du génocide, pour le traiter comme n'importe quelle autre période de l'histoire humaine. Ainsi que le montre Edouard Husson, la lecture de la correspondance entretenue à cette époque entre Broszat et Saul Friedländer éclaire de ce point de vue par anticipation quelques-uns des considérants de la « querelle Goldhagen ». Agacé par la thèse de l'exceptionnalité allemande (le *Sonderweg*), l'auteur de *L'Etat hitlérien* affirmait en effet que « la force d'interpellation morale du passé nazi » avait considérablement diminué en quarante ans et qu'il était désormais « encombré par les nombreux *mémoriaux* dressés par un souvenir qui porte le deuil ». A quoi il ajoutait que la conséquence de cette prégnance d'un passé « mythique » est que « nous sommes souvent davantage confrontés à une construction *a posteriori* en noir et blanc qu'à une histoire multidimensionnelle développée génétiquement [20] ». Mais Saul Friedländer opposait déjà à cet appel en faveur d'une forme de révision de l'histoire allemande, qui semblerait presque dirigée contre Goldhagen, deux considérations qui peuvent revenir vers sa défense. La première consistait à contester l'opposition du « discours rationnel de la science historique » et du « souvenir mythique des victimes », pour poser la question suivante : « Pourquoi des historiens qui appartiennent au groupe des persécuteurs auraient-ils le recul qui convient face au passé, tandis que cela serait impossible pour les historiens qui appartiennent au groupe des victimes ? » Quant à la seconde, elle touche au fond de la discussion sur la possibilité même d'une histoire de l'exceptionnel lorsqu'elle montre comment « une vie normale où des tueries de masse perpétrées par votre nation et votre société entrent dans votre champ de perception n'est pas une vie complètement normale [21] ».

---

20. Je cite cette correspondance entre Martin Broszat et Saul Friedländer d'après Edouard Husson, *Une culpabilité ordinaire ?*, *op. cit.*, ici p. 174-175.

21. *Ibid.*, p. 174, 176. Dans un ouvrage récent, Jean-Marc Ferry

Dans le cadre ouvert par de telles considérations, on peut penser que le défaut majeur des *Bourreaux volontaires de Hitler* est le corollaire de sa principale qualité : s'il corrige les effets d'une historicisation excessive de la Shoah en restituant fortement le rôle des acteurs, il souffre d'une trop grande confiance dans les pouvoirs de la rationalisation, au regard d'un phénomène dont l'ampleur et la nature défient probablement la possibilité de toute interprétation à vocation définitive. Peut-être est-ce une faiblesse de la sociologie face à l'histoire, ou des sciences sociales en général devant ce que la philosophie peut conserver de perplexité critique, mais il faut souligner la manière dont ce livre frôle parfois quelques-unes des perspectives qui l'auraient conduit vers une interprétation plus réflexive de ses résultats, tout en n'y parvenant que rarement. Sans même retenir les hypothèses extrêmes comme celles d'Adorno, on peut noter que sa description des étapes de la destruction, juridique, sociale et enfin physique croise largement celle qu'offrait Hannah Arendt qu'il ignore avec mépris. Parce qu'elle était méfiante vis-à-vis de la causalité, la phénoménologie de Arendt parvenait à faire la part des choses entre ce que l'on peut expliquer en considération de ce que nous savons sur l'homme, la société ou l'histoire et ce qui demeure le point aveugle d'un système qui prétendait vérifier par les camps la thèse selon laquelle une fraction de l'humanité est radicalement superflue. Parce qu'il croit trop à l'inverse aux vertus de la causalité, Goldhagen passe à côté de ce trou noir, pensant en avoir terminé avec la monstruosité dès l'instant où il s'est armé de son principal outil qu'est l'idéologie antisémite. Manière de dire aussi qu'il a manqué sans doute la description de ce que Primo Levi avait souligné dans ses derniers textes : la « zone grise » qui s'étend entre les différentes

---

analyse ces propos de Saul Friedländer dans la perspective d'une discussion avec Pierre Nora sur les différents niveaux de la mémoire et le problème de la commémoration. Puis il élargit la perspective vers une réflexion particulièrement féconde sur les conditions d'une « éthique reconstructive » face à l'histoire. Voir Jean-Marc Ferry, *L'éthique reconstructive,* Cerf, 1996, p. 41-67.

figures des bourreaux, dans une nuit où il faut encore scruter les nuances de la noirceur [22].

De manière similaire, l'ouvrage sollicite souvent une comparaison avec les grandes analyses de la responsabilité allemande, à commencer par celle de Karl Jaspers. Mais il lui faudrait plus de temps qu'il n'en prend et davantage de distance qu'il n'en met vis-à-vis de ses analyses documentaires pour retrouver la subtilité de *La culpabilité allemande*. Jaspers aurait sans doute été le dernier à récuser le droit de poser cette question, lui qui s'offusquait encore dans les années soixante du silence qui pesait dans son pays sur le problème et qui intervint dans la violente polémique suscitée par *Le vicaire* de Rolf Hochhuth en saluant « un Allemand de trente ans, autodidacte, s'interrogeant avec passion sur le génocide juif [23] ». C'est alors chez lui que l'on trouverait les éléments d'interprétation pour ce qui reste à montrer à partir du dossier établi par Goldhagen : la distinction et le lien entre la culpabilité individuelle des auteurs de crimes et la responsabilité de ceux qui n'ont rien pu ou voulu faire. Avec sa fougue dévastatrice, Daniel Goldhagen a le mérite de poser à nouveau une question enfouie et l'accueil qu'il reçoit chez les jeunes Allemands tendrait à prouver que le tour n'en a pas été fait, ou que la transmission fonctionne mal entre les générations. Reste qu'il faut revenir vers Jaspers pour découvrir le système de catégories qui sépare les crimes relevant des tribunaux

---

22. Voir Primo Levi, *Les naufragés et les rescapés,* Quarante ans après Auschwitz, trad. A. Maugé, Paris, Gallimard, 1989, chap. II. Ajoutons que dans le même livre, Primo Levi s'inquiète non seulement de la menace négationniste, mais aussi de l'innocence d'enfants qui ne peuvent concevoir la réalité de ce qu'il leur raconte. Voir le récit de sa discussion avec un jeune garçon persuadé de pouvoir lui expliquer comment sortir du camp (*Ibid.,* p. 153-154).

23. Karl Jaspers, lettre à Hannah Arendt du 25 octobre 1963, in Hannah Arendt/Karl Jaspers, *Correspondance,* 1926-1969, trad. E. Kaufholz-Messmer, Paris, Payot, 1995, p. 703. La pièce de Hochhuth avait déclenché un tollé en montrant l'indifférence de Pie XII et de la hiérarchie catholique face au génocide. Voir aussi Hannah Arendt, « *Le vicaire,* un silence coupable ? » in *Auschwitz et Jérusalem,* trad. S. Courtine-Denamy, Paris, Tierce, 1991.

d'une « culpabilité politique » liée au fait que « un peuple est responsable de la politique de son gouvernement », d'une « culpabilité morale » qui procède des conditions mêmes de « la vie sous le masque » et de ce qui revient à « un mensonge de la conscience », ou encore d'une « culpabilité métaphysique » qui tient quant à elle au fait d'avoir « manqué à la solidarité absolue qui nous lie à tout être humain comme tel [24] ».

Plus généralement enfin, Daniel Goldhagen a sans doute bien perçu le fait que la conscience allemande reste déchirée par des blessures jamais refermées et qui tiennent en partie aux manières de faire l'histoire du nazisme. En ce sens, son livre intervient avec retard dans la « querelle des historiens » du milieu des années quatre-vingt et pourrait offrir une actualité nouvelle aux thèses que défendait à l'époque Jürgen Habermas. Face à Ernst Nolte qui voulait rétablir une normalité de l'histoire allemande, en montrant que les crimes nazis n'avaient été commis qu'en raison de la peur d'être victime d'actes similaires de la part des bolcheviques, il s'agissait alors de refuser « une manière de liquider les dommages » qui dissimulait une apologie sous les allures d'une révision des conditions de la connaissance [25]. Réveillant les questions de Jaspers qui viennent d'être évoquées, Habermas récusait ainsi les disqualifications douteuses du souvenir et demandait : « Peut-on développer les traditions de la culture allemande sans assumer la responsabilité historique pour la forme de vie dans laquelle Auschwitz a été possible ? » Comment « assumer le contexte dans lequel de tels crimes ont

---

24. Karl Jaspers, *La culpabilité allemande,* trad. J. Hersch, préface de Pierre Vidal-Naquet, Paris, Minuit, 1990, p. 62-82.

25. Voir Jürgen Habermas, « Une manière de liquider les dommages. Les tendances apologétiques dans l'historiographie contemporaine allemande », trad. Ch. Bouchindhomme et R. Rochlitz, in *Devant l'histoire,* Les documents de la controverse sur la singularité de l'extermination des Juifs par le régime nazi, préface de Luc Ferry, introduction de Joseph Rovan, Paris, Cerf, 1988. Cet ouvrage essentiel rassemble toute la documentation sur cette controverse. Il faut lui ajouter Y. Thanassekos et Hans Wismann (Dir.), *Révision de l'histoire,* Totalitarisme, crimes et génocides nazis, Paris, Cerf, 1990.

pu se produire et à l'histoire duquel notre existence est
intimement liée, sinon par la mémoire solidaire de l'irréparable
et par une attitude réflexive et critique vis-à-vis des traditions
constitutives de notre identité [26] ? ». Quant à sa réponse, elle
consistait à montrer que le seul patriotisme susceptible d'empêcher les Allemands d'être « des étrangers en Occident » était
un « patriotisme constitutionnel », un engagement envers les
principes universels du droit qui ne s'est forgé qu'après Auschwitz et même peut-être à travers lui.

Assurer un retour critique sur ses propres traditions afin
de pouvoir les échanger avec d'autres, parvenir à une conscience réflexive de l'histoire pour éviter sa répétition ou son
oubli : voilà ce à quoi sans doute ont eu l'impression d'être
invités un grand nombre des lecteurs allemands de Daniel
Goldhagen et ce qui fait peut-être écho dans l'esprit de certains
autres. Telle est bien d'ailleurs la tâche actuelle au regard
d'un souhait partagé de reconstruire une conscience historique
commune, dans une Allemagne où la réunification permet de
sortir les questions de la responsabilité vis-à-vis du passé nazi
des simplifications où elles avaient été enfermées entre l'est
et l'ouest, puis pour une Europe qui ne s'inventera une identité
qu'en assumant l'héritage critique de ses histoires déchirées
et antagonistes. On peut juger paradoxal le fait que quelques
leçons maladroitement formulées nous viennent sur ce terrain
d'un jeune universitaire américain que la modestie n'étouffe
pas. Mais il serait dommage de ne pas prendre son livre au
sérieux en refusant d'ouvrir un dialogue dont l'horizon serait
structuré par deux soucis parfaitement solidaires. Celui d'une
construction de l'histoire de la Shoah, avec sa difficulté à
situer les places respectives du témoignage et du document,
de l'analyse empirique et de l'interprétation. Puis celui de
transmettre une mémoire de l'événement où la phénoménologie
toujours effrayante de l'action doit tenir bon devant la réduction statistique, les querelles de dates ou de chiffres. C'est
sans doute la condition pour que nos enfants habitués à

---

26. Jürgen Habermas, « De l'usage public de l'histoire. La vision
officielle que la République fédérale a d'elle-même est en train
d'éclater », in *Devant l'histoire, op. cit.,* p. 207.

maîtriser les situations virtuelles les plus incongrues sur leurs consoles électroniques ne nous réveillent pas un jour en toute innocence pour contester avec candeur la possibilité même de ce qui s'est passé. Le jour où il sera trop tard parce que, après Primo Levi et ses compagnons, les derniers témoins auront disparu.

Pierre BOURETZ

Liliane Kandel

LA LETTRE VOLÉE DE DANIEL J. GOLDHAGEN

OU

UN « RÉVISIONNISME RADICAL »

En 1986 éclatait en Allemagne la mémorable « querelle des historiens » *(Historikerstreit)*. Il s'agissait, je le rappelle, de savoir si un certain nombre d'articles et d'ouvrages historiques récemment parus reflétaient (ou non) des « tendances apologétiques » – ou « révisionnistes [1] » (selon l'expression de J. Habermas) –, s'ils tendaient à ré-écrire l'histoire du nazisme et, sinon à le réhabiliter en totalité, en tout cas à en banaliser les aspects les plus meurtriers, et à exonérer de toute responsabilité ses acteurs [2].

La « querelle » couvrit des pages entières dans les journaux, agita durant des mois historiens, publicistes et journalistes et, à défaut de départager définitivement les combattants, manifesta au moins que, contrairement au vœu d'E. Nolte, le passé nazi s'obstinait toujours à « ne pas passer »... Ou, plus exactement que, malgré les multiples tentatives – d'oubli, de déformation, d'« historisation [3] » – des uns et des autres, ce

---

1. Le « révisionnisme » dont il est question ici ne nie pas l'existence des chambres à gaz, il se contente d'en contester l'importance, la spécificité, et la centralité dans l'analyse de l'entreprise nazie : d'en faire, très exactement, un point de détail.
2. Les principales contributions au débat ont été publiées en français : cf. « *Devant l'histoire* » (Cerf, 1988), ainsi que les dossiers parus dans *le Débat* (mai-sept. 1987), *Esprit* (octobre 1987), et *Vingtième Siècle, Revue d'histoire* (Oct.-Déc. 1987).
3. Cf. notamment M. Broszat et S. Friedländer, A controversy

n'est pas de passé qu'il était question, mais bel et bien du *présent* de chacun(e), et de tous collectivement dans la RFA des années 80.

Ce n'était bien entendu pas le premier débat sur ce thème, y compris dans la période qui venait de s'écouler. Un an plus tôt, lors des commémorations officielles de la défaite du nazisme, et malgré un concert de protestations, le président Reagan était allé se recueillir au cimetière militaire allemand de Bitburg, où reposaient bon nombre de SS. Et depuis quelques mois étaient abondamment discutés les projets de musées d'histoire allemande (quelle Allemagne ? quelle histoire ? quelle place donner – et fallait-il en donner une – à la mémoire des victimes du national-socialisme ? comment la faire co-habiter sans scandale avec celle des exécuteurs ?...)

L'un et l'autre débat marquaient l'importance des enjeux de mémoire en RFA – aussi furent-ils longuement évoqués et commentés durant le *Historikerstreit*.

Un autre événement avait précédé de peu le début de la controverse. En février 1986 fut présenté au Festival de Berlin le film de Claude Lanzmann, *Shoah*, avec le retentissement que l'on imagine. Il fut également projeté par la suite en quatre soirées successives sur les différents canaux de la 3e chaîne de télévision [4]. Pourtant jamais il ne fut réellement pris en compte dans le débat [5] : l'onde de choc provoquée par le film, ce qu'il montrait et transmettait de l'histoire du IIIe Reich semblait avoir miraculeusement épargné la communauté des historiens, et... la polémique sur le nazisme.

Quelles qu'en soient les raisons – fût-ce même une commune

---

about the historisation of national-socialism, *New German Critique*, 1988, n° 4.

4. Les projections eurent lieu durant tout le mois de mars (et jusqu'au 14 avril sur la TV bavaroise). Les deux premiers textes liés au *Historikerstreit* parurent dans le *FAZ* des 25 avril et 6 juin.

5. Il fut évoqué une fois par Nolte (qui tirait du « *bouleversant film-document* Shoah, *fait par un cinéaste juif* » (sic) la conclusion surprenante que « *les détachements de SS présents dans les camps de la mort ont été aussi des victimes, et que, par ailleurs, un antisémitisme virulent a pu exister parmi les victimes polonaises du national-socialisme* ») et deux fois, rapidement, par Habermas.

et incoercible inappétence pour le cinématographe et la télévision – retenons-en du moins que ce qui est discuté, ou disputé dans les débats concernant la période nazie n'est pas moins important que ce qui y est tu, oblitéré ou masqué [6].

*
* *

> L'histoire populaire, comme celle qui est enseignée traditionnellement dans les écoles, se ressent de cette tendance manichéenne qui répugne aux demi-teintes et aux complexités (...). Ce sont surtout les jeunes qui demandent que les choses soient claires, que la séparation soit franche ; leur expérience du monde étant pauvre, ils n'aiment pas l'ambiguïté.
>
> Primo Levi, *Les naufragés et les rescapés.*

Un débat historique fait à nouveau rage en ce moment en Allemagne, cette fois autour du livre de Daniel J. Goldhagen. Sur cet ouvrage tout semble-t-il a été dit – aux Etats-Unis d'abord puis, très vite, en Allemagne [7]. A partir d'avril 1996, quotidiens, journaux, revues (et forums de discussion du Web) se sont interrogés sur – et ont largement vilipendé – son invraisemblable fatuité et son arrogance ; sa recherche forcenée d'une « explication » du génocide, de sa cause ultime, et unique ; son mépris de fer pour tous les chercheurs qui avant lui n'avaient pas su (ou pas voulu) identifier celle-ci ; son indéniable mauvaise foi dans l'« oubli » – ou la caricature

---

6. A qui m'objecterait que les historiens ne sont nullement tenus d'aller au cinéma, et encore moins d'en faire état dans leurs débats, je répondrai que *Shoah* est à la fois un film *et,* comme le notait P. Vidal-Naquet, « la seule grande œuvre historique française sur le massacre ». (*Les Temps modernes,* octobre 1988).

7. Une anthologie des principales contributions au débat est déjà publiée (J. Shoeps, *Ein Volk von Mördern ?* 1996, Campe Verlag). Le présent texte a été écrit, pour l'essentiel, à partir de la version anglaise de l'ouvrage de Goldhagen, et des réactions qu'il provoqua aux Etats-Unis et en Allemagne.

– des travaux de ses prédécesseurs [8]. D'autres encore ont relevé l'incontestable *jouissance de l'horreur* qui, dans tout l'ouvrage, accompagne les énumérations et les descriptions, par le menu, des diverses variantes de la barbarie nazie [9] ; ou y ont vu un « cauchemar américain », reflet type de la « culture de la victimisation » courante sur les campus des Etats-Unis. Les plus nombreux enfin ont insisté, contre les affirmations de l'auteur lui-même, sur l'absence de nouveauté de l'ouvrage et, surtout, son caractère outrageusement simplificateur.

Il y eut aussi des partisans, et des admirateurs zélés, tous d'accord pour y voir une œuvre « magistrale et convaincante », « d'une originalité et d'une importance extrêmes », un « tournant décisif », une « révolution » dans l'historiographie de la Shoah, ou même « l'ouvrage le plus important jamais publié sur l'Holocauste ». Certains d'entre eux enfin s'empressèrent de stigmatiser, dans toute critique de l'ouvrage, de nouvelles manifestations du vieux fonds antisémite allemand [10].

Tout donc a été dit et redit, y compris sur le paradoxal succès d'un livre et d'un auteur, presque unanimement critiqués par les historiens professionnels, et à qui cependant le public surtout allemand réserva, sur le moment du moins, un accueil étonnamment favorable [11]. Et sans doute serait-il inutile d'y revenir une fois de plus si, là encore, le message essentiel (et implicite) de l'ouvrage n'était pas une nouvelle fois, dans les attaques comme dans les éloges, brouillé, esca-

8. Y compris les plus proches de sa propre démarche : les historiens « intentionnalistes ».

9. Le TAZ parle à ce propos de « pornographie de l'horreur » (7 août 1996), et d'une nouvelle variété de « Pulpfiction » camouflée derrière un langage sociologique (13-14 avril).

10. Ils n'avaient pas toujours tort hélas. Ainsi, le *Frankurter Rundschau* (12 avril 1996) avait tranché : le débat aux États-Unis s'était déroulé principalement « entre des non-historiens, des journalistes et des éditorialistes *le plus souvent juifs, et discutant entre eux* », et le *Spiegel* (18.3) dressait le portrait du « sociologue en bourreau ».

11. Voir par exemple les comptes rendus de V. Ulrich (*die Zeit,* 13 septembre 1996), d'E. Roll (*Süddeutsche Zeitung,* 9 septembre 1996), ou de J. Joffe (*New York Review of Books,* novembre 1996).

moté, passé sous silence. Telle la « lettre volée » d'E. Poe, ce message est là, posé au-dessus de la cheminée (c'est-à-dire dès les premières pages et tout au long du livre), accessible aux regards de tous – et pour tous, semble-t-il, pratiquement *invisible.* C'est de cela précisément, à la fois dans l'ouvrage, dans le projet général qui l'anime, et dans sa réception, qu'il m'importe de parler, – et ceci avant toute autre discussion sur la nouveauté (ou non) de ses sources, l'originalité (ou non) de sa démarche ou de son mode d'exposition, l'acceptabilité (ou non) de ses thèses sur la nature de l'antisémitisme allemand, ou sur le passage des représentations et des idéologies, à leur mise en acte [12].

Auschwitz, un « épiphénomène »...

Voilà donc un chercheur qui décide, dans un livre tout entier consacré à l'assassinat des juifs d'Europe, de ne jamais traiter des camps d'extermination – d'Auschwitz, de Sobibor, de Chelmno, de Treblinka. Est-ce seulement parce que ceux-ci ont déjà été *souvent* étudiés, et qu'il les suppose donc suffisamment connus ? C'est en effet là une des raisons, il le dit : « *les chambres à gaz des camps d'extermination ont été l'objet écrasant* (sic) *de l'intérêt tant populaire que savant* » – mais c'est pour ajouter aussitôt qu'en réalité ils n'ont été que *trop* étudiés, et que c'était là une orientation regrettable, car « *l'accent mis sur ces installations physiques* [d'assassinat à la chaîne] *a été, quant aux perspectives d'analyse,* nuisible à la compréhension [13] ». Cet « écrasant intérêt » pour les chambres à gaz et les crématoires, qui a fait de celles-ci, ensemble avec Hitler, Himmler et Eichmann les « monstres-étoile » de l'horreur du XXᵉ siècle [14] a en effet, déplore-t-il,

---

12. Toutes ces questions sont pertinentes, elles ont suscité des interprétations nombreuses et contradictoires aux Etats-Unis comme en Allemagne (cf. Schoeps, *o.c.*) – et la France ne sera sans doute pas en reste. Ce ne sont pas celles-là que j'ai choisi d'aborder ici.
13. « *Deleterious to understanding* » (p. 165), souligné par moi.
14. « *The star-villains of the mid-twentieth-century horror* ».

littéralement aspiré l'attention des chercheurs et du public [15], et l'a détourné de questions bien plus « centrales » selon lui de cette période : en particulier celle des autres institutions, lieux et modalités de mise à mort, ainsi que celle des exécuteurs directs des massacres [16].

Les camps d'extermination et les chambres à gaz – c'est-à-dire la « solution finale » – auraient donc été, en quelque sorte, des obstacles épistémologiques dans la recherche sur le nazisme [17]. Ils auraient largement contribué à empêcher, freiner (ou retarder... jusqu'à ce jour) la compréhension de celui-ci, et de sa seule *explication* satisfaisante, explication que l'auteur n'a eu de cesse de chercher – et de découvrir –, et qu'il nous livre dans cet ouvrage : l'antisémitisme des Allemands « ordinaires », source unique de leur comportement zélé et cruel, de leur capacité (voire leur infinie jouissance) à massacrer, torturer, faire mourir de soif, de faim, de froid ou d'épuisement leurs victimes juives – et à s'en glorifier publiquement. Il en résulte que *« cet excès d'attention accordé aux chambres à gaz doit être corrigé »* (p. 506), tâche précisément à laquelle il a consacré sa thèse, puis son livre.

Les historiens donc ont *abondamment* parlé des chambres à gaz et des camps d'extermination (ainsi que des bureaucraties qui, partout en Allemagne, coopérèrent à leur mise en place, leur maintien et leur développement), ils en ont également *trop* parlé, mais ils en ont, surtout, *mal* parlé – et nous ont tous, ainsi, gravement induits en erreur. Car ajoute-t-il les chambres à gaz n'ont été en réalité ni aussi importantes, ni aussi perfectionnées, ni aussi performantes (p. 18), qu'on veut bien nous le faire croire. Avec ou sans elles, les Allemands auraient tué par d'autres méthodes, plus archaïques et cruelles, exactement autant de Juifs (puisque tel était leur « projet

---

15. *« They have siphoned attention »* (id).
16. Rappelons que Hilberg, présenté comme un des responsables de cet état de choses a consacré une large part de son ouvrage aux « opérations mobiles de tuerie », et que le titre de son second livre (ignoré par J.D. G) est, précisément, « **Exécuteurs,** victimes, témoins ». C'est loin d'être le seul « oubli » bibliographique de ce travail.
17. Il ne va pas jusqu'à parler d'écrans de fumée...

national ») ; avec ou sans chambres à gaz, le visage hideux du nazisme fût resté le même.

Résumons. Les chambres à gaz furent inefficaces, et très largement surestimées quant à leurs performances et leur centralité, elles furent également bien trop longuement étudiées et discutées. Je cite : « *En fait, les Allemands continuèrent à fusiller des Juifs en masse tout au long de la guerre. Il n'est nullement évident que le gazage ait été un moyen plus "efficace" pour massacrer les Juifs que ne l'étaient les fusillades. Dans bien des cas la fusillade était manifestement plus efficace (...) [Les chambres à gaz] étaient un moyen plus commode, mais non pas un développement essentiel du système. Si les Allemands n'avaient jamais inventé la chambre à gaz, ils auraient probablement pu tuer presque autant de Juifs* [18]. »

Et d'ajouter : « *Ce qui veut dire que, contrairement à ce que disent les historiens et à ce que croit l'opinion, le gazage était réellement un épiphénomène dans le massacre allemand des Juifs.* »

Un « épiphénomène » – ou encore un *point de détail* [19].

Que le livre soit, comme le veut son auteur, une révision [20], *et même un révisionnisme* « radical » est peut-être le seul point sur lequel on puisse en fin de compte être d'accord avec lui.

Que si rares, parmi ses zélateurs comme parmi ses détracteurs soient ceux qui ont songé à le relever demeure, par contre, un sujet de grande surprise.

***

18. Note 81, p. 504, souligné par moi. L'argument a été depuis abondamment repris dans diverses interviews.

19. D.J. G. sera plus explicite encore dans sa polémique avec O. Bartov (postérieure à la publication du livre), où il qualifiera les camps d'extermination et les chambres à gaz de... « *prétendu grand trait distinctif* » de l'Holocauste. (*Le Débat*, Janvier-Février 1997.)

20. Cf. p. 16 : « *Expliquer pourquoi l'Holocauste eut lieu demande une* révision radicale *de ce qui a été écrit jusqu'à ce jour. Le présent livre constitue cette révision* » (*This book is that revision*).

> *Dans tous les cas, monotone ou spectacu-*
> *laire, l'horreur anesthésiait. Les témoignages*
> *étaient inefficaces ; l'hébétude, la stupeur ou*
> *la colère devenaient les modes normaux de*
> *lecture. Mais ce n'était pas cela qu'il s'agissait*
> *d'atteindre. Nul ne désirait, en écrivant, sus-*
> *citer la pitié, la tendresse ou la révolte. Il*
> *s'agissait de faire comprendre ce que l'on ne*
> *pouvait pas comprendre ; il s'agissait d'expri-*
> *mer ce qui était inexprimable.*

Georges Perec [21].

> *Il n'est pas sûr du tout que le succès ren-*
> *contré (...) doive être considéré comme le signe*
> *d'une prise de conscience. La « découverte »*
> *soudaine du martyrologe juif par un immense*
> *public et l'unanimité dans la compassion* [22] *ne*
> *sont peut-être que l'ultime ruse d'une Histoire*
> *qui se débarrasse de la singularité de l'Holo-*
> *causte au moment même où elle prétend la*
> *représenter.*

Claude Lanzmann [23].

Il est nécessaire, sur un tel sujet, d'être très précis. Je ne cherche en aucun cas à minimiser l'importance des exécutions de masse, des humiliations, des tortures, de la cruauté sans limites dont les Allemands *(entre autres)* firent preuve vis-à-vis des Juifs *(entre autres)* durant la Seconde Guerre mondiale. Je cherche seulement à comprendre sinon les raisons du moins *les effets de la réduction du nazisme*

---

21. Robert Antelme ou la vérité de la littérature, *Partisans*, 1963.

22. ... Et aujourd'hui, dans l'anathème.

23. « De l'Holocauste à Holocauste, ou comment s'en débarras-ser », *Les Temps Modernes*, juin 1979. Il s'agissait, à l'époque, du téléfilm « Holocauste ». L'« effet Goldhagen » en Allemagne est rapproché, par nombre de critiques, de l'effet produit alors par cette production de Hollywood.

à (et de son « explication » par) cet unique aspect du génocide [24].

Les massacres qui occupent l'essentiel de la démonstration de D.J. G., les tortures, les atrocités en tous genres : autrement dit la cruauté extrême [25] et les « configurations cognitives » qui l'animent sont, nous le savons bien, la chose du monde la mieux partagée depuis la nuit des temps, et ne se sont pas arrêtés avec la chute du Reich. Rien de tout cela n'est propre à l'Allemagne nazie et, *contrairement aux prétentions indéfiniment répétées de l'auteur,* tout dans son livre concourt à l'affirmer.

Comment douter un seul moment qu'un(e) Bosniaque, un(e) Croate, un(e) Khmer, un(e) Arménien(ne), un(e) Tutsi(e), j'en passe, la liste est interminable et connue de tous, comment douter donc qu'un seul d'entre eux puisse ne pas reconnaître dans ce livre ses souffrances ou celles de ses proches, victimes de la « configuration cognitive » non pas des Allemands des années 30 mais de celle, exactement aussi cruelle et « éliminationniste », des « purificateurs » de toute espèce, Hutus, Serbes, Khmers ou autres ?

C'est du reste D.J. G. lui-même qui établit, comme en passant, le parallèle. Après avoir longuement développé l'idée d'une « exception allemande » des années 30 [26], il note, au détour d'un paragraphe : « *Il n'y a aucune raison de penser que l'homme moderne, occidental, même chrétien soit incapable de concevoir des notions qui dévaluent la vie humaine, qui appellent à son extinction, notions qui furent partagées tout au long de l'histoire par de nombreux peuples de religions, de cultures et de pratiques politiques différentes (...) Qui doute que les Tutsis qui massacrèrent les Hutus au*

---

24. On peut bien entendu discuter de l'importance respective des chambres à gaz et des autres institutions de meurtre dans l'ensemble du système d'extermination nazi – et cela fut fait à maintes reprises, bien avant la parution de ce livre. On ne peut certainement pas se débarrasser de la question en trois lignes et une note de bas de page.

25. J'emploie à dessein ce terme, utilisé par Véronique Nahoum-Grappe à propos de la guerre en ex-Yougoslavie.

26. Ce que d'autres auteurs avant lui, qu'il ignore superbement, avaient déjà décrit sous le nom de *Sonderweg.*

*Burundi ou les Hutus qui massacrèrent les Tutsis au Rwanda,
que les milices libanaises qui massacrèrent les civils appartenant à un autre camp, que les Serbes qui tuèrent des Croates
ou des musulmans bosniaques, qui donc doute qu'ils n'aient
agi ainsi parce qu'ils étaient convaincus de la légitimité de
leur action ?* Pourquoi ne croirions-nous pas la même chose
s'agissant des agents allemands de l'Holocauste [27] ? »

Tel est finalement l'enseignement de ce livre : les nazis,
et avec eux la grande masse des Allemands de l'époque ? tous
des barbares et des monstres – « ordinaires » –, tous des sauvages – « ordinaires » –, tous des Hutus, ou des tchetniks.

En effet, pourquoi pas ? Il suffit pour cela de décider que
les camps d'extermination furent des *épiphénomènes* dans
l'entreprise nazie. Que le crime contre l'humanité se résume
à la somme des exactions commises par chacun de ses exécutants ordinaires, de son propre chef et de son plein gré [28] –
ou, plus exactement, que le crime comme entreprise d'Etat :
organisé, planifié et exécuté avec *toutes les ressources et tous
les moyens techniques et humains d'un Etat criminel* [29] n'existe

---

27. P. 22-23, souligné par moi. J'ajoute que la conscience de
la « légitimité » n'est en tout état de cause pas plus suffisante pour
« expliquer » les génocides du siècle – ou de ceux qui l'ont précédé –
qu'elle ne l'est dans le cas du génocide juif.

28. Ce que Y.M. Bodemann (TAZ, 7 août 1996) appelle à juste
titre sa vision « entrepreneuriale » (et conservatrice) du « zéro-Etat »
et, donc, de la Shoah comme *« free enterprise »*, addition de choix
et décisions individuels, commandés par la seule libido anti-sémite
et cruelle de chacun.

29. Et cela signifie bien plus que la simple conjonction de la
« détermination » des dirigeants nazis et de leurs « capacités militaires » à l'échelle du continent (causes facilitantes que I.D. G.
concède tardivement – dans sa préface à l'édition allemande – pour
se défendre du reproche de « monocausalité »). Cela signifie, entre
autres, la participation *effective* de millions de citoyens allemands –
hommes et femmes, fonctionnaires, employés, cadres moyens, assis-
tantes sociales ou concierges d'immeuble – participation qui fut
essentielle au processus de spoliation, d'exclusion puis d'anéantissement de la population juive, sans qu'il soit nécessaire d'invoquer de
surcroît leur participation *virtuelle* aux tueries... (cf. sur ce point la

pas. Et tel est bien le nazisme décrit par D.J. G. Un nazisme sans camps d'extermination, sans crématoires et sans fumée, sans chambres ni camions à gaz, sans Wannsee, sans Eichmann, sans « solution finale » : un nazisme sinon *clean,* en tout cas « ordinaire » (et ici le terme en effet s'impose), connu et compréhensible par tous, en un mot rassurant – et c'est peut-être là une des raisons de son succès.

L'ennui, c'est que la « barbarie » nazie nul ne songe un seul moment à la mettre en doute. Garaudy par exemple qui, à propos des premières déportations de Juifs vers l'Est (« dans des conditions d'*inhumanité* telles que des dizaines de milliers succombèrent [30] ») et du plan Madagascar, écrit : « c'est la déportation dans un ghetto africain qui est envisagée comme " solution finale ", et c'est pure *barbarie* ». Et avec lui, quelques autres sectateurs zélés de ses thèses. Ils sont les premiers à admettre que les nazis étaient de bien méchantes gens. Des barbares oui, des sauvages, à vous faire dresser les cheveux sur la tête – mais *comme beaucoup d'autres,* et certainement pas au point d'inventer et de mettre en œuvre des chambres à gaz.

Entre la position négationniste (« les chambres à gaz n'ont pas existé »), ou même sa variante dubitationniste (« je ne trouve pas de preuves convaincantes de leur existence »), et la position de D.J. G. (« après tout il est *indifférent* qu'elles aient existé ou non [31] »), entre l'antisémitisme haineux des premiers et la prétendue recherche chez le second d'une authentique mémoire des souffrances juives et des atrocités nazies, il n'y a à première vue rien de commun.

Vraiment rien ? Je n'en suis pas si sûre. Car non seulement l'ouvrage de D.J. Goldhagen *ne contrarie pas fondamentalement* les thèses des négationnistes, non seulement il *leur apporte un renfort inattendu* mais, en esquissant la nouvelle ligne de défense, l'argumentaire de repli du malheur juif une fois la Shoah ramenée aux dimensions familières d'un mas-

---

critique particulièrement percutante de quelques féministes allemandes, dans le *TAZ* du 15 novembre 1996).

30. Garaudy, *Droit de réponse,* 1996, je souligne.

31. Position que J.-C. Milner définissait précisément comme une des figures du négationnisme actuel (« Contre le négationnisme », Maison des Ecrivains, 14 octobre 1996).

sacre à vaste échelle, il *anticipe tout simplement leur victoire*. Telle est la « bonne nouvelle » que ce livre apporte au monde, telle est la « lettre volée » – et invisible – qui vole d'une page à l'autre, d'un chapitre à l'autre de l'ouvrage.

Il y a dix ans, *Shoah* marquait un coup d'arrêt que l'on aurait pu croire définitif à l'entreprise négationniste. C'est, sous couvert d'analyse anthropologique, un mouvement exactement inverse qui anime l'ouvrage de Daniel J. Goldhagen.

J'ignore si les négationnistes ont déjà lu ce livre – mais je doute qu'ils se privent longtemps d'un aussi insigne cadeau [32].

Quant à lui, sommes-nous vraiment assurés qu'il ait agi en toute inconscience ?

P.S. *De la purification théorique*

> *Nous croyons connaître ce qui est terrible. C'est un événement « terrible » ; une histoire « terrible ». Il y a un début, un point culminant, une fin. Mais nous ne comprenons rien (...) Nous ne connaissons pas les camps.*
>
> (G. Perec, *id.*).

> *Toute pédagogie de l'horreur en reproduit la jouissance.*
>
> Anne-Lise Stern [33].

Nul n'est responsable des soutiens qu'il reçoit, Daniel Goldhagen pas plus que d'autres, et il aurait certainement

---

32. Février 1997 : on n'est jamais assez pessimiste, le message fut bien reçu. Dès septembre dernier, Faurisson avait tiré sa (prévisible) conclusion du livre et des déclarations de Goldhagen : « Les chambres à gaz ne sont plus, en 1996, qu'un symbole. » Et, depuis janvier, dans les groupes de discussion du Web, les négationnistes affichent leur satisfaction narquoise devant le sort fait aux chambres à gaz dans l'ouvrage de D.J. G.

33. « Sois déportée et témoigne », colloque « *la Shoah, œuvres et témoignages* », Orléans, 14-15-16 novembre 1996.

beau jeu de répliquer qu'il n'est pour rien dans les calamiteux communiqués de Faurisson et de ses amis du Web [34].

Qu'il n'est pour rien non plus dans l'étonnant commentaire que son livre a inspiré à *Libération,* lequel y voit la fin du « grand mensonge » des cinquante dernières années, mensonge soigneusement entretenu, parce qu'il servait leurs intérêts, par une vaste coalition regroupant « les Alliés..., la nouvelle Europe, les deux Allemagnes, les juges de Nuremberg..., le jeune Etat d'Israël..., l'opinion publique occidentale... » [Le « grand mensonge » en question serait celui de l'innocence du peuple allemand, à l'exception d'une poignée de nazis fanatiques] [35].

En effet, Goldhagen n'est pas directement responsable de ces soutiens intempestifs, et sans doute les récuserait-il à l'occasion [36]. On peut douter par contre qu'il ait été pris au dépourvu par la jaquette de son livre (édition américaine), et les dithyrambes qui y figurent, – qui auraient dû au moins plonger dans la confusion tout « jeune chercheur » ainsi porté au pinacle. Mais D.J. G. n'a pas rougi devant ces ahurissants panégyriques, il ne s'est pas démarqué d'une caricaturale campagne de marketing, il a au contraire sans cesse, dans ses interviews ou écrits ultérieurs, surenchéri sur les plans ardents de ses zélateurs. Son texte-fleuve de « réponse à [ses] critiques » [37] (après une non moins interminable réponse publiée l'été dernier dans le *Zeit*), constitue à cet égard un document

---

34. Quelques-uns du moins. Sur les mêmes serveurs, d'autres, plus radicaux (ou plus explicites) rejettent la totalité du livre (« encore des mensonges exterminationnistes »), et annoncent un texte de réhabilitation de l'honneur du IIIᵉ Reich.

35. *Libération,* 30.1.1997. Faut-il rappeler que des centaines de travaux, de colloques, de controverses (et pas seulement d'historiens) ont, depuis Jaspers, été consacrés à cette question, y compris en Israël – si désireux pourtant, d'après *Libération,* de se ménager « le soutien de l'Allemagne ».

36. Son conspirationnisme se limite, lui, à la seule sphère des historiens, qu'il accuse en bloc et clairement d'avoir « **à dessein** *ou involontairement évacué ou passé sous silence* » les questions importantes – selon lui – de la période (« Réponse à mes critiques », *Le Débat,* janvier-février 1997).

37. *Le Débat, ibid.*

mémorable dans les annales, pourtant déjà riches, des débats ou invectives entre historiens.

Le « jeune chercheur » – qui se réclame avec véhémence des normes et de la rigueur du travail universitaire – y manifeste une évidente difficulté (c'est un euphémisme) à prendre en compte les travaux de ses pairs ou de ses prédécesseurs. Il ne présente pas une recherche nouvelle, destinée à éclairer des aspects jusque-là peu ou mal étudiés de la destruction des Juifs d'Europe, il ne cherche pas à participer à la difficile construction d'un entendement du désastre, à y « apporter (selon l'expression consacrée) sa pierre » – ou plutôt : il se sert de celle-ci pour lapider, littéralement, la plupart de ceux, chercheurs, écrivains, philosophes, ou témoins, qui l'ont précédé sur ce terrain [38]. Nul, avant lui, n'a voulu chercher (et, *a fortiori,* trouver) la cause ultime, « l'unique source commune » du génocide. Allemands, Américains ou Israéliens, juifs ou protestants, contemporains de la *Shoah* ou enfants de celle-ci, « fonctionnalistes », « intentionnalistes » ou inclassables, personne ou presque ne trouve grâce à ses yeux [39].

C'est donc une surprenante entreprise de *purification théorique* qu'opèrent D.J. G., son livre et ses commentaires ultérieurs. Ni cohabitation des hypothèses explicatives, ni mélange ou métissage des modèles de compréhension, ni reconnaissance des emprunts ou héritages scientifiques [40] : « Une nation, un

---

38. Il faut tout de même un estomac d'acier pour, dans l'unique note du livre où apparaît le nom de Primo Levi, renvoyer sèchement celui-ci à ses chères études : il a bien « *tenté de comprendre la cruauté des Allemands mais n'y a pas réussi entièrement* » (note 39, p. 473).

39. Il est clair pourtant que ses critiques visent en tout premier lieu l'école dite « fonctionnaliste » dans son accent mis presque exclusivement sur les mécanismes du génocide, – et que lui-même ne fait que reprendre une analyse intentionnaliste, généralisée cette fois à l'ensemble du peuple allemand. Il est également clair, à lire par exemple la réponse de Hans Mommsen (« peu importent les acteurs à côté des " processus de radicalisation cumulative " du régime », cf. *Le Nouvel Observateur,* 28 novembre 1996) que l'on peut, légitimement, ne se satisfaire ni d'une position ni de l'autre.

40. Une seule influence, un seul héritage sont reconnus et reven-

peuple, une théorie », disait Fritz Stern dans *le Débat* ; l'on pourrait ajouter « *un* livre, *un* auteur, *une* (seule et exclusive) " explication " ».

Et c'est avec l'emportement des véritables purificateurs, convaincus de la légitimité de leur action, que Daniel Goldhagen répond aux objections ou aux critiques que son livre a pu susciter. Celles-ci (je cite au hasard) « *manquent leur but d'une façon flagrante* », elles souffrent toutes d'« *insuffisances conceptuelles et empiriques* », sont « *conceptuellement intenables et définitivement infirmées par les faits* », ou encore mues par « *l'intention de diffamer* » ; elles « *commettent des erreurs logiques élémentaires* » ; sont « *simplistes* », « *désarmées face à la complexité* » et dans « *l'incapacité de comprendre les rudiments de l'analyse comparative et causale* » ; elles sont marquées, enfin, par un évident « *contraste entre la rhétorique enflée de leurs prétentions et la maigreur des arguments qui viennent à* [leur] *appui* ». Quant aux hypothèses autres que la sienne, elles sont « *falsifiées de manière retentissante* ». On notera pour finir que D.J. G. reproche à ses contradicteurs « *ne pas respecter les conventions minimales d'une controverse académique* »...

C'est bien l'interprétation (ou, pour reprendre ses propres termes, l'« explication ») que donne D.J. G. du IIIe Reich qui est ici fondamentale. Lui-même du reste le dit clairement : « *L'intention première de ce livre est d'expliquer et de théoriser. Narrations et descriptions, si importantes qu'elles soient pour préciser les actes des agents de l'Holocauste et les différents cadres de leur action, sont ici subordonnées à l'objectif d'explication* » (p. 455). C'est pourquoi il est illusoire de disjoindre, comme certains ont tenté de le faire, les chapitres descriptifs (les « apports empiriques » du livre, que l'on pourrait prendre en compte), de sa partie « explicative » : le dessein « théorique » qu'ils servent, et dans lequel ils sont incorporés − et celui-ci se veut *exclusif de toute autre*. Est-ce là un détail dont on pourrait si aisément se désintéresser ?

---

diqués dans le livre : ceux d'Erich Goldhagen, « mon père et professeur ». Lui seul, selon D.J. G., fait exception au consensus général, lui seul possède la théorie vraie (p. 472).

Il reste néanmoins à comprendre le surprenant succès de l'ouvrage, et son audience auprès de publics si différents par leur culture, leur histoire – ou leurs options politiques. Sur ce point aussi beaucoup de choses furent écrites dans les recensions déjà publiées, et j'ai déjà dit à quel point la vision somme toute rassurante et normalisée donnée par Goldhagen – du nazisme comme stade ultime de la vieille passion antisémite, et du génocide comme massacre ordinaire, semblable à tant d'autres de par la planète – me paraissait, du moins en Allemagne, un élément important de son écoute.

Je voudrais y ajouter deux questions.

1. Daniel Goldhagen se veut le premier à nous présenter le génocide du point de vue des bourreaux, et « avec leurs propres paroles » : « *Ce sont les bourreaux qui nous racontent leur participation volontaire au carnage, leurs sévices routiniers exercés sur les victimes juives sans défense, le traitement méprisant et dégradant qu'ils infligeaient aux Juifs. Ce sont eux qui nous racontent comment ils se vantaient de leurs actes, comment ils en gardaient la mémoire...* » (*Le Débat, ibid.*, p. 161.)

Comment ne pas penser que c'est là une autre clé de la fascination exercée par l'ouvrage – et peut-être aussi, sa véritable obscénité : dans la porte ouverte, l'autorisation donnée – enfin ! – à tout un(e) chacun(e) de s'installer à bon compte dans la position des exécuteurs, dans leur tête (et leurs « motivations »), à leur place exacte, l'œil rivé au viseur du fusil ou du PM, femmes, vieillards et enfants dévêtus au bord des fosses dans la ligne de mire et à portée de tir – ou de baïonnette.

Le théâtre de la cruauté a ses risques. Et ce n'est pas seulement celui de la complaisance, ou d'un voyeurisme S & M [41] expatrié des peep-shows dans les manuels d'histoire : c'est surtout, ici, celui de l'identification enfin possible (et vertueusement déniée) de chacun(e), aux bourreaux, à leurs paroles et à leurs actes.

2. Tels ne sont pas, évidemment, tous les partisans du livre. Il est clair que pour eux, pour nombre de jeunes (et de

---

41. Sadomasochiste.

moins jeunes) Allemands, de jeunes (et de moins jeunes) Américains, Britanniques ou Français..., lecteurs « naïfs » ou chercheurs avertis, enfants de S.S. ou de déportés, de résistants ou de collaborateurs, l'idée que les Allemands étaient violemment antisémites est une idée neuve. Et que, pour ceux-là mêmes qui n'ignoraient pas que plus d'un million de Juifs avaient été exterminés dans les forêts et les fossés de Berditchev, de Babi Yar, d'Odessa ou d'ailleurs, l'évidence qu'il fallut des hommes, et zélés, et en grand nombre, pour exécuter le travail de près, face à leurs victimes, constitue une révélation.

Daniel J. Goldhagen n'est certainement pas responsable de l'amnésie ordinaire qui frappe nos sociétés, et leurs médias [42]. Il a, simplement, appris à l'utiliser. Ce n'est pas contre l'oubli qu'il mène sa croisade mais, finalement, avec et au bénéfice de celui-ci.

Liliane KANDEL

---

42. Un exemple d'amnésie, entre mille : ceux-là mêmes qui aujourd'hui « découvrent » la brutalité et la cruauté des commandos de tuerie à l'Est lisaient il y a exactement un an, le « Livre Noir » d'I. Ehrenbourg et V. Grossmann (éd. Solin). Les mêmes dates, les mêmes régions, les mêmes exécuteurs : Kovno, Lublin, Byalystok, Maïdanek, la liste est encore longue des lieux de meurtre évoqués dans les deux ouvrages. D.J. G. ne cite jamais le « Livre Noir », et les lecteurs (ou les critiques qui en ont rendu compte) l'ont, eux, déjà oublié.

Pierre-Yves Gaudard

LA MÉMOIRE VENGERESSE

OU

LES BOURREAUX VOLONTAIRES D'HITLER :
LES ALLEMANDS ORDINAIRES DE L'HOLOCAUSTE

Daniel Janah Goldhagen a l'ambition d'expliquer, enfin, pourquoi l'holocauste a eu lieu en Allemagne et pourquoi il ne pouvait avoir lieu que dans ce pays. L'explication tient, selon lui, à l'existence d'un antisémitisme monolithique particulièrement puissant et largement diffusé dans la société allemande, et cela bien avant Hitler. Cette forme d'antisémitisme serait spécifique aux Allemands. Fort de cette affirmation, l'auteur se dispense de la mieux fonder en se livrant à une comparaison portant sur l'antisémitisme français au XIXᵉ siècle, ou sur l'antisémitisme polonais ou russe. Il semble dès lors difficile d'accepter pour argent comptant sa thèse d'un antisémitisme allemand qui serait irréductible aux autres manifestations de cette idéologie. D'autant que la thèse est assenée à grand renfort de littérature de seconde main plus qu'elle n'est développée et démontrée.

En outre, comme le fait remarquer Eberhard Jäckel, l'explication monocausale avancée par Goldhagen constitue une thèse représentative de l'état de la recherche dans les années cinquante, où l'on pensait que les motifs du crime devaient être recherchés dans l'existence d'un antisémitisme très fortement diffusé au sein de la société allemande. La thèse constitue ainsi par rapport à la recherche historique récente sur la *Shoah* une simplification abusive, et cela apparaît très nettement dans les lacunes de la bibliographie de l'ouvrage. L'auteur omet purement et simplement de citer plusieurs recherches relatives à l'antisémitisme allemand avant 1933. Il n'est ainsi fait aucune

mention des travaux de Richard S. Levy constatant en Allemagne un relatif déclin *(downfall)* des partis antisémites entre
1903 et 1914. Il en va de même pour ceux de Donald L. Niewyk
(The Jews in Weimar Germany) notant une diminution de
l'antisémitisme vers la fin des années vingt. Enfin les recherches
sur les discontinuités de l'antisémitisme allemand depuis 1878,
menées par Shulamit Volkov, ne se voient pas réserver un sort
meilleur. Bien évidemment, les résultats de travaux antérieurs
peuvent être contestés, mais ils doivent l'être sur le plan de
l'argumentation et non par le silence.

Un autre silence de Goldhagen porte sur le fait que les
Juifs n'ont pas été les seules victimes du nazisme. Or, quand
bien même l'explication monocausale par l'antisémitisme radical des Allemands pourrait être retenue pour la *Shoah,* elle
ne peut pas l'être pour les meurtres perpétrés contre les
Tsiganes et les handicapés mentaux et physiques, sans parler
des homosexuels et des témoins de Jéhovah. Il faut également
mentionner les millions de prisonniers soviétiques et les oppo-
sants allemands. D'autres explications venant s'ajouter à l'antisémitisme semblent donc requises.

Goldhagen montre également une certaine propension à
s'attaquer à des thèses qu'il est en fait le seul à soutenir pour
mieux les réfuter. Il en va ainsi de son constat imaginaire d'une
tendance qui serait selon lui généralisée et réduirait l'holocauste
à l'extermination des Juifs par la technique des chambres à
gaz. Il fait de Raul Hilberg l'un des tenants de cette tendance,
alors qu'au contraire – dans son ouvrage de référence sur *La
destruction des Juifs d'Europe* – Hilberg établit que
1 300 000 Juifs furent tués au moyen d'armes à feu.

Par ce biais, Goldhagen tente de mieux souligner l'originalité de son propre travail sur l'extermination par fusillade
menée par le 101e bataillon de réservistes de la police allemande. Ce bataillon pratiqua des exécutions massives de Juifs
en Pologne entre 1941 et 1943. Or, il se trouve que l'historien
Christopher Browning s'est également livré à une étude de la
même unité à partir des dépositions des anciens bourreaux
traduits devant la justice allemande durant les années soixante.
Ce bataillon était constitué de réservistes relativement âgés
et qui n'étaient que faiblement endoctrinés. Il ne s'agissait
pas d'une unité de la S.S. ou d'un détachement du S.D.

Pourtant, et bien qu'ils aient eu la possibilité de refuser de participer aux exécutions, ils sont devenus, et cela à grande échelle, des meurtriers. Pour Browning, ces « hommes ordinaires » se sont habitués aux exécutions et en sont venus, sous la pression du groupe, à les considérer comme faisant partie de leur travail. Ce n'est pas tant leurs convictions idéologiques, qu'un enchevêtrement complexe de causes – dû aux circonstances et au contexte – qui fit d'eux des meurtriers. Cette interprétation est massivement contestée par l'auteur des *Bourreaux volontaires* qui travailla sur les mêmes documents que Browning. Pour Goldhagen, s'il n'était pas utile que ces hommes soient fortement endoctrinés pour devenir des assassins, c'est qu'en tant qu'Allemands, ils avaient depuis longtemps intériorisé – et cela bien avant même la venue d'Hitler – un antisémitisme à visée « éliminationniste » et potentiellement « exterminationniste ». Le sociologue de Harvard en veut pour preuve le fait que les bourreaux prenaient du plaisir à torturer et humilier leurs victimes avant de leur tirer une balle dans la tête. L'approche de Browning a cependant le mérite de montrer que l'antisémitisme allemand ne saurait suffire à expliquer que des Lituaniens, des Ukrainiens, des Luxembourgeois, sans parler des Roumains et des Croates, participèrent également aux exécutions.

Le fait que deux chercheurs tirent des conclusions différentes de l'étude d'un même corpus d'archives, n'est pas en soi quelque chose d'inhabituel et c'est même souhaitable si la controverse que cela peut susciter se nourrit d'arguments rationnels. En revanche, ce qui est profondément choquant, c'est que Goldhagen n'a de cesse de souligner l'originalité de ses sources tout en attaquant Christopher Browning de manière déloyale. Tout au long de son texte, il l'accuse de manière détournée d'avoir laissé de côté des documents qui ne servaient pas son interprétation. Il donne également à entendre que Browning aurait des sympathies dissimulées. En un mot, Goldhagen met en cause l'intégrité scientifique d'un collègue et cela sans pouvoir apporter la démonstration du bien-fondé d'une telle accusation.

Dans un autre de ces chapitres décrivant l'horreur des « marches de la mort », marches forcées imposées aux déportés devant l'avance de l'Armée rouge, Goldhagen poursuit sa

logique argumentative. Il explique que l'antisémitisme allemand est le seul moyen de comprendre pourquoi, alors que –
pour des raisons d'opportunisme – Himmler avait donné l'ordre
de stopper les exécutions, les bourreaux allemands ne tinrent
pas compte de cet ordre et continuèrent à faire subir les pires
sévices à leurs victimes. Là encore, l'explication par le seul
antisémitisme semble un peu courte. En effet, quelles que
soient les raisons qui aient pu pousser ces policiers ou ces
soldats à devenir des bourreaux, on peut en effet se demander,
s'il n'y a pas, sur le plan psychologique, une certaine cohérence
dans leur attitude. Ils se retrouvèrent dans une situation où –
pour peu qu'ils aient eu connaissance de l'ordre d'Himmler,
ce qui reste à démontrer – obéir à cet ordre leur était sans
doute impossible. Cela aurait sans doute signifié, pour eux,
que mettant un terme à l'horreur, ils auraient dû se confronter
avec elle. Une fois franchis les repères moraux et les barrières
psychologiques qui auraient dû les empêcher de devenir des
bourreaux, ils ne purent sans doute pas aussi facilement mettre
un terme à leurs excès. Un peu comme si la seule manière
de ne pas se voir accablé par l'horreur de ses propres actes
consistait à se maintenir dans l'horreur en les perpétuant. A
tout le moins, les choses sont à l'évidence plus complexes que
l'explication qu'en donne Goldhagen. Le comportement des
bourreaux durant les « marches de la mort » ne peut pas être
simplement pris pour un indicateur absolu d'un antisémitisme
spécifique aux Allemands. Il renvoie plus à la logique de
l'horreur et de la haine.

Nous touchons là un point d'une extrême importance. Il
nous semble, en effet, que l'ouvrage du sociologue américain
est bien moins un ouvrage scientifique sur la *Shoah,* qu'un
mauvais livre sur la haine. A cet égard, il faut noter que
paradoxalement, les qualités de style de l'auteur desservent
son livre. En effet, si Goldhagen possède un style expressif lui
permettant de donner à voir l'horreur de ce qu'il décrit – une
balle dans la tête projetant du sang et de la cervelle sur celui
qui la tire –, cette expressivité est mise au service d'une thèse
grossière. Décrivant les scènes d'exécution et les atrocités
auxquelles se livrèrent les bourreaux, Goldhagen répète tout
au long de son texte la question *why, why,* comment ont-ils
pu ? La question n'est pas en soi une mauvaise question, elle

n'a d'ailleurs toujours pas trouvé de réponse, mais elle n'est pas une question spécifiquement allemande. Elle se pose avec la même acuité à propos d'un Serbe obligeant, sous la menace de son revolver, un Bosniaque à en émasculer un autre avec ses dents. Pourquoi et comment a-t-il pu ?

Goldhagen structure tout son ouvrage autour de cette question, mais pour lui c'est une question allemande. Une question qui permet, selon les termes mêmes de l'auteur, d'étudier « anthropologiquement » les Allemands et leur antisémitisme. Ainsi Goldhagen ne s'embarrasse-t-il pas de distinction entre les S.S., les Nazis et le reste de la population, pour lui ce sont les Allemands. Le mot revient d'ailleurs pratiquement à chaque page, et parfois jusqu'à huit fois. Pour l'auteur, les Allemands voulaient exterminer les Juifs, et l'holocauste est « un projet national allemand ». Et ce n'est pas un hasard, si prenant le contre-pied de Christopher Browning ayant intitulé son livre *Des hommes ordinaires,* Goldhagen a choisi comme sous-titre pour le sien *Des Allemands ordinaires* ; pour lui, les policiers du 101e bataillon de réserve ne furent pas des « hommes ordinaires », mais bien des « Allemands ordinaires ». Ils étaient, en outre, selon lui représentatifs de l'ensemble de la population allemande. Il y eut, en effet, 15 bataillons de réserve commettant les mêmes atrocités. Ce qui permet d'estimer le nombre des policiers criminels à 35 000. D'une manière plus générale, Goldhagen estime qu'au minimum, 500 000 Allemands furent directement impliqués dans l'holocauste. L'estimation semble élevée mais reste plausible.

Néanmoins Goldhagen va encore plus loin, puisqu'il prétend que si des millions d'Allemands ne furent pas directement des complices, cela tient uniquement au fait qu'on ne leur avait pas demandé de l'être, et que si tel avait été le cas, ils auraient tué avec autant de plaisir que les autres, tant l'ensemble de la population allemande était animée d'un antisémitisme « *sui generis* ». Or, quand bien même les Allemands auraient-ils tous été animés du désir de tuer les Juifs, Claude Lanzmann [1] fait fort justement remarquer qu'entre ce vouloir-

---

1. Claude Lanzmann, « Les non-lieux de la mémoire », in *Au sujet de Shoah,* le film de Claude Lanzmann, Belin, Paris, 1990, p. 289.

tuer et l'acte, il y a un abîme. Goldhagen ne s'arrête pourtant pas à de telles subtilités et l'approche anthropologique qu'il revendique tend à faire des Allemands un collectif aux caractéristiques quasi biologiques. Non seulement cette approche ne peut être qualifiée de scientifique, mais elle recèle de graves dangers. En effet, en se laissant aller ainsi à sa haine des Allemands, Goldhagen réveille la thèse de la culpabilité collective allemande. Certains des passages de son texte ne sont d'ailleurs pas sans rappeler le discours des alliés de mars 1945 à l'été 1947. En cherchant à donner comme horizon explicatif de la *Shoah* le seul caractère faustien de l'âme allemande, Goldhagen opère bien une « remythologisation » de l'holocauste. Il devient alors possible pour tous les germanophobes de se laisser aller à leur passion.

Cette « remythologisation » séduit, en outre, nombre de lecteurs car elle leur donne une image moins abstraite de l'horreur nazie. Ils peuvent ainsi mieux la visualiser et l'on pourrait presque dire de manière hautement paradoxale que la description réaliste de l'horreur rend celle-ci plus « humaine », dans la mesure où son caractère monstrueux et justement « inhumain » permet à l'émotion de l'emporter sur l'analyse historique. Les nuances historiographiques se prêtent, en effet, moins facilement à la mobilisation d'affects haineux et vengeurs. Or, ces affects présentent un caractère régressif qui n'est pas sans dangers tant pour la mémoire collective juive que pour la mémoire collective allemande.

En cédant au charme d'une mémoire vengeresse, Goldhagen parvient sans doute à flatter une partie importante de la communauté juive américaine pour qui la *Shoah* constitue bien souvent l'un des seuls points de repère identitaire ; mais ce faisant, il affaiblit également la mémoire juive de manière considérable. Sur le plan moral, il n'y a en effet rien de très glorieux à s'en prendre de la sorte aux Allemands, à reproduire des préjugés qu'il faut bien considérer comme racistes ou à tout le moins discriminatoires. Pour le dire autrement, la vengeance ne saurait tenir lieu de mémoire, au risque, si la chose se produisait, de voir de nouveau la haine l'emporter.

Par ailleurs, et de manière paradoxale, en donnant à la haine une place aussi déterminante dans l'explication du génocide, l'auteur des *Bourreaux volontaires* en vient à remettre en cause la singularité de l'holocauste. En effet, la haine ne constitue pas ce qui fait de la *Shoah* un événement historique sans précédent et sans équivalent. Elle est malheureusement un sentiment que l'on retrouve dans toutes les pratiques de génocide ou de massacre, de l'Arménie au Rwanda en passant par la Bosnie-Herzégovine. Ainsi, Goldhagen en donnant une place centrale à la question comment ont-ils pu, parvient certes à diaboliser les Allemands, mais il passe, du même coup, à côté de ce qui fait de l'holocauste un événement sans équivalent dans l'histoire de l'humanité, à savoir la perfection d'une industrie de la mort ayant fonctionné à grande échelle.

La thèse de Goldhagen représente également un danger pour la mémoire collective allemande. Elle peut entraîner un véritable sentiment de découragement chez nombre d'Allemands qui ont sincèrement fait un effort d'analyse du passé et qui ont ouvertement accepté de se confronter avec lui. S'ils accordent le moindre crédit à la thèse de Goldhagen, ils ont de quoi regarder avec le plus grand scepticisme l'entrée de la nation allemande dans le XXIe siècle. Car même si Goldhagen se défend dans une note de bas de page de vouloir soutenir la thèse d'une intemporalité du caractère national allemand, l'ensemble de son texte éveille plutôt le sentiment du contraire. En outre, si Goldhagen n'interroge pas sa thèse sur l'antisémitisme allemand à la lumière de l'extraordinaire succès de l'assimilation des Juifs en Allemagne durant le XIXe et le XXe siècle, on est en droit de supposer qu'il considère que cette réussite n'infirme en rien son analyse d'un antisémitisme monolithique resté latent. En d'autres termes, et par transposition, tous les efforts allemands pour instaurer après 1945 une véritable démocratie peuvent se voir du jour au lendemain anéantis, pour peu que l'âme germanique sorte de sa léthargie et que sa véritable nature redevienne manifeste.

Pierre-Yves GAUDARD *

---

* Auteur d'une thèse de doctorat intitulée *Mémoire et culpabilité en Allemagne après le national-socialisme*.

Bernard Cuau

BÉATRICE DIETZGEN

L'infirmier de service lorgnait ses jambes. Les hommes assis ne la regardaient pas. Elle fit le tour des chambres et resta jusqu'au dîner dans le bureau de permanence. Elle n'avait pas l'énergie pour aller dire aux gens : « Bonsoir, je remplace Mlle Waszlack. » Tout ça lui flanquait un cafard énorme, ces yeux lavés, ces types assis qui ne demandaient rien, avec leurs uniformes bleus. Elle n'avait qu'une envie, sortir et boire, parce que ce fichu métier n'est faisable que si on se fout du feu dans le sang. A six heures, elle prit sa voiture, l'arrêta sur la place du beffroi, entra au Grillon.

Le Grillon était bleu : murs, néons, comptoir, moleskine. La fille qui servait avait un tablier bleu, une demi-lune bleue amidonnée dans les cheveux, des yeux bleus. Béatrice demanda une Tuborg et des gauloises. Le sourire de la fille laissait voir ses dents nacrées. L'interne regardait ses jambes. « Elle est vraiment jolie. » Cette façon de marcher à peine déhanchée. Elle lui trouvait de la grâce, dans sa manière de servir avec gentillesse et indifférence. Nous exerçons un peu le même métier, pensa-t-elle. Son café n'est pas beaucoup plus gai que le pavillon Zelda. Des gens arrivent ici, qui ont essayé un peu partout. Nulle part ça n'a vraiment marché. Ils se soignent à la bière et au genièvre. Quelques-uns s'en sortent. D'autres finissent par débarquer chez nous. Elle remonta la bretelle de son soutien-gorge, demanda une autre Tuborg. Après la deuxième, en général, elle commençait à penser moins. La tristesse se diluait dans le sang, qui circulait plus vite. Ses tempes bourdonnaient, sa bouche devenait pâteuse. Quelle importance, c'était le soir, elle n'avait à parler à personne, dans ce pays perdu au milieu des champs de pommes de terre. Elle pouvait faire tous les mélanges d'alcool et de tranquillisants, avoir les yeux rouges comme un lapin, qui s'en souciait ? Un bonheur chaud dans le corps, un mélange de tristesse et de bière. Elle allait s'endormir sur la table. La serveuse au diadème de lune bleue la réveillerait doucement en approchant ses dents nacrées de son visage. Mais la table était poisseuse, la musique allait trop fort. Comment fermer l'œil, dans un lieu pareil ? Elle demanda une troisième bière. La fille lui demanda si elle se sentait mal. Béatrice voulut voir à quoi elle ressemblait. La glace des toilettes n'avait plus beaucoup de tain. C'était sombre. Elle s'approcha, se sourit en voyant de si près ce visage qui lui appartenait de moins en moins. « Je suis encore jolie. Pour combien de temps ? » Elle entendait la voix de son père, qui lui avait tant dit qu'elle était belle. On lui disait de toutes les façons, qu'elle était belle. Dans la rue, en la déshabillant du regard, à l'hôpital, en la tripotant. Ceux qui avaient dit l'aimer lui avaient envoyé des lettres. Certaines étaient belles. Elle avait tout brûlé. La bière, le cognac et les médicaments n'allaient pas tout détruire en quelques semaines. Demain, après sa douche, avec un peu de maquillage, elle serait fraîche. La serveuse n'avait simplement pas l'habitude des jeunes femmes seules qui buvaient tant de bière danoise. Personne ne l'avait jamais vue, ici, au Grillon. Elle revint s'asseoir et but sa troisième Tuborg, presque d'un trait. Après, elle demanda une chambre. Gamine, dit le patron, conduis la dame. L'escalier ruisselait de fleurs peintes et de plantes en pots. La chambre 13 venait d'être repeinte. Béatrice se laissa tomber sur le lit les bras en croix. « Gamine ne bougeait pas. » Elle finit par s'approcher du lit, retira les chaussures de l'interne et sortit.

« C'est tout à fait l'endroit pour mourir. » Elle imagina que sous la terre, au moins les premiers jours, on avait droit à encore un peu de clarté, une clarté comme celle-là, économe, blafarde. Elle avait cette idée depuis sa très petite enfance. A six ans, en s'endormant, elle se voyait sous la terre. Ça doit devenir noir peu à peu, pensait-elle, mais pas noir complètement avant le sixième ou le septième jour. Si Dieu veut qu'on

s'habitue, il retire sûrement un peu de clarté chaque jour,
parce que, si c'était d'un coup, on aurait trop peur, surtout
quand on est petit. Ses jambes étaient lourdes, elle avait des
renvois aigres et pas le courage de se lever pour vomir. Depuis
quarante-huit heures, dans le corps, de la bière, du cognac,
de la fumée. Son estomac faisait des bruits vulgaires. Elle
alluma le plafonnier, se leva, ouvrit la fenêtre. On respirait
dehors une odeur âcre, il devait y avoir une distillerie dans
les parages. Un filet de buée sortait de sa bouche, flottait dans
l'air comme un fin collier de givre. Elle avait froid. C'était
un froid qui faisait du bien. « Si on pouvait dormir debout, je
resterais ici, accoudée au rebord de la fenêtre. » Elle regardait
de temps à autre ce grand lit. Un lit de passe pensait-elle et,
confusément, elle voyait, en file d'attente de gros hommes nus
avec des ventres blancs, qui se touchaient pour être à la
hauteur, quand ils allaient s'enfourner sous l'édredon rose.
Elle se demandait comment une tristesse aussi profonde avait
pu la gagner. Mais chercher une réponse causait une telle
fatigue. Et le sommeil qui venait. « Un sommeil d'alcoolique.
Non, je ne suis pas si laide encore. Je n'aurai pas le temps
de devenir laide. » Ça la faisait sourire. Il lui arrivait de penser
encore à un foyer, à des enfants. « Pas de larmes ! Il ne
manquerait que ça. » Quand des larmes venaient, elle dormait
déjà.

*

« Mademoiselle Dietzgen, enchanté, » dit le directeur.
« Comment vous plaît le pays ? » « J'aime », dit Béatrice.
« Avez-vous trouvé à vous loger ? » « Sans problème. » « Et
c'est un joli petit appartement », demanda le directeur. Béatrice ne savait pas si c'était son langage ordinaire, s'il bêtifiait
pour être drôle ou s'il était vraiment bête. Dans cette face
pleine, les petits yeux gris couraient comme deux gouttes de
mercure. Une vraie satisfaction émanait de sa personne. Le
fait de diriger une maison de fous devait le rassurer sur
l'excellence de sa santé mentale. Béatrice le regardait sans
curiosité. Il était vraisemblable qu'il n'avait rien à dire des
fous, sinon qu'ils étaient fous. Il parlait de son établissement,
elle détaillait son costume. Une phrase lui traversa l'esprit,

qui venait de loin, « La folie n'est rien d'autre que la propreté du monde. » Elle ne voulait surtout pas analyser, chercher à comprendre. C'était la vérité, elle en était certaine. Mais cette vérité ne regardait qu'elle. Le directeur riait des blagues de ses fous. Il les trouvait sympathiques et le bilan de sa maison, *honorable*. Sa maison. Honorable. Tout ça convenait bien. Apparemment, il était modeste et nommait justement les choses.

– Vous n'êtes pas trop communicative. Vous vous réservez pour vos malades ? Professionnelle en diable, cette génération ! Vous comptez rester longtemps ? » « Oui », dit Béatrice. « Je vous accompagne à Zelda. Affirmez-vous dès le premier jour. Il y a de la roublardise chez nos malades. A croire que certains ne sont pas si fous que ça. » Ils marchaient en silence sur la terre craquelée et brillante. Les fleurs penchaient sous le givre. « Il y a pire, comme lieu », dit le directeur. « Mais vous n'allez pas dans le pavillon le plus facile. »

*

Ils étaient comme hier, les mêmes, sur les mêmes chaises, dans les mêmes attitudes tranquilles. Leurs vestes avaient des manches trop longues ou trop courtes. Leurs pantalons étaient tenus par des ficelles. Sur les chaussons de feutrine aux contreforts écrasés, ceux qui se déplaçaient ne marchaient pas, ils glissaient. Béatrice, une nouvelle fois, eut le sentiment qu'elle plongeait dans un monde arraché au temps. Elle avait des renvois de bière et le plexus durci par l'angoisse. L'infirmerie était vide. Elle prit un gobelet, avala en vitesse plusieurs tranquillisants. Deux ou trois ans auparavant, lors de ses premières gardes, sa confiance était encore grande dans les pouvoirs du langage. Elle tentait d'établir un dialogue avec les plus absolument muets. Pour chacun, elle rêvait du même destin, la sortie, la liberté. Il lui avait fallu du temps pour comprendre que ce rêve était le sien, pas le leur. Cet horizon de grilles, ces surfaces carrelées, lui faisaient froid dans le corps. Peut-être avait-il plus de chaleur que tout ce qu'ils avaient connu avant. L'envie lui était passée de désirer pour eux.

Béatrice s'assied dans le réfectoire et fume. L'homme qui s'approche d'elle a le nez enfoncé dans les joues. Son visage est sculpté en creux. Deux sourcils en broussaille sont les seuls reliefs de sa chair rentrée. Son crâne est lisse, avec deux touffes de cheveux inégales. A droite, une houppe grise, dressée, à gauche, une ligne de longs cheveux noirs qui tombent sur l'oreille. Il n'a pas de ficelle et tient son pantalon à deux mains. Il s'arrête à quelques pas de la table. « Asseyez-vous », dit Béatrice. « Pas le temps », répond l'homme. « Est-ce que tout va bien comme il faut ? » « Comme ci comme ça », dit Béatrice. « Vous avez des drôles d'expressions. Vous ne devriez pas me parler comme ci, comme ça. Je pose une vraie question. J'attends une vraie réponse. » Il parle sans agressivité, évitant le regard de l'interne. « Est-ce que tout va bien comme il faut ? » « Pour qui ? » demande Béatrice. « Pour vous. » « Alors, non, dit Béatrice, ça ne va pas trop comme il faut. » « J'en étais sûr », dit l'homme. « Quelle pitié ! J'aimerais tellement que ça aille. Cette souffrance partout. » « Mais vous, demande Béatrice, ça va comment ? » « Si je vous réponds que je n'existe plus, vous allez croire que je suis fou. » « Non, pourquoi ? » « Vous auriez tort. Si je dis que je n'existe plus, c'est que je suis fou, puisque j'existe. La preuve, je suis là. » Béatrice sourit. « Il en faut peu pour vous amuser », dit l'homme en s'éloignant. « Mon nom est Walser. On se reverra. »

– « Son nom n'est pas Walser. Je suis Walser », dit l'homme qui pousse la wassingue d'un bout à l'autre du réfectoire, toujours sur le même sillon. « Son nom est Pastrini. Il est ici depuis très longtemps. » « Et vous ? » demande Béatrice. « Beaucoup plus longtemps. Je suis né ici. Ma mère était la propriétaire de toutes ces maisons, mais un jour, avant ma naissance, elle a été pauvre parce qu'on lui a tout pris et elle est devenue mélancolique. Elle ne sortait plus du tout et personne ne sait comment elle a fait pour m'avoir. » « Walser, demande Béatrice, c'est le nom de votre mère ? » « De ma mère ? Mais je vous dis qu'elle est morte. » « Vous ne l'avez pas dit, non. » « Ça va de soi. Si elle n'était pas morte, c'est elle qui ferait le ménage. L'homme a d'autres obligations. » « C'est vrai », dit Béatrice. « Vous avez un nom ? » demande Walser. « Dietzgen. » « Nom de père ou de mère ? » « Je peux vous répondre une autre fois, demande-t-elle. » « Beaucoup de gens sont comme vous, ils ne savent pas », dit Walser. « C'est quand même toute une affaire, le père, la mère, le ménage, les soucis de chaque jour, la guerre. » « Quelle guerre », demande Béatrice. « Toutes. Au moins toutes. Les autres sont à venir. » « Vous arrivez à vous occuper de tout ça ? » demande Béatrice. « Oui, dit Walser, à condition d'avoir une activité régulière. Il est nécessaire de savoir où on met les pieds, c'est pour cette raison que je prends soin du carrelage. Je suis sans doute le seul à avoir compris ça. En plus, ma situation ici est particulière, du fait que ma mère possédait tous les terrains et les maisons. On me sait gré de ne pas faire valoir mes droits. La folie m'a rendu modeste. Pourquoi dites-vous cela ? Si je n'étais pas fou, pensez-vous qu'on me tiendrait enfermé depuis trente ans au pavillon Zelda ? Si je n'étais pas fou, pensez-vous que je laverais le sol de cette façon stupide ? Il suffit d'un quart d'heure, pour faire à fond le carrelage de cette pièce. Tout le monde peut se rendre compte d'une pareille évidence. Mademoiselle Dietzgen, vous n'utilisez pas la bonne manière avec moi. Je me méfie des docteurs qui discutent avec nous comme si nous étions normaux. Le pire est de faire semblant. Je ne vous en veux pas, car vous arrivez et je vous crois de bonne volonté. Mais, n'oubliez pas que Walser est un fou authentique. A l'occasion, je vous dirai ceux qui sont malades ici et ceux qui simulent. Je les connais tous. Mais, cela suppose que vous sachiez gagner ma confiance. » Il se remet à tracer son sillon sur le carrelage, après avoir précisé à Béatrice qu'il ne parle que le lundi matin. « Je ne m'autorise pas à dire plus de cent mots par semaine. C'est une bonne hygiène. Le chiffre est calculé pour me permettre d'exprimer tout ce que je porte en moi. Regardez comme je suis léger, dit-il, en faisant un très petit bond. »

*

Walser, Pastrini, ils sont quarante, comme ça dans le pavillon et je suis là pour les soigner, pense Béatrice. Elle sait qu'elle est venue ici pour autre chose. Je patienterai, en faisant comme si j'étais une interne qui soigne. J'écouterai. Je hocherai la tête. Je me tairai. Ce sera d'autant plus simple que je n'ai rien à dire, vraiment rien. Peut-être, pense-t-elle, nous

venons tous au monde avec une même quantité d'énergie et
certains durent longtemps, parce qu'ils en font un usage
économe, tandis qu'en d'autres, elle se consume très vite,
jusqu'au point où tout s'arrête. Je ne vais pas mieux qu'eux,
je ne suis pas différente.

« Au secours ! » Une voix douce, au fond de la salle a
lancé cet appel. Béatrice se lève, s'approche de l'homme assis
entre deux chaises. « Vous avez peur ? » « Du boucher, oui.
Chaque nuit il m'entaille. C'est la bouchification. » « S'il y a
une plaie, il faut la recoudre, dit Béatrice. Vous ne pouvez
pas rester ainsi ouvert. » « N'y touchez pas, demande l'homme
et ne dites rien au boucher, il me tuerait vraiment. » « Il faut
le laisser vous bouchifier ? » « Il faut prévenir ma mère qui
ira voir sa mère. Tout s'arrêtera, c'est une question de famille.
Je ne peux pas vous en dire plus. » « Sur une chaise, vous
seriez mieux assis. » « Je sais, mais c'est interdit. » « Qui
l'interdit ? » « Une vieille affaire de famille et personne ne
plaisante. » « Je comprends, dit Béatrice, mais n'ayez plus
peur du boucher. Quelquefois, il arrête et je dors. Allez ! Il
faut voir les autres aussi. Nous sommes nombreux à machiner
le monde, ici. » Dans le couloir, un homme au teint gris fait
signe à Béatrice d'approcher. Dans sa bouche grande ouverte,
il enroule doucement sa langue, comme s'il s'apprêtait à
l'avaler. Elle a vu. Il veut lui montrer encore. Des bouches
béantes, des morceaux de chair rose, qui tournent sur eux-
mêmes et descendent vers la glotte, on lui a fait la démonstration cent fois, dans tous les services. Elle voudrait lui dire,
mais tout se passe comme si c'était elle qui venait d'avaler
sa langue. Il pointe le doigt dans sa bouche, cavité blanchâtre
et vide. Un haut-le-cœur la secoue. Elle a juste le temps de
se retourner pour vomir. Elle n'a rien dans l'estomac. A ses
pieds, une flaque blanche, semblable au renvoi d'un chat.
L'homme a toujours la bouche ouverte et la langue roulée.
Pendant qu'elle s'éloigne à reculons, il poursuit sa série d'exercices, déroulant sa langue jusqu'à la pointe de son menton, la
ravalant d'un coup dans un sifflement, avec un sourire de
danseur.

Maintenant, elle les connaît tous : Lucas, qui vit soudé au
radiateur du couloir, Mandro, qui a un visage d'apôtre, Carton
qui a tenté d'étrangler sa femme, Boulanger qui menace de

tous les bouchifier. Martin, l'ancien prote. Il a, une fois, rapporté de permission une casse dont il a retiré les caractères en plomb. Elle sert aujourd'hui à la distribution des cachets. Dans chaque cassetin, sur un bout de sparadrap, le nom d'un fou. Matin et soir, Jeannot, porte-parole de l'infirmier, les appelle d'une voix forte : « Messieurs dames, à la casse ! » Il n'y a pas de dames à Zelda. Paul veut qu'on l'appelle Geneviève, à cause de sa petite sœur morte. Luculu pleure chaque jour à cinq heures la mort de sa femme Juliette. Certains disent qu'elle est vivante. Hardi est si frêle et craintif, que Béatrice, la première fois, l'a pris pour une jeune fille habillée en homme. Grand-père ne se lève pas depuis des mois, ne prononce pas une parole et va bientôt mourir. Le seul qui le veille, c'est le petit. On ne lui connaît pas d'autre nom, à Zelda. A croire qu'il a perdu son identité, pour devenir à jamais le petit. Il n'est pas grand. Ses traits sont juvéniles, mais il a passé cinquante ans. Toutes ses dents sont parties.

Un registre cartonné noir in-quarto est la mémoire du pavillon. Six pages récapitulent la vie de cette année. Trois tentatives de pendaison. Observation de l'infirmier : la corde s'est rompue. Une bouteille d'éther avalée cul sec. Le petit retrouvé après soixante-douze heures de fugue. Dormait dans la serre, couché sur les géraniums. Tout le reste, des événements mineurs.

*

Le Grillon est vide à cette heure. Les patrons dorment. Gamine est assoupie au bar. Sa coiffe, sous les néons bleus lui fait un diadème. Elle rêve à demain. A huit heures, Béatrice descend. Elle avale un café noir et une bière avec des tranquillisants. Elle se sent bien. L'idée d'aller dans les marais de la Somme, c'est Gamine. Des nappes de brouillard givrant montent des prairies inondées. Le froid pénètre. Le chauffage de la voiture est mort depuis longtemps. Le volant est glacé. Béatrice souffle sur ses doigts. Gamine a les mains dans les poches. Elle ouvre très grands les yeux, pour tenter de deviner le paysage. Elle dit à Béatrice : regarde. C'est une accumulation indéfinie d'îles microscopiques, de presqu'îles, de passerelles en bois vermoulu, d'écluses miniatures, de bateaux à

fond plat. Et tellement d'eau partout. Tellement de brume.
Les gens qui vivent ici, pense Béatrice, doivent être spongieux,
comme la terre qui émerge à peine des marais. La route
serpente sur des semblants de digues, traverse des morceaux
d'étangs, se perd un instant dans un bois. Les cabanons, les
caravanes semblent flotter sur tous ces bras morts de la
Somme. « C'est le pays des hommes-poissons », dit Béatrice.
« Tu t'y vois, Gamine, vivre dans ce coton, dans ce silence
désolé, avec l'eau qui te monte le long des jambes et te
descend sur les épaules. » « C'est vrai, dit Gamine, il faut
aimer l'eau pour vivre ici. » Elles ont stoppé sur un pont. Un
rideau de peupliers cerne le marais. « On croirait des maisons
de poupées », dit Béatrice. « Enfant, tu jouais à la poupée ? »
« Non. Mon père disait : c'est de la connerie, ça. » « Tu
n'aimais pas ton père ? » « Je l'ai tué dans ma tête. Il tapait
sur ma mère, sur moi. Il voulait toujours me noyer comme
un chat, dans la citerne. Une fois, il a cogné trop fort, il a
fallu nous recoudre. Les gendarmes sont venus. Je ne sais pas
quand il sortira. Dans longtemps j'espère. » « Tu ressembles à
Judy Garland, dit Béatrice. Je t'emmènerai voir ses films. »
« Est-ce que je pourrais faire du cinéma ? » demande Gamine.
« Je ne sais pas », dit Béatrice. « Tu es si jolie, mais c'est
tellement difficile. » Il y a celles qui en meurent. « Dans ces
cabanons, à ton avis, les gens, de quoi ils parlent », demande
Béatrice. « Du temps, dit Gamine, de poisson, d'humidité. »
« Pas d'amour ? » « Oh non ! D'humidité, de poisson. » « D'argent ? » « Oui, d'argent. » « De la mort ? » « Oh non, pas de la
mort. » « Je me demande, dit Béatrice, si ce n'est pas là que
j'aurais voulu vivre, à moitié sur l'herbe, à moitié dans l'eau,
dans la brume du commencement à la fin de l'année, gardienne
du marais, avec un chien-loup. » « Seule ? » demande Gamine.
« Seule dans un cabanon, oui. » « Tu n'aurais pas pu. Tu serais
devenue neurasthénique. » « Sûrement ! » Béatrice n'a pas vu
venir le virage. La voiture tourne lentement sur elle-même.
La route est huilée par la brume et le froid. C'est un mouvement doux qui ne veut pas finir. Les mains sur le volant,
Béatrice laisse faire. Une rambarde en bois les arrête sans
bruit. « C'est comme la fin d'un tour de manège », dit Gamine.
Au retour, Béatrice se laisse tomber sur le lit. Gamine est
assise à terre. Elle pose la tête contre sa hanche. Elles restent

longtemps sans parler. Quand Béatrice dort, Gamine s'allonge contre elle et remonte l'édredon sur leurs corps.

*

Au matin, le ciel est jaune de la neige prochaine. Gamine s'éclipse, pour chercher dans sa chambre son tablier et son diadème. Béatrice, avant de partir pour l'hôpital, ne demande pas de bière, mais du thé et du pain. Le médecin-chef veut la voir. « Mademoiselle Dietzgen, il faudrait aujourd'hui aller à P... reprendre un malade que la neuro-chirurgie nous renvoie. L'ambulance est prête. Avant, vous devriez demander le dossier à Hölderlin. C'est une chemise de carton très ancienne. Elle a les feuilles en mains. » Elle tremble. – D. Jean-Pierre. Entré le 14 janvier 196.. Mutique. Très mal supporté par les malades et le personnel. Le plus souvent, nu, en cellule. Doit être maintenu sur une alaise et nettoyé au jet. La voiture roule vite dans le brouillard. Jean-Pierre, murmure Béatrice, Jean-Pierre. Le chauffeur lui jette de temps à autre un regard. Elle a les yeux fermés. Il se dit qu'elle rêve.

A P..., en neuro-chirurgie, le patron la reçoit. « Tout ce qui pouvait être coupé l'a été », dit-il. Il est calme et paraît soulagé. Béatrice n'a aucune question à poser. Ils repartent. Elle est à l'arrière, Jean-Pierre à sa droite.

Jamais elle n'a éprouvé tant de douleur devant un visage. Les chirurgiens ont tout retiré, tout ce qu'il avait dans la tête. Après, ils ont remis les yeux. Après dix-sept ans, elle est revenue dans cet hôpital retrouver son père. Elle pensait ne jamais le revoir. Il aurait pu être mort. Maintenant seulement, il vient de mourir. Jean-Pierre et Françoise Dietzgen, leur fille Béatrice. Heureuse entre ses parents. A l'âge de raison, soudain, elle voit la folie. Sa mère, beaucoup plus tard, lui raconte. Jean-Pierre parle de moins en moins. Il entre dans le silence. Pleure sans raison. Toujours, il pleure et se lave les mains. C'est le jour et la nuit. Il ne dort pas. Il n'arrête jamais. Il tend à Françoise chaque matin des liasses de journaux découpés. Toutes les horreurs commises partout dans le monde. Elle demande au chauffeur qu'il arrête. Elle sort et court sur le talus. A pleins poumons, elle respire l'air sale et gelé. Elle marche dans un champ. Elle a de la boue plein les jambes.

Elle pleure, elle a sept ans. « J'ai sept ans, j'aime mon père qui ne me parle plus. Il n'a plus de regards pour sa petite fille. Il ne me raconte plus d'histoires. Il n'entre jamais dans ma chambre. » « Il est malade », dit maman. « Maman aussi est malade, elle ne veut pas le faire soigner. » « C'est une douleur qui ne se soigne pas », dit-elle. « Personne ne peut guérir un homme d'une douleur pareille. Ton père, Béatrice, n'est plus Jean-Pierre. Il est tous les hommes qui souffrent, qu'on tourmente, qu'on torture. La douleur de la terre entière est en lui. Pendant quatre ans, muet, il vit dans l'épouvante. Il découpe les journaux. Archive. Tout ce qui est insupportable dans le monde, il le découpe et l'archive. Jusqu'à cette nuit de janvier 196... » Des coups violents dans sa porte. Elle sursaute, allume. Il entre, lui, son père, couvert d'excréments sur le visage et le cou. Il crie, en se tournant vers les ombres qui le cernent, il hurle : « Ne me forcez pas à embrasser ma petite fille. Je vous en supplie. Non. Tout, pas cette horreur. » Il prend la voix d'un de ses tortionnaires. « On te dit de l'embrasser. » Son visage se penche sur elle. Elle vomit, hurle : « Maman ! Maman ! » C'est tout. Après, il y a le noir. Une immense absence de mémoire, une douleur sans nom.

Ils restent quatre années encore dans la ville. Chaque soir, sa mère revient du pavillon en pleurant. Un jour, elle n'en peut plus. Elle part avec Béatrice loin. Béatrice tombe dans le champ. Elle se relève, noire de cette terre glaciale. Elle voudrait mourir de froid. Elle retourne vers la voiture, se serre contre son père, le tient par le cou. Elle embrasse follement ses yeux morts. Il ne bouge pas. Ni un geste de la main pour la tenir, ni un geste pour la repousser. Sa tête balance sur ses épaules. Ils ont vidé sa tête, avant de remettre ses yeux gris, tellement grands, tellement beaux, si absolument morts. « Mon papa, dit Béatrice doucement dans son oreille. Ô ! mon papa. » Elle pleure. Il est impassible. Le chauffeur roule doucement sur le verglas.

Au pavillon Hölderlin, le médecin-chef donne un coup d'œil sur le rapport opératoire. « Oui, ils n'ont pas travaillé dans la dentelle. Carrément cisaillé toutes les fibres blanches du lobe pré-frontal. » Béatrice passe à la banque, retire ce qu'elle a, le dépose au Grillon, dans la chambre de Gamine, avec un mot. En début d'après-midi, cette veille de Noël, l'hôpital est plongé dans la torpeur. « Je conduis Jean-Pierre en ville, dit-elle à l'infirmier de service. Il n'a plus rien à se mettre. Sa valise est restée à P... »

Elle roule le long du canal, en direction de la mer, son père à côté d'elle, raide et muet.

Elle pleure, sur lui, sur sa mort à sept ans, d'effroi. Elle accélère une dernière fois, lâche le volant. La voiture les conduira seule où bon lui semble. La glissade est longue et douce, sur l'herbe. La surface de l'eau s'entrouvre et les reçoit. Le canal efface ses rides et redevient lisse avec lenteur.

Bernard CUAU

Avec Béatrice Dietzgen, *nous poursuivons la publication des textes que Bernard Cuau nous a légués. Depuis sa mort, en août 1995, nous ne cessons pas de découvrir que notre ami a laissé une œuvre d'une exceptionnelle puissance qui ne pouvait et ne devait être lue qu'à titre posthume. Lui qui, comme il l'écrivait à propos de René Daumal « a fait totalement passer sa vie dans son œuvre sans aucune ambition de paraître en ce monde », mérite la plus éclatante des reconnaissances. Nous nous emploierons bientôt à rassembler en un même ouvrage la totalité de ses écrits.*

C.L.

Fabienne A. Worth

LE SACRÉ ET LE SIDA
LES REPRÉSENTATIONS DE LA SEXUALITÉ ET LEURS CONTRADICTIONS EN FRANCE 1971-1996 [1]

UNE PERSPECTIVE D'OUTRE-ATLANTIQUE

> *La fonction de tout diagnostic concernant la nature du présent... ne consiste pas en une simple caractérisation de ce que nous sommes, mais plutôt – en suivant les lignes de fragilité du présent – d'arriver à saisir pourquoi et comment ce-qui-est pourrait ne plus être ce-qui-est* [2].

1. Merci à Lionel Soukaz pour avoir été l'étincelle initiale de ce projet ; à Nicholas Dobelbower et Elizabeth Waters pour m'avoir encouragée à transformer des liasses de data en argument cohérent ; aux participants de la conférence « Sexe et sexualités » Duke University février 1995, pour leurs questions lors de la lecture d'une version première de cet essai.

Je suis également reconnaissante à James Creech et Michael Moon pour avoir lu cet essai avec minutie, imagination et enthousiasme ; merci à mes critiques amicales et constantes Jane Brown, Sherryl Kleinman et Marcy Lansman et à Linda Orr pour des années de fidèle et créatif encouragement. Et finalement, merci à Yves Roussel, à Marie-Hélène Bourcier et à Marie Jo Bonnet pour les mises au point de dernière heure.

La version originale de cet essai sera publiée dans la revue américaine *Discourse,* printemps 1997.

2. Dans ce sens l'approche proposée par Foucault diffère de celle d'Harvey pour qui « la seule stratégie possible lorsque l'on est confronté avec le discours d'une nation sur le sida est celle de Deleuze et Guattari quand ils écrivirent " nous ne demanderons pas ce que cela

Au printemps 1994, alors que les débats sur le sida s'épuisaient aux Etats-Unis, des statistiques tragiquement hors normes faisaient découvrir à la France qu'avec 58 millions d'habitants elle avait le même nombre d'homosexuels séropositifs que la Grande-Bretagne, l'Allemagne de l'Ouest et l'Italie combinées avec 170 millions (Arnal, 67, 103).

Tout le monde reconnaissait la nécessité de s'attaquer au sida. Venant des Etats-Unis où j'avais récemment publié un numéro spécial sur la théorie « Queer » au cinéma et en vidéo [3], j'étais assaillie de questions : Pourquoi couronner quatre ans de retard avec des campagnes de prévention non ciblées ? Ce problème était-il lié au manque d'identité gaie ? Et dans ce cas comment se faisait-il que l'identité gaie, de révolutionnaire dans les années 70, soit devenue si fragile que les homosexuels n'aient ni le désir, ni les moyens de se rendre visibles aux autres aussi bien qu'à eux-mêmes ? Et dans un revirement plus récent et plus dramatique, mais tout aussi mystifiant, comment se faisait-il que le gai-victime de Sidaction 94 soit devenu le gai-transgresseur de Sidaction 96 ? Quel était le rapport en France entre identité gaie et possibilités d'accès au discours public ? Quels étaient les formes, les médias, les sites, les périodes, les conditions dans lesquelles ces représentations gaies avaient lieu ?

---

signifie, mais quelle sorte de machine est ainsi assemblée " » (ma traduction, 330).

3. Dans l'essai bibliographique qui préface ce numéro, je définis ainsi la fonction de cette nouvelle prise de position théorique : « La théorie Queer répond à un profond besoin collectif de dénonciation et de négociation à travers le mur de Berlin qui structure et contraint nos psychés et nos cultures, les murs de l'homophobie en particulier, mais aussi les murs séparant les " queers " les uns des autres, par exemple ceux qui séparent les artistes médiatiques et les activistes culturels des théoristes académiques et ceux qui nourrissent le racisme et le phallocentrisme à l'intérieur des communautés homosexuelles. Le programme de base de la théorie Queer est de demander la représentation politique tout en insistant sur la spécificité matérielle et historique. A son niveau le plus osé, la théorie Queer demande beaucoup plus : le recadrage des concepts de subjectivité et d'altérité... rien n'est figé pour le point de vue archéologique et la motivation politique du théoriste queer » (ma traduction, 2).

Mes connaissances en théorie critique aux Etats-Unis ne m'aidaient pas à répondre à ces questions. Et les réponses que je trouvais en France étaient aussi décevantes, se limitant au rapport entre la politique gouvernementale et l'identité gaie, ou vice versa. Pour les activistes d'Act up c'était l'absence d'identité gaie en France qui avait encouragé la politique de dédramatisation et le manque de focalisation des campagnes de prévention. Par contre, pour Yves Roussel, c'était l'élection de François Mitterrand en 1981, et la cessation du harcèlement des gais par la police qui paradoxalement affaiblit l'identité gaie. Ces réponses aussi inévitables qu'elles fussent me parurent soulever davantage de questions. Il est vrai que « l'identité est toujours une relation, jamais une positivité » (313) comme l'affirme Douglas Crimp. Mais cette relation a lieu dans un système de représentation plus complexe qui devait surdéterminer à la fois la politique gouvernementale et ses rapports avec l'identité gaie.

Je cherchais donc à replacer le débat dans le cadre épistémologique d'une représentation française de la sexualité. En survolant de façon empirique les représentations culturelles de la sexualité en littérature, sociologie et religion d'une part, dans le cinéma et à la télévision de l'autre, je découvrais un concept me permettant de situer mon essai à la fois dans une logique culturelle française et dans une optique analytique et critique – car une optique descriptive ne ferait que réinscrire ce-qui-est.

Ce concept c'est celui du sacré. Par l'intermédiaire du sacré je saisissais pourquoi la discrimination et l'identité, concepts clés aux Etats-Unis pour parler du sida, n'avaient guère de sens dans la culture française traditionnelle – du moins avant l'importation d'Act up en 1988. En effet, le sacré pose les rapports sexe-société et individus-société, en termes de légitimation et de transgression, plutôt qu'en termes de droit, discrimination et identité. Ce glissement de l'éthique au psychologique a bien entendu des conséquences cruciales pour la constitution identitaire, la politisation et la représentation de la sexualité.

Mon but ici n'est donc pas d'analyser en soi les faiblesses de la politique identitaire française, ou même son impact sur les représentations de la sexualité ; mon but est plutôt de saisir, grâce au concept du sacré, et à la double vision de ma perspective « queer », les raisons culturelles de ces représentations, leurs formes concrètes, et surtout leur trajectoire temporelle.

Les Deux « Sacrés »

La tradition de la sexualité transgressive et sacrée a une longue histoire culturelle initiée au XVIIIe siècle avec Sade, précisément au moment où la rationalité a déplacé la religion comme lien culturel de base. Au XXe siècle cette tradition se poursuit grâce à l'influence de Bataille et de ses héritiers. Le sacré de transgression est tenu en laisse cependant par une autre tradition, celle du sacré de légitimation, élaboré à la fin du XIXe siècle par Durkheim. Bien que ces deux traditions tendent à être perçues comme mutuellement exclusives et à occuper des champs culturels séparés, il est crucial de les considérer simultanément pour percevoir leurs fonctions respectives et leur complémentarité.

La notion du sacré de transgression a été développée dans les années 30 par les membres du collège de Sociologie, Caillois, Leiris, Monnerot et Bataille (Richman, Isambert). Depuis les années 50, Bataille, devenu héros culturel, inspire d'autres intellectuels tels que Jean Genet, Roland Barthes, Julia Kristeva, Jacques Derrida, Philippe Sollers, Maurice Blanchot, Michel Foucault. Cette tradition a aussi influencé des écrivains gais, des cinéastes expérimentaux, et même des cinéastes commerciaux tels que Cyril Collard, l'auteur et protagoniste principal des fameuses **Nuits fauves**. Passant de la haute culture intellectuelle à la culture populaire, la sexualité sacrée et transgressive a fini par devenir la tarte à la crème des études psychologiques et des émissions télévisées sur le sida. C'est ainsi que la sexualité en tant que sacré a été invoquée pour illustrer le trauma du préservatif et pour expliquer l'impossibilité fondamentale d'une prévention interprétée comme une désacralisation. Encore aujourd'hui « les lieux " à forte rentabilité sexuelle " restent des foyers d'infec-

tion importants [4] ». Stuart Michaels, un des auteurs de la
récente étude « Sex in America » (1992), remarque que l'attitude française devant le risque, la mort et l'amour est
différente de celle de toute autre culture [5].

Bataille récupère le sacré de transgression comme un
moyen de réaffirmer la subjectivité de l'individu. Selon ses
vulgarisateurs Alain Arnaud et Gisèle Excoffon-Lafarge [6],
Bataille voyait dans la transgression un acte qui n'est pas
assujetti à la loi mais qui est défini par elle. La transgression
flirte avec la loi. Elle est « une conjonction de jeux de forces,
c'est-à-dire de ruse, de complicité et de masques » (116). Pour
les vulgarisateurs de Bataille l'identité en tant que concept
légal se trouve en relation conflictuelle avec la subjectivité
vue comme sacrée.

Une expérience sacrée est une expérience intérieure grâce
à laquelle un individu, ou quelquefois une communauté, excède
ou même renverse les limites du comportement rationnel de
la vie quotidienne. Le sacré est donc ce qui échappe au monde
bourgeois, à la productivité, au profit et à l'auto-préservation.
Cet état de dépense sans réserve conduit à ce que Bataille
nomme la souveraineté, un concept antithétique à celui d'identité puisque la souveraineté demande la perte de soi. Ainsi la
temporalité de l'expérience intérieure est faite de moments
fragmentés, de moments sans mémoire et sans destinée, de
moments ouverts à l'infini des possibilités et à l'auto-destruc-

---

4. Martel, 366.

5. Stuart Michaels a fait ce commentaire lors d'une présentation
plénière « Sex Research in the United States in the Age of Aids :
The Experience of the National Health and Social Life Survey », à
la conférence de « L'Association française d'études américaines »,
Tours, 26-28 mai 1995.

6. Toutes mes citations de Bataille proviennent de ce texte, plutôt
que de l'original littéraire. Ceci parce que je prends le *Bataille*
d'Alain Arnaud et Gisèle Excoffon-Lafarge comme exemple représentatif de la naturalisation et sacralisation de « l'expérience » à la
Bataille dans la culture française. Omettant les guillemets, les critiques mêlent leur voix à celle de Bataille, et par extension, à celles
des lecteurs. Les auteurs reconnaissent de bonne foi qu'« il y a dans
ce livre quelque chose comme une facilité : la facilité de la complicité ».

tion. « Vivre l'excès c'est vouloir l'impossible, c'est vouloir vivre ce qui, au moment même ou je l'atteins, m'anéantit » (72).

Le sacré de transgression à la Bataille s'inscrit implicitement en relation à un autre sacré, le sacré de légitimation. C'est au moment de la séparation entre l'Eglise et l'Etat que Durkheim établit le sacré comme concept sociologique essentiel ; il le définit comme ce qui est assujetti à l'interdit et comme ce qui se différencie du profane. Pour Durkheim le sacré est supérieur au profane, il fonctionne comme un système hiérarchique dans lequel le social se légitime lui-même et assigne à l'individu une position qui est, soit subordonnée, soit transgressive, mais qui en aucun cas ne peut entrer en contact avec le sacré de façon interactive ou égalitaire. Le profane ne peut communiquer avec le sacré que par l'intermédiaire de rituels. Les choses sacrées incluent les états collectifs, les traditions, les émotions communes et les sensations liées à l'intérêt général. Le profane est constitué par les émotions que nous éprouvons en tant qu'individus [7] :

> On peut dire... que dans la plupart des cas, les êtres ou les choses sacrés sont ceux que défendent et protègent des interdictions, tandis que les êtres ou les choses profanes sont ceux qui sont soumis à ces interdictions et qui doivent n'entrer en contact avec les premiers que suivant des rites définis. Mais cela même ne va pas sans réserves : car le sacré doit lui aussi éviter le contact du profane. Il reste que dans le cas où ils rentrent en relations, l'un et l'autre n'agissent pas de même : le sacré est le siège d'une puissance, d'une énergie qui agit sur le profane... tandis que le profane n'a que le pouvoir de provoquer la décharge de cette énergie, ou dans certains cas de l'invertir, en la faisant passer... de la forme pure et bienfaisante à la forme impure et maléfique (Durkheim 64).

---

7. Mon analyse de Durkheim est redevable au travail d'interprétation de François-André Isambert.

La sexualité française face aux représentations anglo-saxonnes

Avant de poursuivre mon analyse des représentations de la sexualité en France, je veux proposer une autre perspective sur le sujet au moyen d'une comparaison entre la sexualité française et son équivalent anglo-saxon. Il ne s'agit pas seulement de comprendre la sexualité française comme radicalement différente de la sexualité anglo-américaine (ou protestante), mais aussi de reconnaître nos propres présuppositions sur le sujet et leurs conséquences ; il s'agit aussi de donner quelques éléments d'analyse sur le décalage culturel qui oppose Act-up France à la société française traditionnelle et qui le différencie d'Act-up USA.

Dans la sphère publique américaine le désir est lié à l'identité et des sous-cultures se forment pour consolider cette identité et réclamer son acceptation sociale. Dans le discours public aux Etats-Unis la sexualité est donc politisée. D'un côté, il y a les fondamentalistes qui se battent pour des normes répressives, de l'autre, des activistes gais qui révèlent la construction politique du concept de norme, qui encouragent la sortie du placard, la prise de conscience, et proclament que le silence équivaut à la mort sociale et physique. Les deux camps se positionnent par rapport à une éthique, qui est polarisée. Cette polarisation a ses inconvénients et Simon Watney a critiqué la notion d'homophobie parce qu'elle cache comment « le désir fonctionne pour motiver des comportements sexuels spécifiques » et « pour forcer dans la même totalité monolithique toutes les variétés de désirs homosexuels et d'identité » (62). Par contre la sexualité française est restée aussi polyvalente que ses fromages, visuellement omniprésente mais sur le plan du discours ne se nourrissant que de silence, de relégation au privé et au non-dit, ou de son opposé, la provocation.

Alors qu'aux Etats-Unis les autorités gouvernementales, les médias, et maintenant l'armée ont été justement critiqués pour avoir défini le sida exclusivement comme une maladie homosexuelle (une perspective minoritaire), on a reproché au gouvernement et aux médias français leur incapacité à définir le sida en tant que maladie homosexuelle (une perspective universaliste). Comme Eve Sedgewick l'a démontré, les deux stratégies sont des formes conceptuelles d'homophobie. L'une confine « le problème homosexuel » à une minorité homosexuelle fixe, l'autre la dilue sur un large « éventail de sexualités » pour employer l'expression de Sedgewick. Alors qu'aux Etats-Unis la réaction principale au sida a été de « blâmer les victimes », en France la réaction a été plus ambivalente, oscillant entre un respect pour la question du « désir » – une question protégée par le vide social dans lequel elle s'inscrit – la condamnation sociale d'une caste taboue ou, plus récemment, l'idéalisation/victimisation des victimes.

L'identité gaie que les sociologues et activistes américains dénoncent en tant que « sham », un mélange de dissimulation (« concealment ») et de simulation (« pretense »), dont jouent les gais pour pouvoir gérer le stigma social (Lang 172, 74), a été valorisée dans le contexte français des années 70-80 par la notion de transgression à la Bataille. Il ne s'agissait pas ici d'oppression internalisée mais d'une conjonction de jeux, de tours (tricks ?) de complicités et de masques. Alors que pour Lang « sham » est la mort sociale parce qu'elle est imposée à l'individu, la transgression est pour Bataille source de plaisir, de liberté, de souveraineté. La valeur éthique est remplacée par la valeur ludique. Comme la transgression était vue en France comme une nécessité psychologique, et que les sexualités y étaient par définition toutes transgressives, l'analyse de l'homophobie y paraît toujours vouée à la contradiction.

La sociologie gaie avant 1988 : orthodoxie ou critique hérétique ?

Michael Pollak – un sociologue, disciple de Bourdieu au CNRS – est sans doute le personnage le plus crucial pour clarifier les limites du discours sida dans les années 80. Il a seul étudié la communauté gaie avec un mélange rare en France de respectabilité scientifique et de passion activiste. Pourtant Pollak n'a pas pu remettre en question le sacré de la sexualité et l'homogénéité de la légitimation sociale. Il s'adresse donc simultanément à deux publics très différents, les gais et les bureaucrates, les fondant tant bien que mal en un lecteur homogène [8]. Par conséquent, son étude hésite maladroitement entre réflexion et analyse de la confusion sociale. Mon but ici n'est pas de juger ces atermoiements, écrits sous de lourdes contraintes temporelles et politiques, mais de les signaler comme une sorte de rayon X des limites discursives de cette période.

Dans un de ses premiers articles, écrit en 1982, Pollak avait adapté la méthode Bourdieu et importé la théorie gaie des Etats-Unis, réussissant ainsi à esquisser un concept d'identité homosexuelle basé sur le choix d'un mode de vie. Mais au milieu des années 80, en réponse aux statistiques désastreuses du sida en France, Pollak commence à contextualiser sa recherche et à analyser l'identité gaie comme française plutôt que comme transnationale. Grâce aux interviews des lecteurs de *Gai Pied* et aux interprétations des données ainsi réunies, Pollak rend visible la spécificité de l'expérience de transgression des homosexuels français en signalant ses liens avec la discrimination sociale. Paradoxalement, Pollak préfère alors éliminer le concept d'identité gaie et dépolitiser son enquête au moment même où il découvre l'homosexualité comme problème politique.

Le sacrifice du concept de l'identité gaie en tant que choix de vie permet à Pollak de re-justifier l'écart entre privé et public pour protéger à la fois la vie privée et « les valeurs fondamentales de notre système politique » (178) [9]. Le sacrifice

---

8. Cette assertion est faite dans une perspective « queer » qui assume que les êtres sociaux ont différents accès à la représentation, au pouvoir et à la connaissance selon qu'ils sont positionnés au centre ou dans la marge de leur culture. Donc de se cantonner dans « ce-qui-est » est rationalité, objectivité, réalisme pour le bureaucrate ; mais c'est se condamner à l'impotence critique, au déni de ses connaissances expérientielles, à l'acceptation de l'invisibilité et de l'oppression pour le gai.

9. Pourtant Pollak demande que l'on considère le sida comme un problème gai, avançant la raison curieuse que tant que ce problème reste « individuel et particulier », c'est-à-dire tant qu'il n'affecte que les homosexuels, les hémophiles et les toxicomanes, il ne peut être politisé (*Les Homosexuels et le sida,* 162).

de l'identité gaie le conduit aussi, par un raisonnement tautologique auquel Bourdieu et la télévision française nous ont habitués, à prôner une adresse universelle, car une voix marginalisée est automatiquement illégitime. Cette décision affecte aussi la voix de Pollak qui effectue une navette bizarre entre clichés culturels et réalité gaie. Ainsi Pollak finit par décrire l'identité gaie comme étant principalement réactive à l'ordre social tout en s'efforçant de ne pas dénoncer l'homophobie de cet ordre social ! Il signale simplement la douloureuse séparation des familles imposées par « le non-dit de l'homosexualité » (43) et l'impossibilité de reconnaître publiquement les engagements affectifs. C'est ce qui explique que les gais aient progressivement adopté des habitudes sociales et sexuelles

---

Ce genre de raisonnement est difficilement compréhensible dans les pays anglo-saxons où les études de critique culturelle sont en pleine expansion, ce qui permet de concevoir la relation entre la marge et le centre comme une relation dynamique, et la culture comme un champ de discours et de pouvoir en évolution constante.

Par contre les études sociologiques françaises ont du mal à concevoir la possibilité de légitimation éventuelle de la marge. Bourdieu établit une relation structurelle et statique entre le centre et la marge en étiquetant le centre « l'orthodoxie » ou les « dominants » et la marge « la critique hérétique » ou « les dominés ». Selon l'analyse de Bourdieu il n'est pas possible pour les « dominés » d'opérer une révolution symbolique, parce qu'ils manquent de capital symbolique et parce que les instances de légitimation sont contre elles.

Pollak, employant des concepts semblables à ceux de Bourdieu, mais accentuant encore plus le statut illégal des dominés en les appelant « les prétendants », assigne ce terme exclusivement aux ennemis des gais, l'extrême droite. Ainsi pour Pollak qui écrit avant 1988, la politisation du sida est illégitime aussi bien que dangereuse pour les gais. Quand une motion favorable aux gais est acceptée, telle la motion de février 1988 qui a rejeté le dépistage obligatoire et a soulevé la question des droits civils des homosexuels (176), celle-ci a été promue par les dominants, implicitement en dehors du processus politique. La résistance de ce cadre épistémologique est remarquable puisqu'on le retrouve dans le livre de Frédéric Martel publié en 1996. Dans ce contexte de substitution du politique par l'Etat, la déconstruction de la sacralité effectuée par Isambert est d'autant plus remarquable.

distinctes qu'il nomme, comme les instigateurs de la révolution sexuelle des années 70, « l'éthique du plaisir ».

Lorsque Pollak se sert de lunettes françaises et de données françaises, l'homosexualité n'est plus un choix identitaire mais une manifestation du sacré qui permet de briser les tabous et de transgresser les rituels. Pollak ne définit pas ces termes qu'il prend comme argent comptant pour ses interviewés, pour lui-même et pour ses lecteurs. Il explique seulement l'expression « briser les tabous » comme étant une déconstruction des oppositions qui sont « fondamentales à l'ordre social », telles que l'opposition entre le passif et l'actif, le masculin et le féminin, le haut et le bas, le dessus et le dessous, le devant et le derrière, le dominant et le dominé (44).

Pourtant Pollak ne remet pas en question la séparation entre le psychologique et le social. Ainsi le fait de briser les tabous permet de défier une hiérarchie psychologique mais pas la hiérarchie sociale. Quand la transgression devient visible socialement, par exemple lorsque « les folles hurlantes » agressent publiquement l'ordre social, Pollak abandonne sa neutralité scientifique et son empathie pour les gais. Alors qu'aux Etats-Unis « les folles » sont reconnues – au moins à l'intérieur du ghetto et quelquefois à l'université – pour avoir déclenché la révolution gaie et pour déstabiliser l'opprimant système des genres, Pollak ne voit les folles que comme un phénomène de classe populaire, psychologiquement destructeur (ils ont internalisé les caricatures de leurs oppresseurs) et transgressant l'ultime loi française – celle du bon goût – car ils osent mélanger « des chemises de soie rose avec des blousons de cuir clouté » (46).

Pollak conclut que la solution à la crise du sida est dans « la responsabilité individuelle », « le retour à soi-même » et le « retour à une nouvelle identité individuelle ». Il condamne la promiscuité, non pas à cause de ses dangers pour la santé mais parce que « c'est la seule façon d'obtenir l'acceptation sociale dans le ghetto ». Ainsi Pollak finit-il par demander la responsabilité individuelle avec le droit de remettre en question l'éthique du ghetto mais pas celle de la société. Pollak finit par condamner le ghetto pour avoir transformé les gais en individus de simulation – ils se forcent à la promiscuité sexuelle pour obtenir l'acceptation sociale – plutôt que de blâmer les hétérosexuels dominants qui, discriminant contre les gais, ne leur offrent que le ghetto. La conclusion de cette analyse pour les individus gais est qu'ils doivent à la fois cacher la source initiale de leur oppression et abandonner le ghetto et ses plaisirs socio/sexuels.

L'insistance primordiale accordée par Pollak à l'individu et à « l'identité individuelle » comme solution à la crise du sida, est réaffirmée par Martel en 1996, en dehors de toute argumentation. Cette valorisation de l'individualisme est radicalement opposée à la solution promue par Cindy Patton. Déjà en 1985, soit trois ans avant le livre de Pollak, Patton découvre une relation étroite entre une identité gaie positive, la capacité d'adopter de nouvelles pratiques sexuelles, et la capacité de développer de nouveaux systèmes communautaires pour donner un sens à la maladie et à la mort (142). La promotion de l'individualisme est aussi radicalement opposée à d'autres études sociologiques américaines. Norris G. Lang note que « mon expérience ethnographique me conduit à croire que le degré d'enfouissement dans le placard est la variable la plus importante pour déterminer si la réponse au sida encouragera la vie ou la menacera » (178). Cependant les homosexuels interviewés par Pollak n'ont perçu d'autre alternative que de nier leur homosexualité, rejeter leur passé, s'isoler ou revenir à la religion traditionnelle.

L'individualisme promu par Pollak était lié à la réjection de nouveaux concepts tels que le *safer-sex* (vie sexuelle à moindre risque). Bien que Pollak ait négocié avec l'Etat depuis 1985 pour développer des stratégies permettant la publicité des préservatifs, en public il n'a pas dénoncé l'antique loi de 1920 prohibant cette publicité ; se cantonnant dans une approche sociologique descriptive d'un état de fait, il n'a pas pu critiquer le consensus des branchés stipulant que le préservatif était désuet et ringard. Il a simplement reflété l'opinion, noté qu'en 1985 l'achat d'un préservatif est encore incriminant socialement, que le *safer-sex* tue le sexe comme naturel, que le *safer-sex* tue le sexe comme transgressif, que le *safer-sex* demande la capacité de concevoir l'avenir. Pollak nous informe qu'une sexualité qui est « naturelle » et « saine » est opposée à « tout usage d'objet étranger, tel le préservatif, venant détruire les débats amoureux » (72). Bien que Pollak sache très bien définir « le naturel » comme « la somme des habitudes conditionnant un sujet au point que leur rupture est ressentie comme une rupture avec soi-même » (72), ses arguments illustrent l'impératif culturel de l'époque qui était de maintenir le sexe sacré en position de dominance par rapport au besoin profane de protéger des individus d'une pandémie mortelle.

Le *safer-sex* s'oppose aussi au sexe transgressif et sans avenir, c'est-à-dire plus particulièrement au sexe gai. Pollak mentionne certaines publicités pour le *safer-sex* qui « vont jusqu'à prétendre découvrir de nouvelles sources de plaisir », et à des pratiques sexuelles libérées de leurs « connotations perverses ». Pollak finit par condamner l'éthique du *safer-sex* parce qu'elle crée « la mauvaise conscience et un sentiment de culpabilité » (84). Ce défaitisme contraste avec les analyses anglo-saxonnes telles que celles de Cindy Patton où le diagnostic de résistance culturelle au *safer-sex* est analysé d'un point de vue critique, permettant de partir à la recherche d'une nouvelle façon de penser, et même de jouir.

Aux Etats-Unis, la résistance au *safer-sex* n'est pas due à la peur de dé-sacralisation du sexe mais à l'équation entre sexualité et germes (Patton, 12). On dirait que dans l'inconscient américain, le plaisir étant dangereux et devant être supprimé de toute façon, il n'y ait pas besoin de *safer-sex*. Alors que dans l'inconscient français, le plaisir étant le cœur de la vie, le *safer-sex* qui le menace doit être rejeté. Bien entendu, il est plus facile de critiquer la négation du plaisir que sa sacralisation !

Le cinéma gai expérimental

Cette antinomie entre identité gaie et sexualité se retrouve-t-elle dans le cinéma expérimental gai des années 70 ? Et si oui, quelle forme prend-elle ?

Le cinéma expérimental gai est un produit de la révolution initiée en 1971 par le Front Homosexuel d'Action Révolutionnaire (FHAR). Produit initial de la rébellion lesbienne, le FHAR finit par proclamer l'éthique du plaisir, des droits pour « toutes les sexualités », et pour les enfants, « le droit au désir et à sa réalisation ». Le FHAR a dénoncé la société qui humilie les travestis, la pornographie et la pédérastie, proclamant au contraire leur nature subversive. Selon le FHAR, le travesti refuse les privilèges du mâle, la pornographie personnifie la perversité du désir, et la pédérastie mine l'oppression de la famille bourgeoise. Le désir est une source de richesse libidinale opposée aux règles sociales dans la tradition de Bataille. Mais alors que Bataille avait laissé ses romans pornographiques soit dans l'anonymat, soit dans ses tiroirs, les membres du FHAR décrètent des manifestes publics de plaisir.

Comme Richard Dyer le note cependant, ces manifestes sont motivés par la même croyance dans une sexualité transgressive et sacrée, non par des arguments politiques ou le besoin de lancer un défi efficace aux modes de représentation contemporains. Les membres du FHAR ne se préoccupent guère des problèmes de médiation entre dominants et dominés, et encore moins des questions d'inégalité entre adultes et enfants. Ils inversent tout simplement le pouvoir de légitimation de la sacralité en se l'appropriant symboliquement.

Dans *L'Œuvre d'art à l'âge de la reproduction mécanique* publié en 1936, Walter Benjamin remarque que l'avènement de la photographie a signifié la disparition de la sacralité de l'art. Paradoxalement, c'est aussi au XIXe siècle que les théories de l'art pour l'art ont été créées. Benjamin regrette cette « théologie négative » qui nie toute fonction sociale à l'art et empêche toute catégorisation par sujet (223). Dans le cinéma expérimental gai, le désir pour de jeunes garçons, des images pornographiques, des extraits filmés de sexe gai et d'autres indices d'auto-expression illimitée sont compatibles avec l'art pur, alors que des préoccupations sociales telles que la prévention, les préservatifs, et la communication avec les spectateurs ne le sont pas [10]. Dominique Noguez remarque ainsi

10. C'est le cinéaste expérimental Yann Beauvais qui m'a fait cette remarque, tout en regrettant que le cinéma expérimental américain désacralise l'art en incluant des scènes de *safe-sex*. Pour une comparaison avec le cinéma expérimental lesbien, voir mon article « Toward Alternative Film Histories : Lesbian Films, Spectators,

que le cinéaste expérimental se moque bien de la communication (20). Selon Noguez, le cinéaste expérimental est plus du côté du principe de plaisir que du côté de la réalité. Et Noguez de conclure : « Ce qu'il a à dire et... ce que le destinataire en saisira, à la limite peu lui chaut » (20).

Lionel Soukaz a été étiqueté le plus activiste des cinéastes expérimentaux par Dominique Noguez et un des plus provocants par Richard Dyer. Pourtant au début de *Boyfriend II,* la voix off du narrateur déclame : « Il faut que l'image vienne de nulle part. » Les images de Soukaz, comme le *Bataille* d'Arnaud et d'Excoffon, comme le nouvel individu gai de Pollak, sont légitimes parce que, venant de nulle part, ils viennent de partout. Le processus de naturalisation du contenu pornographique est consumé en pratique par l'emploi d'une voix narrative autoritaire, par le montage et l'appropriation de la subjectivité des spectateurs.

Dans *Boyfriend II* (1977) des textes de pornographie et de pédérastie par Guy Hockenghem, Tony Duvert, Gabriel Matzneff et Soukaz lui-même sont lus en voix off prêtant aux images un air de légitimité documentaire. Le montage musical des grands succès de la culture yéyé, des rengaines d'amour hétérosexuelles telles que « la Vie en rose » de Piaf, et des grands hymnes culturels tels que « L'Internationale » et « L'Hallelujah » naturalisent des images de drague, de sexes moulés par le jean et de masturbation. Soukaz n'a aucun scrupule à s'approprier ce que Dyer nomme « the glow of mainstream romance » et à conjuguer l'autorité du marxisme et celle du christianisme. Il se sert des codes de la subjectivité pour encourager les spectateurs à éprouver du désir porno et pédéraste, « plaçant ainsi le spectateur directement dans la ligne du désir » (Dyer 226). Cette méthode contraste avec l'esthétique camp des Anglo-Saxons qui cherche à dé-naturaliser les représentations consacrées grâce à un montage ironique plutôt que de naturaliser du matériel transgressif.

Filmmakers and the French Cinematic/Cultural Apparatus », dans lequel je souligne la stricte séparation dans le cinéma lesbien entre les genres – expérimental et documentaire – qui reproduit une division entre les médias – film et vidéo.

Dans le film de Soukaz, la honte n'est pas dénoncée comme dans le cinéma provocateur US, ou ignorée comme dans le cinéma affirmatif. La honte est ici simplement inversée. C'est le spectateur, encore affublé de tabous sociaux, qui peut la ressentir en éprouvant ce que Dyer nomme « une réponse libidinale à leurs images pornos et pédérastes » (226).

Un autre film, *Race d'Ep un siècle d'images de l'homosexualité* (1979) réalisé plus tard en collaboration avec son mentor, le philosophe, écrivain et activiste Guy Hocquenghem, est plus réfléchi que provocateur. Lorsque le critique gai Michael Moon vit *Race d'Ep* à New York lors de sa sortie, il fut impressionné par la capacité du film à « pratiquer simultanément production culturelle et analyse politique à travers un éventail de média et de modes discursifs » (Hocquenghem 9). Pourtant le film est bien différent de la production anglo-saxonne de l'époque parce que l'identité gaie y reste problématique, d'un point de vue subjectif et d'un point de vue historique [11]. Contrairement à *Word is Out* (1977) ou à *Avant Stonewall : l'émergence d'une communauté gaie et lesbienne* (1986) par exemple, *Race d'Ep* n'est ni une enivrante chronique de sorties de placard, ni une recherche triomphale du moment fondateur d'une sous-culture. Composé de quatre mini-films, *Race d'Ep* se souvient de quatre périodes différentes de l'expérience homosexuelle : 1) L'élaboration simultanée de l'homosexualité et de la photographie liée au XIXᵉ siècle, 2) L'Institut de la sexualité de Magnus Hirschfeld et son lien avec l'extermination nazie des homosexuels, 3) L'utopique libération sexuelle des années 60 et, 4) Un dialogue à la Diderot entre un homosexuel français et un visiteur américain hétéro.

Alors que le point de vue invisible de *Boyfriend II* forçait

---

11. Beaucoup de cinéastes lesbiennes et gais aux États-Unis ont pris leurs distances dans les années 80 envers la politique d'identité pour pouvoir explorer les complexités de la subjectivité. Mais cette direction d'ensemble n'exclut pas les films activistes (je préfère cet anglicisme au terme « militant » maintenant dérogatoire en France) imbibés de rhétorique identitaire telle que le téléfilm avec Glenn Close sur le cas de discrimination envers le colonel Margarethe Cannermeyer, intitulé en français *Les Galons du silence*.

le spectateur à s'identifier presque contre son gré avec les images, le point de vue ironique de *Race d'Ep* empêche à la fois l'identification et la dénonciation. L'histoire gaie constituée dans ces films l'est par une appropriation quelquefois manipulatrice de la grande Histoire. Pourtant le film ne propose pas non plus le remplacement de l'histoire par le pur plaisir.

Le Troisième Sexe, la seconde section de *Race d'Ep*, blâme Hirschfeld pour avoir cru que la science pouvait aider la cause homosexuelle, alors qu'en fait, ses classifications ont anticipé l'annihilation des homosexuels dans les camps nazis. Mais lorsqu'une victime lesbienne fictive raconte ce qui lui est arrivé quand les Américains libérèrent son camp – « *Je cherchais mes amis. Personne ne les réclamait. Nous ne recevrons probablement jamais justice* » –, les spectateurs ne savent pas qui d'autre, à part Hirschfeld, est responsable. Cette ambivalence est d'autant plus troublante lorsque l'on apprend que l'évocation de la déportation homosexuelle par Hocquenghem s'est appuyée sur « un anti-sémitisme de rivalité » (Finkielkraut, cité par Martel, 383).

Sweet Sixteen offre un survol symbolique de l'humeur utopique des années 60. Des images de libération sexuelle sont commentées par un texte d'Hocquenghem et par des chansons yé-yé de Sylvie Vartan, Sheila et Françoise Hardy, idoles des shows de travestis. La voix *off* nous informe : « C'était quand tout paraissait possible. J'étais comme doué d'ubiquité... Je rencontrais les gens avec une facilité étonnante, et les barrières s'effondraient de tous côtés... C'était l'époque des minorités heureuses. Nous étions les emblèmes vivants de la liberté humaine. » La voix *off* est ironique mais nous ne savons pas pourquoi. Qu'est-ce qui a désenchanté le narrateur ? Est-ce la dénonciation de l'idéalisme utopique ? Ou au contraire la naïveté dont le narrateur avait lui-même été victime ? Est-ce que les anciennes histoires nazies reviennent ? Est-ce que le plaisir était une illusion ? Ou y a-t-il un problème indicible qui se profile à l'horizon ? La stance ironique du film semble aller de soi. Elle n'a donc pas besoin d'être dite.

La bande sonore de la dernière section *Royal Opera* est composée de deux monologues en voix *off,* celle d'une folle de classe populaire et celle d'un visiteur américain hétéro de classe moyenne. Bien que leurs voix ne se croisent jamais dans l'espace fictif du film, les personnages se faufilent ensemble toute une nuit à travers les sites investis par la sexualité publique des gais parisiens. Le film fait écho au *Neveu de Rameau,* un texte qu'Hocquenghem prisait particulièrement. Mais contrairement aux personnages de Diderot, ceux d'Hocquenghem sont irrémédiablement divisés entre celui qui représente la transgression et la nuit, et celui qui représente la normalité et le jour. Le personnage transgressif ne peut apprendre du personnage normal la raison de sa marginalité, et le normal ne gagne aucun aperçu sur le coût de son conformisme. Dans ce sens, les personnages d'Hocquenghem rappellent plus Bataille que Diderot.

Bien que la technique des voix *off* empêche la négociation des différences, elle permet la mise en valeur de la construction sociale de la différence. Mais cette mise en valeur est elle-même problématique. Diderot avait construit des voix qui pouvaient moduler entre l'individuel et le social, allant quelquefois jusqu'à l'inversion des positions. Mais Soukaz/Hocquenghem, privilégiant le point de vue ironique sur le plaisir, ont sacrifié l'individu. Comme le sujet à la Bataille, leurs personnages n'entendent pas et ne sont pas entendus : « même si un Autre parle, je ne l'entends pas, il ne répond pas à ma question, la nuit reste désespérément nocturne et je demeure en rupture, faille et silence » (Arnaud Excoffon-Lafarge, 78).

L'Américain hétéro est le confident d'une nuit de la folle française, un fait qu'il trouve lui-même comique : « Il était violemment contre l'intégration des gais. Le plus drôle c'est qu'il m'expliquait ça, à moi. » Les cinéastes mettent-ils en avant la superficialité de leur propre rébellion, leur propre aliénation, leur propre besoin de courtiser l'audience des « gens normaux » ou des hommes d'affaires américains, ou essaient-ils de nous convaincre que l'ironie est la seule position possible dans ce cas ?

Les films de Soukaz reflètent un rapport ambigu à une identité gaie, positionnée soit à l'intérieur d'une sexualité transgressive, soit à l'intérieur d'une homosexualité aliénée et ironique. C'est sans doute pourquoi le cinéma d'avant-garde gai français, trop distancié du social ou du sujet, n'a guère de succès à l'étranger.

Après 1988 : la politisation de la sexualité

En 1988, à la suite de la légalisation de la publicité du préservatif, l'enquête Claude Got et la création de l'AFLS (Agence française de Lutte contre le Sida) la spécificité homosexuelle de la maladie est finalement reconnue. Sous l'influence d'Act up les analystes gais tels que Frank Arnal, le directeur de *Gai Pied,* libèrent – finalement – la sexualité de son cadre psychologique pour la mettre carrément dans un cadre politique. L'ambivalente notion de sexualité transgressive s'efface au profit d'une opposition bien définie entre des gens tabous d'un côté, des homosexuels visibles de l'autre. Arnal dénonce la grande faiblesse de l'homosexualité française « faite de honte et de plaisir », son emploi d'un discours politique hors de toute tradition communautaire, son incapacité à créer un relais entre les victimes du sida et les bureaucrates. Mais les injonctions d'Arnal restent lettre morte au cinéma (*Les Nuits fauves,* 1993) et à la télévision (Sidaction de 1994). Alors que dans le film de Collard la subjectivité transgressive est légitimée (one more time !), dans les documentaires et émissions télévisées elle est ignorée pour faire place à une approche rationnelle, moraliste, univocale qui se limite à trois prescriptions : mettez des préservatifs, soyez tolérants et donnez de l'argent. Dans le discours public, la sexualité est assainie par ce que Glucksmann nomme « le volontarisme techno-pédagogique » et « la sacralisation du préservatif ».

Du film-scandale aux documentaires pédagogiques : Les Nuits fauves *et le premier festival international de films sur le VIH et le sida.*

Dans le contexte de censure mièvre dans lequel se cantonnait encore le discours public en 1993, *Les Nuits fauves* a explosé sur les écrans comme « un moment d'émotion sans précédent ». Quelle est la dynamique textuelle de ce film-scandale et pourquoi a-t-il déclenché des réactions si contradictoires ?

Les Nuits fauves est l'histoire d'un personnage bisexuel et séropositif Jean, joué par le bisexuel et séropositif Cyril Collard, qui est aussi le directeur du film, son scénariste, son musicien et monteur. Jean révèle à un ami qu'il a eu des relations sexuelles non protégées avec son amie Laura sans lui communiquer son statut positif. Il rationalise que l'amour de Laura le purifie : « Quand je suis avec elle je me sens pur. » Il justifie ensuite son silence en citant saint Jean ou saint Paul, il ne se souvient plus bien lequel : « pour les êtres purs tout est pur ». Ainsi l'amour de Laura est censé non seulement purifier Jean mais encore protéger Laura des effets de son statut positif.

Lorsque Collard mourut du sida, juste avant de recevoir le César du meilleur film et du meilleur premier film à Cannes, il devint à la fois son propre héros et un modèle « français », ou un Français modèle, dans l'inconscient collectif. Le 8 mars 1993, le président François Mitterrand éleva à son summum la mythification Collard par son éloge : « Cyril Collard représente la renaissance de la cinématographie française. Son travail et son combat sont un exemple... » (Medioni, 148).

La fascination produite par Jean, le héros des *Nuits fauves,* est probablement due à sa capacité de représenter, en deçà du séropositif-héros sacrificiel, le séropositif-meurtrier. Cette fonction ambivalente a fini par être attribuée à Collard lui-même. Ayant incarné les rôles de rédempteur du cinéma et d'exemple pour la jeunesse, Collard finit par être accusé d'avoir contaminé la petite-fille d'un écrivain célèbre (la contamination eut lieu en 1983, avant que le test du sida ne soit inventé).

La différence de lecture de ce film en France et aux Etats-Unis illustre non seulement l'écart qui sépare les deux pays en matière de représentation et d'interprétation de la séropositivité au cinéma, mais aussi les raisons de cet écart. Elisa Marder était choquée par l'idée, même fictive, que le désir de purification puisse agir comme une défense contre la contamination. Elle y voit une logique de déni, encore amplifiée par la scène où Jean se sert de son sang séropositif comme arme anti-fasciste contre son petit ami Sammy. Quant à moi, je suis perturbée par le déséquilibre entre hétérosexualité et homosexualité dans le film : alors que le sida ne pouvait contaminer dans la scène hétérosexuelle, il devient une arme rédemptrice dans la scène homosexuelle, faisant disparaître les mauvais effets de la mauvaise politique de l'amant gai. Le film oppose l'hétérosexualité à l'homosexualité, apparemment pour montrer et non pas pour juger. Cependant cette rencontre est inégale et prend place dans une narration déjà biaisée.

Les réactions des « Cahiers du Cinéma » ont aussi paru étranges outre-atlantique. Comment « Les Cahiers » peuvent-ils féliciter *Les Nuits fauves* d'avoir rompu avec le formalisme mortel du cinéma français, tout en restant lui-même formaliste et en omettant de mentionner la fonction du fascisme, du sexe gai ou du sida dans le film ? Pour Marder, le réalisme du film est contaminé par le besoin collectif de prendre les désirs des spectateurs pour des réalités, de dissoudre les contradictions dans la révérence du sacré, d'esquiver la vérité : la grande vérité de la mort, aussi bien que les petites vérités de la discrimination, de la contamination, du fascisme. Ainsi le film finit-il par fondre le corps de Jean dans le grand tout dans lequel nous finirons tous. Alors que pour Marder cette fin paraît un déni ultime, les interviewers des « Cahiers du Cinéma » concluent avec un certain fatalisme : « la vie continue... la séropositivité déclenche l'amour, ce qui est évidemment très impressionnant pour le spectateur » (Jousse et Toubiana 28).

La critique cinématographique française a donc loué le côté mythificateur du film. Pour Toubiana « l'absence de culpabilité, renforcée par une jeunesse omniprésente rend ce film le plus vivant et vital des films français » (*Cahiers du Cinéma,* octobre 92, 25). Jousse place le film sous la grande rubrique du désir, qu'il étiquette « ultime rédempteur », parce qu'il implique la prise de risques, même des « risques esthétiques » (20). Pour Jousse le film rachète non pas le sida – dont il ne parle pas – mais une autre maladie, celle d'une culture filmique léthargique. *Les Cahiers* souligne aussi l'originalité de Collard dans le contexte français. Frédéric Strauss (*Cahiers du Cinéma,* avril 93) remarque que *Les Nuits fauves* n'est pas seulement une confrontation intime entre amants, ou une relation incestueuse et intimidante avec une tradition filmique : c'est le premier film qui communique avec le présent. Strauss détecte que *Les Nuits fauves* sont plutôt une élaboration dynamique « d'un dialogue traversé par tous les bruits du monde » (6). Collard, contrairement aux cinéastes expérimentaux et aux critiques de film s'intéresse à l'émotion, à la culture populaire, à la chanson réaliste. Il privilégie les acteurs aux dépens de la caméra et de la forme. Collard demande aussi le droit de prendre une position délibérée contre les tabous, et contre la présomption de son interviewer à savoir que toute forme de jugement est un péché formel. Collard veut que son héros puisse agir au moins une fois contre le racisme. L'interviewer des *Cahiers* commente : « D'abord cette scène m'a troublé. Je pensais que vous vouliez vous mettre du bon côté idéologique. Puis j'ai compris que c'était la seule façon de rompre avec Sammy » (l'amant gai). Contrairement au cinéma expérimental gai, *Les Nuits fauves* ne cherche pas à inverser la norme hétérosexuelle ; en conséquence, le film ne se sert pas de la culture comme mécanisme de légitimation ou pour brouiller l'origine de ses images : la plupart de ses images viennent de quelque part. En fait, le réalisme de la scène de drague publique a ébloui les critiques des *Cahiers*. Critiques et spectateurs ont apprécié que Collard réussisse (en France) à lier le sacré à la vie quotidienne.

Mais comment cette liaison est-elle perçue ? En filigrane de l'incapacité des *Cahiers* de confronter le sujet du film, on détecte la même fascination du mythe rédempteur qui a frappé le Président aussi bien que les fans moins sophistiqués de Collard. Je ne discerne pas d'ironie malicieuse dans le ton des *Cahiers,* simplement un détachement incroyable envers des sujets qui ne sont après tout que profanes.

Il faut cependant mentionner que le film a aussi eu ses critiques en France. André Glucksmann a critiqué l'ambivalence psychologique du film, nommant « syndrome de Collard » le rejet qui bloque simultanément la prise en compte des périls et la mise en œuvre des précautions (18). Act-up a dénoncé la mythification, car jouer la carte de la victime expiatoire est une façon de reconquérir la légitimation sociale. « Le sida est l'élément rédempteur. Ni Hervé Guibert ni Cyril Collard ne se répandent en réflexions sur les origines sociales du sida, sur les conditions sociales de sa transmission... Aucun des deux ne semble se rendre compte que la maladie touche d'abord des minorités d'exclus, parce qu'aucun des deux... ne se sent appartenir à une catégorie d'exclus : il ne s'agit que de leur destin individuel de créateur... Le sida, c'est le destin, la fatalité, et donc, la providence, la rédemption » (176-177).

Aux Etats-Unis la critique négative de l'universitaire Elisa Marder se retrouve chez quelques journalistes, mais pas chez tous. Howard Feinstein dénonce le narcissisme et l'irresponsabilité du film, de Collard et de la France ; Richard Corliss répudie un film « qui est à la fois sentimental et sensationnel ». Mais d'autres journalistes apprécient un film qui « veut provoquer plutôt qu'apaiser » (Godfrey Cheshire) ; John Simon va même jusqu'à louer un film qui « au lieu de proposer des réponses de facilité [comme Hollywood], pose de difficiles questions ».

Si l'on prend en compte la réception complexe du film, on peut arguer qu'il doit son statut de film-culte non seulement parce qu'il a sacralisé l'amour mieux que tout autre film mais aussi et surtout, parce qu'il a donné au public la capacité de *reconnaître* ses tendances à sacraliser l'amour. Cette double fonction a rendu possibles maints débats passionnés sur le film, la sexualité et son rapport avec le présent. Le film a donc eu – en France – une fonction pédagogique importante, invisible pour la plupart des spectateurs américains [12], dont certains ont cependant été sensibles au manque de complexité d'une position purement politique vis-à-vis de la sexualité et de sa représentation.

Face à la controverse causée par *Les Nuits fauves,* le Premier Festival international de films sur le VIH et SIDA d'avril 1994, en dépit de ses quatre-vingt-huit films et vidéos français, est pratiquement passé inaperçu. Plus que tout autre chose, le festival a révélé la maladresse de l'intention pédagogique sur le plan du médium, du contenu du message et surtout de l'engagement avec des publics déterminés. Quel était le but d'une projection de films sur le sida ? Quelle était l'audience visée ? Pourquoi n'y avait-il pas de débats organisés sur les films et les questions que les films posaient ou ne

---

12. Je remercie Yves Roussel de m'avoir sensibilisée sur ce point important.

posaient pas ? S'agissait-il simplement d'un exercice de bonne conscience pour démontrer « tout ce qui était fait » ? Ces questions ne semblent pas avoir hanté les organisateurs. Mais on peut en déchiffrer quelques réponses dans le contenu des films et dans leurs publics présumés.

Le festival sida s'adressait essentiellement aux Français « normaux », particulièrement aux endoctrinables : les jeunes. La plupart des autres films s'adressaient soit au spectateur moyen – des femmes, des couples hétérosexuels, des professionnels, des transfusés, des handicapés et des sportifs – soit aux marginaux – les drogués, les prostitués, les prisonniers, les ex-colonisés. Les homosexuels étaient absents des films français. Les exceptions étaient un film de fiction, *Trente et demi,* un film dont le sujet – une relation gaie – n'était pas décrit dans le programme ; *Nous sommes éternels,* un film sur le patchwork du sida ; *SidA Ids,* une interrogation critique isolée sur le discours du sida, mais exprimée dans la tradition expérimentale du lettrisme. Ignorant les scrupules français sur l'adresse directe aux homosexuels, deux films anglais intitulés *The Gay Man's Guide to Safer Sex* et *The Lesbian Guide to Safer Sex* se faisaient audacieusement remarquer. Le catalogue français réaffirmait les convenances par des avertissements explicites : « Ce film a été fait pour, et ne doit être visionné que par un public homosexuel. » Les sujets des quelques rares films américains, c'est-à-dire des problèmes d'identité sexuelle, des séquences graphiques de *safer-sex,* des films sur l'intersection du sida avec la race et le genre étaient absents des films français.

Alors que *Les Nuits fauves* confrontait brutalement l'irrationalité du désir (le sacré de Bataille, le profane de Durkheim), le festival s'appliquait à la pédagogie civique (le profane de Bataille, le sacré de Durkheim) ; le premier est pure subjectivité, le second pure rationalité. Quel médium se chargera de finalement créer un dialogue entre le subjectif et le social ?

La communication télévisuelle à l'âge du sida

Commençons par remarquer que la différenciation effectuée par Durkheim entre le sacré et le profane se retrouve

dans le contexte de la culture républicaine française, dans la
différenciation entre le bien collectif et les intérêts particuliers.
D'un côté le but du débat politique est de « défendre l'intérêt
collectif et d'empêcher le triomphe des intérêts particuliers »
(Meyssan, cité dans Calle 81). A la télévision, cette idéologie
implique que l'opinion publique soit orchestrée par les valeurs
des communicateurs indépendamment de l'opinion du public.
L'individu qui ne se sent pas représenté dans cette opinion
publique peut sortir « de l'espace public et se replier sur son
espace privé » (Missika et Wolton 202). Un langage de provocation ou de rébellion sert souvent à masquer l'impotence,
et même le côté autodestructeur, d'un tel repli. Ainsi, dans le
cas du sida, certains prêchent la rébellion envers les « lois
prétendument de santé publique » qui « sont en réalité des lois
de contrôle social sur lesquelles aucun débat ne survient, pas
même dans la presse » (Savigneau) [13].

Cherchant délibérément à briser le cercle vicieux du silence
culturel, Mireille Dumas dans son émission « Bas les Masques »
a donné, durant la première moitié de la décennie 1990, la
possibilité à ses hôtes de confronter l'écart entre ce qui se dit
et ce qui ne se dit pas. Dumas a été l'écoute attentive de gens
qui parlaient de leur expérience, de leur évolution subjective,

---

13. Ainsi Alain-Gérard Slama dans son livre *L'Angélisme exterminateur : essai sur l'ordre moral contemporain* se rebelle contre le
statut « d'espèce à protéger ». Savigneau, se faisant l'écho de Slama
dans la critique qu'elle consacre à son livre, dénonce comme lui que
« les pourfendeurs de langue de bois » en aient inventé une nouvelle
dans laquelle « les mots négociation, convergence, compromis, expertise, communication, hygiène, prévention » sont *a priori* considérés
comme positifs alors que les mots « excès, luxe, risque, plaisir,
sanction, autorité, décision » soient « bien entendu » négatifs (Savigneau). Josyanne Savigneau, qui parle des idées de Slama comme si
elles étaient les siennes, ne propose pas une argumentation logique
pour justifier son point de vue, et ne questionne pas plus que Slama
les raisons de ces changements. Une simple accusation suffit. Ce n'est
pas le sida, mais « les excès venus du puritanisme anglo-saxon et
scandinave, porteurs de toutes les dérives et intolérances » qui sont
responsables (Savigneau). Soudainement le mot « excès » passe dans
la plume de Savigneau du côté négatif, parce qu'il désigne « l'ennemi », les pays anglo-saxons.

et des problèmes sociaux qu'ils avaient rencontrés. Mais « Bas les Masques » a été accueilli avec tant de dérision – et ce, malgré un succès spectaculaire – que Mireille Dumas a écrit un livre, *Parole interdite,* pour défendre sa nouvelle philosophie de la communication : « On peut jouer à la fois sur l'émotion et la raison, la mise en perspective de l'histoire individuelle et collective. Nous devons apprendre à devenir des voyants, non des voyeurs » (124-125). Dumas explique : « " Bas les Masques " se tricote entre l'intime et le social. C'est cette dimension sociale des problèmes individuels qui m'intéresse » (126). Dumas s'est battue pour une télévision de témoignage, une télévision qui libère la parole, proposant un manifeste révolutionnaire : « Faire de la télévision c'est communiquer avec les autres » (156).

« Bas les Masques » exemplifie le processus de transformation entre une télévision axée sur l'offre culturelle et une télévision axée sur les demandes du public. Mais en 1994, aucune émission régulière ne pouvait à elle seule endiguer le retard français face à la crise du sida. Pour cela deux marathons télévisuels furent organisés en 1994 et 1996, mobilisant toutes les chaînes de télévision pendant neuf heures d'affilée. Entre ces deux marathons officiels, un marathon gay et lesbien a fait surface sur Canal Plus. Je me propose ici d'analyser le format et le contenu de ces événements médiatiques hors normes, d'examiner leur évolution très rapide, et bien entendu de continuer à poser la question de cet essai : ces marathons ont-ils réussi à échapper à l'inéluctable dialectique du sacré et du profane ?

Le but de Sidaction 94 n'était pas de questionner les rapports du pouvoir ou de donner la parole à ceux qui ne l'ont pas, mais de promouvoir la dynamique de la communion sociale. Cet attachement à ce que Pollak nommait « nos valeurs culturelles » fait que Sidaction 94 a continué d'interpeller le spectateur soit comme sujet universel, soit comme objet marginalisé.

En conséquence, pas une célébrité gaie n'a fait sa sortie du placard durant les neuf heures. Les homosexuels avoués ne savaient dans quel camp se situer. Un des représentants d'Act-up était tiraillé entre le désir de contrer le forum et la nécessité de quêter des fonds. Un nommé Stéphane affirmait

d'une voix tremblante qu'il n'avait eu aucune difficulté à
annoncer à son entourage de travail qu'il était séropositif,
pour reconnaître dans la phrase suivante que beaucoup de ses
amis qui faisaient la même chose perdaient immédiatement
leur emploi. Un des journalistes demandait à un autre témoin
d'attendre avant de parler pour pouvoir « exprimer ses idées
logiquement ». La personne gaie la plus représentative de ce
programme, un nommé Luc, parut en tant qu'ombre chinoise
à l'intérieur d'un cube opaque, expliquant d'une voix électro-
niquement déformée qu'il ne pouvait supporter de laisser ses
parents savoir qu'il était séropositif. A sa droite, sur un autre
cube transparent étaient projetées des images anonymes de
corps d'enfants, d'hommes et de femmes et le fameux logo
« Tous contre le sida ».

L'invisibilité du corps de Luc était donc compensée par
la visibilité du corps imaginaire commun à tous et à toutes.
Comme cette mise en scène le démontre, le besoin d'unité
continuait à réduire l'individu à l'abstrait, à la fonction subordonnée d'objets de spectacle, d'objets de pitié, ou d'objets de
démonstration pédagogique servant à illustrer le catéchisme
de la prévention.

Le Sidaction d'avril 1994, astucieusement surnommé
« grand messe cathodique » par la presse, avait comme principe
organisateur une focalisation didactique sur le logo « Tous
contre le sida ». Ce logo servait de point de repère, ou de
liaison, entre les dédoublements visuels du spectacle : les
multiplications d'écrans sur lesquels étaient projetés des corps
nus, les focalisations en profondeur sur les foules spectatrices
du Zénith, les close-up sur les célébrités, les encarts sur les
témoins, les documentaires. Le logo servait aussi de ponctua-
tion, accentuant la durée rythmique, le montage cyclique des
spectacles, les jeux de lumières, transformant le petit écran
en gigantesque espace rituel, créant une impression d'unité
totalisante et sans faille.

Bien entendu, dans ce cadre, beaucoup d'émotion moraliste
et tolérante, mais de dialogue, ou de remise en question de la
norme, point. A l'exception d'un documentaire, « Sida : paroles
de l'un à l'autre » de Paule Muxel et Bertrand de Soliers
projeté sur France 2, le 27 novembre 1993, qui seul, selon
CineAction, a su éviter « le discours militant, moralisateur,

pathétique et larmoyant » pour donner aux jeunes « le temps de s'exprimer ». Le discours public de la prévention, de l'homosexuel/drogué/marginal, est resté jusqu'en 1994 essentiellement un objet de débat.

En dépit de ses défauts théoriques, il faut reconnaître que le Sidaction 1994 a atteint son but principal, celui de collecter 300 millions de francs dont on avait désespérément besoin, la moitié étant assignée aux associations. Les effets immédiats sont frappants.

De 1994 à 1995, les gais et lesbiennes ont trouvé une voix et cette voix a produit un changement significatif dans les sujets traités, dans la façon dont ils sont traités, dans l'identité gaie, dans les campagnes de prévention et dans l'aide apportée aux séropositifs et sidéens.

Les demandes de tolérance et les discours sur la sacralité de l'amour se disputent le forum par des campagnes de prévention plus directes, bien que toujours controversées. Durant la campagne de l'été 1995 « différents comportements sexuels ont été pour la première fois explicitement évoqués » (Folléa). Autre conséquence : les associations se sont mises à dialoguer efficacement avec l'Etat et à répondre localement aux besoins affectifs et pratiques des séropositifs et des sidéens.

L'identité gaie semble plus clairement définie (pour les non-célébrités seulement) mais l'identité est toujours source de problèmes. Intérieurement, le fonctionnement des associations, la poursuite d'un but commun par des voies diverses sont négativement affectés par la dialectique que je nommerais du bouc dominant et du bouc émissaire. Ce modèle est si prévalent que la crainte du plus fort – en audace verbale du moins – Act-up Paris hante les autres associations. Il n'y a guère de théorie sur la fonction respective de différentes approches plus ou moins radicales, d'où la crainte de voir sa propre fonction annihilée. On voit ici les difficultés psychologiques créées par un changement entre une structure hiérarchique verticale et une structure interactive latérale. Cependant un énorme travail d'apprentissage dans l'art du « team work » a été accompli.

Autre difficulté identitaire après le Sidaction 1994 : la nouvelle acceptation sociale est basée sur le statut de « victime d'épidémie », et les homosexuels qui n'ont pas le VIH finissent

par se demander : « Est-ce que je suis vraiment homosexuel ? »
(Virat). Ici encore le cadre du sacré nous propose des explications. Marcel Mauss dans son essai sur *La Nature et fonction
du sacrifice* montre que la communication est établie entre le
monde sacré et le monde profane à travers la médiation d'une
victime. La victime est honorée et glorifiée, mais en même
temps on la plaint et on lui demande pardon (Isambert, 226).

Cependant le poids du concret et la visibilité gaie se font
de plus en plus sentir : « Nous aurions pu être 14 000 en
plus » proclament les bannières de la Gay Pride 1995. Act-up
commence à avoir de l'influence, les associations créent des
relais entre les individus et relèguent la bureaucratie d'Etat
à l'arrière-plan, créant une révolution institutionnelle douce.
Et finalement, la télévision continue à évoluer de façon si
accélérée que les gais et lesbiennes sont eux-mêmes stupéfaits
de leur succès.

En juin 1995 a lieu *La Nuit gaie de Canal Plus*. Il ne
s'agit pas seulement d'un autre marathon télévisé mais d'un
« événement historique » comme l'a nommé un commentateur
de la presse gaie. Produite par Canal Plus, cette émission
a été organisée par « une équipe d'illuminés » qui ont travaillé
toute une année « pour réaliser un des projets les plus fous
de la télévision française à ce jour : le projet d'illustrer en
huit heures toutes les complexités et la provocation homosexuelle, depuis 2 000 ans avant Jésus-Christ jusqu'à aujour-
d'hui ». *La Nuit* fut conçue comme « une véritable chaîne
gaie complète avec les flashs information, les reportages,
documentaires et films » (Didier Lestrade) et fut diffusée la
veille d'un autre grand événement collectif, la marche gaie
annuelle. Ce qui surprend le commentateur gai plus que
tout c'est qu'une chaîne hétérosexuelle régulière s'ouvre au
travail de journalistes qui sont ouvertement gais ou lesbiennes. La marche et l'émission avaient le but commun de
« toucher les homosexuels ainsi que leurs amis » (*Le Monde,
Radio-Télévision* 18-19 juin 1995, 23) [14].

---

14. *La Nuit gaie* incluait un documentaire intitulé « Crushing ».
« Demain Monsieur » illustrant grâce à des archives de télévision la

L'euphorie gaie dont j'ai été témoin lors de cet événement se doit d'être remise dans son contexte. Un commentateur moins optimiste se plaint de la pauvreté de sujets gais à la télévision publique : « Vous avez dit service public ? Il n'existe... aucune dramatique, aucun téléfilm digne de ce nom produit par une chaîne française qui soit construit autour d'un personnage ou d'une relation homosexuelle... par contre *La Cage aux folles* en veux-tu en revoilà » (Hulewicz). Dans ce paysage désertique les gais ont soudainement reçu « la permission » de s'exprimer directement à la télévision, et même de développer un nouveau style télévisuel, le style camp. Ainsi dans « Ras les Basques », une sosie brune de Mireille Dumas demande avec une sympathie feinte à son interviewé : « Comment vous sentez-vous en tant qu'hétérosexuel ? »

A l'époque je me suis demandé : pourquoi neuf heures d'affilée ? Pourquoi le besoin de survoler toute l'histoire gaie ? Pourquoi la fantaisie de créer une « télévision gaie » ? Serait-il possible de montrer des images d'un point de vue gai sans ces cadres universalistes ? Pourquoi n'y avait-il pas, en dépit de cet effort totalisateur, une seule célébrité qui ne vienne se joindre à la fête ? Pourquoi aucune allusion au sida [15] ? Surtout je me demandais si *La Nuit gaie* était une ouverture vers un mode de communication plus pluraliste ou si elle était simplement un renversement carnavalesque, le sacré transgressif qui envahit le petit écran une folle nuit chaque année ?

---

représentation des gais depuis le milieu des années 60 ; « Le Gay Tour », une série d'interviews de gais de la campagne ; « God Save the Queen », un documentaire sur les travestis. Un survol des mouvements lesbiens par Nathalie Magnan et des extraits du programme de télévision anglais « Out on Tuesday » produit par Channel 4 entre 1989 et 1994. Puis, deux films étrangers, *Les Galons du silence* et le *Wedding Banquet* d'Ang Lee.

15. « La Nuit gaie » avait été précédée par une conférence intitulée « Etats généraux : homosexuels et sida » où les 8 et 9 avril « des homosexuels étaient venus de toute la France pour parler... de l'homosexualité. Et du sida. Avec des propositions concrètes pour l'avenir ». (*Pride,* magazine produit par le comité lesbien et la Gay Pride, Paris, s.d. 45). Mais le défaut de la cuirasse : la presse « mainstream » a complètement ignoré cet événement.

Un an plus tard je me suis rendu compte que cette prise d'antenne totalitaire avait fonctionné comme un « rite de passage » au symbolique. Elle n'avait donc pas besoin d'être répétée. A sa place eut lieu une semaine d'événements culturels variés dans leurs contenus, locations et publics. La gay pride eut encore plus de succès que celle de 1995 – on parle de plus de 100 000 participants. Les revendications ont porté, au-delà du sida, sur le droit à un autre statut que celui de marginal ou de victime : le droit à la citoyenneté : « Nous nous aimons. Nous voulons le contrat d'union sociale (CUS) » clament les banderoles et les costumes de mariées flamboyantes des drag queens.

Lors du Sidaction 1996, l'opinion publique et Act-up se sont retrouvés sur un pied d'égalité discursive. Act-up prit en porte à faux le langage de la pitié et de l'exclusion avec le langage de la colère, et le mythe de la société sacrée « tous ensemble contre le sida » s'est fissuré en direct.

Cette évolution vers la différenciation avait été préparée par un nouveau style télévisuel : les interviews étaient basées sur l'écoute plutôt que l'interrogation, les gros plans permettaient l'identification avec les témoins plutôt qu'avec des images abstraites, et les documentaires osaient révéler la société comme un lieu de contradictions.

Mais cette avancée dans les eaux complexes des différences eut bientôt fait de dépasser les organisateurs et de paraître incompréhensible aux spectateurs. Il semble que ni la télévision, ni Act-up, n'ait dissocié les différents « plans de la représentation » [16], ce qu'on nomme en critique cinématographique les questions d'énonciation, qui parle de quoi à qui, ou et pourquoi. Act-up ne semble pas avoir pris conscience que sa fonction transgressive doit être adaptée au média, qu'une prise de parole n'a pas la même résonance dans le bureau d'un ministre qu'en direct durant un marathon télévisé. Une intervention qui est stratégique dans un cas peut devenir un acte de suicide social dans un autre. Cette confusion entre les codes de la politique identitaire et ceux du sacré de

---

16. Pour employer l'expression d'Alain Menil, 7.

transgression fut d'autant plus un échec au Sidaction 96, qu'Act-up était impliqué dans la préparation de l'émission.

Ceci ne veut pas dire que les demandes d'Act-up n'aient pas un besoin brûlant d'être analysées et débattues dans toutes leurs complexités et dans des sites plus spécialisés. La question des étrangers sans-papiers demande des études et des débats sur le post-colonialisme multiculturel ; et le camouflage des séropositifs gais par les quelques victimes « innocentes » demande une analyse de l'homophobie et de son inscription institutionnelle, notamment dans la famille, l'université, les archives, les maisons d'édition, les médias. On peut se demander par exemple pourquoi depuis la mort de Michael Pollak, ni la sociologie française, ni la critique littéraire ou médiatique n'ont produit d'études sur l'homophobie ou la construction de l'hétérosexualité comme norme. Pourquoi Frédéric Martel, qui détaille de l'intérieur et avec beaucoup de finesse les erreurs, mais aussi l'incroyable succès des associations gaies, les rendant ainsi extrêmement vivantes, palpables, réelles, leur donnant une mémoire critique et la capacité d'éviter de retomber dans les erreurs du passé, peut dans sa conclusion les condamner sans appel et sans aucune forme d'argumentation, simplement en plaquant sur elles l'étiquette de « repli identitaire » ? Pourquoi, par exemple, le livre « Les Relations amoureuses entre les femmes du XVIᵉ au XXᵉ siècle », réédité avec une reconnaissance médiatique soudaine en 1995, n'a été suivi par aucun livre universitaire depuis sa parution initiale en 1981 [17] ? Pourquoi la critique cinématographique reste-t-elle exclusi-

---

17. Pourquoi son auteur a-t-elle été marginalisée par l'université ? Pourquoi l'auteur omet-elle à son tour de mentionner, dans sa récente édition de ce livre courageux, le travail culturel de « Lesbia », le seul journal lesbien ayant paru de façon continue depuis 1981 ? Que « Lesbia » réponde à l'outrage en ne parlant pas du seul livre sur la culture lesbienne française écrit en français, n'étonnera pas. La transformation des tactiques de discriminations en batailles entre exclus est un phénomène qui mériterait d'être mieux connu en France, en particulier par les intéressés. Malheureusement ce savoir est réprimé par les structures dominantes prises pour argent comptant : la pseudo-valorisation par la hiérarchisation des savoirs et l'exclusion.

vement formaliste et la critique télévisuelle et culturelle en
marge de l'université ?

Si ces marginalisations, sacralisations, et ignorances épis-
témiques sont interpellées, l'échec du Sidaction 1996 – on n'a
récolté qu'un sixième des fonds de 1994 – ne paraît plus dû
à l'incapacité de la télévision pour démontrer « la réalité
sociologique du sida » (Frank Nouchi, *Le Monde,* 19 juin
1996, 12) ; pourquoi le pourrait-elle quand personne d'autre
n'a préparé le terrain ou même défini ce que signifie l'expression « réalité sociologique du sida » ? L'échec de Sidaction 96
est dû, ce me semble, à l'impossibilité de maintenir le mythe
du public « tous uni ». En effet, le vide cognitif du discours
public français, comblé en 1994 par le discours larmoyant de
l'exclusion, finit par être submergé en 1996 par celui de la
colère. En dépit de la focalisation médiatique, Act-up Paris
n'est pas le seul contestataire. Les représentants des DOM
TOM et de la province ont aussi contesté leur marginalisation
(Entrevue, 65).

Ce n'est donc pas l'échec du Sidaction qui fait problème
aujourd'hui – sauf dans l'immédiat sur le plan économique
bien entendu – mais les carences qu'une telle « messe cathodique » révèle. En se limitant au niveau empirique on peut
critiquer l'innocence (ou l'inconscience ?) d'Act up-Paris qui
mange au ratelier du Sidaction et le boycotte simultanément ;
on peut dénoncer la difficulté des associations à se créer une
identité liée à une fonction – identité de position – plutôt qu'à
une appartenance au « tout » – identité nationale et individuelle ; on peut regretter une différence cruciale entre Act
up-Paris et Act-up USA signalée par Martel : la perte d'autocritique (339). Sans autocritique on se fige sur ses positions,
ou on évolue poussé par les événements plutôt que par une
prise de conscience délibérée, on se coupe du passé et de
l'avenir, le présent devient opaque [18]. Mais toutes ces défi-
ciences reflètent des « lignes de fragilité » plus générales telles

_____

18. Une autre différence, non mentionnée par Martel, mérite
réflexion : le financement d'Act up. Comment peut-on être une troupe
de choc critique et se faire financer par l'Etat et les médias publics ?
N'y a-t-il pas là une contradiction qui mérite analyse, et des alter-
natives qui demandent à être explorées ?

que les difficultés de communication dans un champ culturel hérissé de barrières, le manque de critique culturelle en général, et de critiques sur les phénomènes de représentations médiatiques en particulier.

Conclusion

Selon Isambert, la religion qui servit de modèle implicite à Durkheim était le catholicisme contemporain (266). Le sacré sociologique finit par fournir le même pouvoir d'intégration que la religion catholique à un moment où l'identité nationale était déjà ébranlée par la défaite franco-prussienne de 1870. En vidant le sacré de sa spécificité religieuse, Durkheim lui a donné un usage plus vaste tout en préservant sa caractéristique essentielle et essentialisante.

Comme nous l'avons vu ici, l'universalisation du sacré, basée sur la division sacré/profane, a créé à son tour d'autres dichotomies. La plus fondamentale est celle qui cloisonne le moi social et le moi subjectif, fabriquant des relations identitaires trop souvent structurées par la domination, la rébellion ou l'autodestruction. Car l'alliance de la subjectivité et de l'identité sociale met en danger le système basé sur la notion de sacré.

Ce cloisonnement s'est répercuté dans le discours culturel divisé en deux champs bien distincts. D'un côté, la littérature et le cinéma – expérimental ou fiction – explorent le subjectif, indépendamment de toute notion de responsabilité sociale. La doctrine de l'art pour l'art, la valorisation de la critique formaliste, de l'expression subjective, l'identification des spectateurs avec l'image taboue, les croyances magiques dans l'équivalence entre transgression et purification, le mépris du monde bourgeois, de la productivité et de l'autopréservation, font tous partie de l'espace privé des lecteurs et des spectateurs.

De l'autre côté, la télévision et le documentaire sont, avec de récentes exceptions, les sites discursifs où l'on diffuse à des subordonnés un discours univoque, moraliste et rationnel. Dans ces sites, les homosexuels objectifiés, marginalisés, ne pouvaient, jusqu'à récemment, apparaître en tant que sujets.

Ils ne peuvent, en règle générale, pas sortir du placard s'ils ont une fonction ou une image publique. Car sortir du placard demande encore d'assumer le rôle de victime ou de transgresseur.

Comme Isambert le montre et comme ce papier l'illustre, l'universalisation du sacré est une notion qui facilite la confusion des stratégies et les transférences de sens ; ainsi la contamination devient purification dans *Les Nuits fauves,* l'insulte est supposée générer des fonds au Sidaction. L'usager du mot « sacré », ou d'un terme associé, n'est jamais tenu de spécifier la façon dont le terme est employé, comme le sens est supposé universel et constant. Dans les périodes de crise sociale, telles que celle provoquée par le sida, le coût de cette confusion, ou de « l'anamorphose de déni » selon l'expression de Marder, a été élevé. Mais la visibilité de la culture homosexuelle et la mise en place d'un système de solidarité et d'associations ont permis après 1994 de remédier concrètement au déficit social et identitaire. Il faut cependant endiguer les retombées négatives découlant de cette visibilité : nouvel harcèlement public et policier d'une part, irresponsabilité apolitique de l'autre.

Je voudrais terminer cet essai en soulignant un point capital : la politique identitaire gaie et lesbienne n'est pas seulement un « must » thérapeutique pour les intéressés, un palliatif qui se résorbera automatiquement lors de la reconnaissance civique. Illustrant la prise de pouvoir politique d'une sous-culture, elle démontre l'efficacité d'une politique basée sur l'expérience et la solidarité, une politique qui – dans ses meilleurs moments – rejette la confusion entre la politique et les bons sentiments, et ose pourfendre l'opacité sociale dénoncée par les socio/politologues [19]. L'étude de la construction sociale de l'homosexualité – comme celle de toute autre minorité – offre une voie royale pour sortir de « l'éternel diagnostic trop global » (Fitoussi, Rosenvallon, 57-60) et pour analyser les changements sociaux de grande envergure dans

---

19. Je prends comme exemple représentatif de cette dénonciation le livre de Jean-Paul Fitoussi et Pierre Rosanvallon, *Le nouvel âge des inégalités.*

lesquels tous les pays développés sont embarqués, que nous le voulions ou non. Enumérer les symptômes du malaise social ou proposer des encouragements abstraits « à la démocratie » ne sert que notre bonne conscience. S'il s'agit vraiment de ramener la « société imaginaire » au niveau du réel, reconnaissons d'abord la tradition culturelle du sacré à tous les niveaux de la société.

Brice Lalonde parle de la « grande timidité due à un discours datant du XIXᵉ siècle qui veut que toute forme de relation entre deux êtres ne puisse être qu'une relation hétérosexuelle fondée sur le mariage et la procréation » (22). Si nous considérons que le problème n'est pas dû seulement à la timidité mais peut-être aussi à la sacralisation de codes et d'institutions qui entravent la connaissance du vécu profane, nous pourrons imaginer, pourquoi pas, que l'université, les archivistes, les maisons d'édition, les traducteurs se mettent à faire un énorme travail pour problématiser le rapport entre singulier et universel ; il s'agira d'aider à la visibilité des frontières institutionnelles [20], d'éclaircir les rapports de dépendance institutionnelle et financière et d'encourager la publication de livres capables de dévoiler le présent et de projeter l'avenir, y compris sur les questions de sexualité [21].

---

20. Armand Mattelart parle de la nécessité du « redécoupage des frontières institutionnelles ». Mais comment peut-on redécouper les frontières quand elles sont invisibles ?

21. Je n'ai pas voulu alourdir cette étude d'une masse de références anglo-saxonnes. Cependant les noms de Douglas Crimp, Cindy Patton, Simon Watney sont des « must » pour l'étude du sida. Eve Kosofsky Sedgwick, et particulièrement son livre « Epistemology of the closet » se doit d'être traduit pour comprendre les prémisses des études « Queer ». Richard Dyer est important pour ses études des représentations gaies au cinéma et pour sa critique des représentations du cinéma Hollywood.

Tout récemment dans *Identification Papers* Diana Fuss critique la construction et le privilège de l'identité universelle (NY : Routledge 1995) ; Jeffner Allen dans *Sinuosities : Lesbian Poetics Politics* souligne l'importance de l'expérience vécue et critique les barrières disciplinaires ainsi que Foucault (Bloomington : Indiana University Press, 1996) ; et Cindy Patton dans *Fatal Advice : How Safer-Sex*

Si la pensée unique, et les institutions qui la nourrissent, confrontent leur propre élaboration, les idées étrangères et les réalités locales perdront leur aspect menaçant, ou ridicule, selon la perspective. Ceci ne demande pas que le sacré disparaisse, mais qu'il perde son cadre totalisateur. Cette tâche semble impérative dans un monde où l'ennemi a déserté les frontières préétablies pour apparaître sous des formes et à des endroits imprévisibles, un monde où l'identité nationale est en passe d'être fondamentalement révisée par des identités à la fois plus locales et plus globales.

En France, la tradition historique de la sociologie sacrée et la pensée nationale qu'elle renforce sont, je l'espère, sujettes à une démystification imminente. Je souhaite cependant que ce papier ne serve pas seulement aux Français et aux études culturelles françaises. Historiser le sacré offre aussi la possibilité de concevoir aux États-Unis de nouveaux cadres analytiques ; en effet, la focalisation sur la politique et l'identité, très efficace en temps de crise, finit par sacrifier l'aspect subjectif, irrationnel et universel du désir, de la violence et de la mort et à morceler la société d'une façon qui finit par devenir intolérable. En d'autres mots, la critique de la pensée monolithique peut s'appliquer, de différentes façons, des deux côtés de l'Atlantique.

Fabienne A. WORTH

BIBLIOGRAPHIE

ACT-UP PARIS, *Le sida : Combien de divisions ?*, Paris, Dagorno, 1994.
Arnal Frank, *Résister ou disparaître ? Les homosexuels face au sida : la prévention de 1982 à 1992*, Paris, L'Harmattan, 1993.

Education Went Wrong critique la politique pédagogique sida aux Etats-Unis (Durham, NC : Duke University Press, 1996).] L'étude la plus récente est de Paula Treichler : *Theory in an Epidemic cultural chronicles of Aids*, Duke University Press, 1997.

Arnaud Alain and Gisèle Excoffon-Lafarge, eds. *Bataille,* Paris, Seuil, 1978.

Benjamin Walter. « The Work of Art in the Age of Mechanical Reproduction », *Illuminations,* Ed. Hannah Arendt, Trans., Harry Zohn, New York, Schocken, 1969, 217-252.

Bonnet Marie-Jo, *Les Relations entre les femmes du XVIe au XXe siècle,* Paris, Odile Jacob, 1995. Revised reprint of *Un choix sans équivoque,* Paris, Denoël-Gonthier, 1981.

Bourdieu Pierre, *Ce que parler veut dire : L'économie des échanges linguistiques,* Paris, Fayard, 1982.

Calle Sylvie-Anne, « Les Français et les homos », *Globe hebdo,* 12-18 mai 1993, 73-81.

Cheshire Godfrey, « Savage Nights », *Film Comment,* v. 30, n. 1 (Jan-Feb 1994), 74.

Collard Cyril, « Les Nuits fauves », Propos recueillis par Thierry Jousse et Serge Toubiana, *Cahiers du cinéma Hors série,* 466 (1992), 77-79.

Corliss Richard, « Savage Nights », *Time,* v. 143 n. 11 (March 14 1994), 103.

Crimp Douglas, « Right On, Girlfriend ! », *fear of a queer planet : Queer Politics and Social Theory,* Ed. Michael Warner, Minneapolis, University of Minnesota Press, 1993, 300-320.

Delannoy Philippe, *Cyril Collard : l'ange noir,* Paris, Editions du Rocher, 1995.

Dumas Mireille, *Parole interdite,* Paris, Editions 1, 1994.

Durkheim Emile, *Textes : religion, morale, anomie,* Paris, Minuit, 1975.

Dyer Richard, *Now You See It : Studies on Lesbian and Gay Film,* London & New York, Routledge, 1990.

Feinstein Howard, « Savage Nights », *Cineaste,* v. 20, n. 4 (October 1994), 50.

Fitousi Jean-Paul et Pierre Rosanvallon, *Le nouvel âge des inégalités,* Paris, Editions du Seuil, 1996.

Folléa Laurence, « La Campagne estivale du sida suscite une polémique », *Le Monde* (8 juillet 1995), 11.

Foucault Michel, « Politics and ethics : an interview », *The Foucault Reader,* Ed. Paul Rabinow, New York, Pantheon, 1984, 374.

Glucksmann André, *La Fêlure du monde,* Paris, Flammarion, 1994.

Harvey Robert, « Sidaïques/Sidéens : French Discourses on Aids », *Contemporary French Civilization,* 16.2 (1992), 308-335.

Hocquenghem Guy, *Homosexual Desire,* New Introduction by Michael Moon, Durham, Duke UP, 1993.

Hulewicz Joseph-Marie, « C'est parti pour la nuit », *Têtu* 1 (juillet-août 1995), 18.

Isambert François-André, *Le Sens du sacré : fête et religion populaire*, Paris, Minuit, 1982.

Jousse Thierry, « Donnez-nous du possible », *Cahiers du cinéma* 460 (octobre 1992), 20.

Jousse Thierry and Serge Toubiana, « Entretien avec Cyril Collard », *Cahiers du cinéma* 460 (octobre 1992), 26-32.

Lalonde Brice, « Interview », *Têtu* 5 (juillet-août 1996), 20-22.

Lang Norris G., « Sex, Politics and Guilt : A Study of Homophobia and the AIDS Phenomenon », *Culture and AIDS,* Ed. Douglas A. Feldman, New York, Praeger, 1990, 169-182.

Marder Elissa, « Aids, Adidas and the Anamorphosis of Denial » in *Savage Nights,* « Essai read at Duke University during the conference », *Sexe et sexualités,* February 1995.

Martel Frédéric, *Le Rose et le noir : les homosexuels en France depuis 1968,* Paris, Editions du Seuil, 1996.

Médioni Gilles, *Cyril Collard,* Paris, Flammarion, 1995.

Menil Alain, « Le sida sans détours ni transcendance. Critique de l'interprétation et de ses grands prêtres », *Les Temps Modernes* 588 (juin-juillet 1996), 1-86.

Missika Jean-Louis et Dominique Wolton, *La Folle du logis : la télévision dans les sociétés démocratiques,* Paris, Gallimard, 1983.

Noguez Dominique, *Trente ans de cinéma expérimental en France : 1950-1989,* Paris, ARCEF, 1982.

Patton Cindy, *Sex and Germs : The Politics of AIDS,* Boston, South End, 1985.

Pollak Michael, « L'Homosexualité masculine : le bonheur dans le ghetto », *Communications* 35 (1982), 35-57.

–, *Les Homosexuels et le sida : sociologie d'une épidémie,* Paris, Metaillé, 1988.

Richman Michele, « The Sacred Group : A Durkheimian Perspective on the College de sociologie », *Bataille Writing the Sacred,* Ed. Carolyn Bailey Gill, New York, Routledge, 1995, 58-76.

Roussel Yves, « Le Mouvement homosexuel face aux stratégies identitaires », *Les Temps modernes* (mai-juin 1995), 83-108.

Savigneau Josyane, « La tyrannie du consensus », Revue de *L'Angélisme exterminateur : Essai sur l'ordre moral contemporain* d'Alain-Gérard Slama, *Le Monde,* 19 février 1993.

Sedgwick, Eve Kosofsky, *Epistemology of the Closet,* Berkeley, U of California, 1990.

Simon John, « Savage Nights », *National Review,* v. 46, n. 6 (April 4, 1994), 69.

Toubiana Serge, « Carpe diem and night », *Cahiers du cinéma* 460 (octobre 1992), 22-25.

–, « Temps libre », *Cahiers du cinéma* 466 (avril 1993), 7.

Virat Jean-Marie, « Identité gaie et sida », *Pride* (juin 1995), 47.

Watney Simon, « " Moral Panic " », Theory and Homophobia », *Social Aspects of Aids*, Ed. Peter Aggleton and Hilary Homans, Philadelphia, Falmer, 1988, 52-64.

Worth Fabienne, « Of Gayzes and Bodies : A Bibliographical Essay on Queer Theory, Psychoanalysis and Archeology », *Quarterly Review of Film and Video* 15.1 (1993), 1-13.

–, « Toward Alternative Film Histories : Lesbian Films, Spectators, Filmmakers and the French Cinematic/Cultural Apparatus » *Quarterly Review of Film and Video* 15.1 (1993), 55-77.

Chantal Bertrand-Jennings

« LA FEMME ROMPUE » DE SIMONE DE BEAUVOIR : NAISSANCE D'UN SUJET ÉCLATÉ

Quand il parut en 1968 [1] le recueil des trois nouvelles de Simone de Beauvoir intitulé *La Femme rompue* reçut un accueil mitigé. Enthousiasme d'un grand nombre de lectrices d'une part : le livre devint un best-seller, se vendit à 50 000 exemplaires, fut épuisé en huit jours et provoqua un abondant courrier de lectrices. Mais par ailleurs mépris hautain de la plupart des critiques, journalistiques en particulier, qui croyant ou feignant de croire, comme c'est souvent le cas pour des œuvres de femmes, qu'il s'y agissait d'une confession personnelle de l'auteur, la traitèrent de femme « vieillissante », « fanée », « hagarde », et son texte de « roman pour midinettes »,

---

1. Le recueil de Simone de Beauvoir paru en janvier 1968 comporte trois nouvelles dont la dernière qui reprend le titre du triptyque avait déjà fait l'objet d'une publication. Elle avait d'abord été publiée au troisième trimestre 1967 dans une édition de luxe à tirage limité, ornée de burins originaux de sa sœur, le peintre Hélène de Beauvoir. Ensuite Simone de Beauvoir fit publier la nouvelle dans le magazine féminin *Elle* en cinq livraisons entre le 19 octobre et le 16 novembre 1967. Dans TCF (177) Simone de Beauvoir écrit :

> Depuis longtemps nous souhaitions, ma sœur et moi, qu'elle illustrât un inédit de moi : il ne s'en était jamais trouvé d'assez bref. [...] *La Femme rompue* avait les dimensions requises et lui inspira de très beaux burins. J'ai voulu faire connaître au public l'existence de ce volume, à tirage restreint, *signé de nos deux noms,* et j'ai accepté que mon texte parût dans *Elle* accompagné des burins de ma sœur. (C'est moi qui souligne.)

sans d'ailleurs avoir toujours attendu de le lire dans sa totalité pour émettre ces jugements [2]. La dernière nouvelle, à laquelle je m'intéresse ici, raconte la fin d'un couple. Une femme au foyer de quarante-quatre ans découvre avec stupéfaction après le départ de ses enfants que son mari la trompe depuis huit ans et entretient une liaison avec une brillante avocate. Rien de plus platement banal et de plus bourgeoisement mélodramatique que la trame ainsi résumée de cette nouvelle d'environ cent trente pages. Le récit est mené sous forme d'un journal à la première personne fait par la protagoniste Monique, et semé çà et là de fragments de dialogues rapportés. A partir de la découverte de l'infidélité, la narratrice s'interroge et questionne les siens, revoit son passé, subit un phénomène de dépersonnalisation, s'accroche avec obstination à cette union condamnée, avant de lâcher prise dans un dénouement qui a suscité des interprétations divergentes.

De fait, les controverses entourant le sens à donner à la nouvelle et à l'ensemble du volume se poursuivent encore aujourd'hui. Certains font du mari Maurice un scélérat, voient dans l'ouvrage une attaque virulente contre les hommes qui « lâchent » une épouse vieillissante, et pensent y repérer le cheminement de S. de Beauvoir vers ce qu'ils considèrent comme le féminisme (qu'elle n'adoptera de fait officiellement qu'en 1972), faisant le faux-sens habituel de l'adéquation : féminisme égale haine des hommes [3]. D'autres, des féministes de 1968, en particulier, crièrent à la trahison, critiquant Simone de Beauvoir pour avoir rendu la victime responsable de son propre sort, et présenté ce qu'elles estiment être un rebut pitoyable de la gent féminine, au lieu d'avoir fait le portrait d'une femme forte [4]. Récemment, la critique féministe avisée Toril Moi, qui est très au fait de la critique et de la théorie contemporaines et considère par ailleurs Simone de Beauvoir comme « la plus grande féministe du XXᵉ siècle », a repris l'attaque de

2. Voir Francis & Gonthier (351-352). Simone de Beauvoir ellemême rend compte de la réception de son ouvrage dans TCF (175-180). Les livraisons de *Elle* provoquèrent, elles aussi, un abondant courrier de lectrices.

3. Bieber 180.

4. TCF 179.

celles de 68, et même renchéri sur elles, allant dans le même sens que les critiques qu'elle condamne pour avoir confondu l'auteur et son héroïne [5]. Pour résumer ses arguments je dirais qu'elle affirme que Simone de Beauvoir détruit sadiquement son héroïne par une sorte de règlement de compte personnel avec son propre passé. Elle l'accuse de mépris envers sa protagoniste, voit en Maurice le type même de l'homme libre existentiel et en son épouse l'épouvantail contraire. Enfin elle décèle une contradiction entre ce qu'elle considère comme une condamnation sans appel de la narratrice par son auteur, d'une part, et d'autre part l'identification à la victime que semble provoquer la lecture de la nouvelle chez un public féminin [6].

A mon avis, l'inconvénient de la plupart de ces prises de position c'est qu'elles ne tiennent pas assez compte des stratégies formelles du texte, et c'est essentiellement en m'appuyant sur ces dernières que je vais mener ma propre lecture de la nouvelle et ce faisant prendre le contre-pied d'une partie des leurs [7].

---

5. T. Moi écrit dans *Feminist Theory and Simone de Beauvoir* « she is [...] the most important feminist intellectual of the twentieth-century » (1990 : 108), mais la critique cependant férocement auparavant (1990 : 61-93), attaque qu'elle atténue légèrement dans son dernier ouvrage de 1994 (243). Dorénavant toutes les références à Toril Moi sont à son livre de 1990. Voir, en particulier, les références à la culpabilité de Monique (67, 71, 78), au caractère positif exemplaire de Maurice (68, 72), au ton désespéré de l'histoire (61, 64), à la jalousie de l'auteur (65), à sa condescendance envers son héroïne (66), à son sadisme envers elle (68), et enfin au caractère anti-féministe de la nouvelle (72, 85).

6. Au contraire des interprétations des journalistes et même de certaines critiques telles Bair et Moi qui soulignent les crises dépressives de Simone de Beauvoir dues à sa jalousie des « amours contingentes » de Sartre, et assimilent ainsi plus ou moins l'auteur à son héroïne, le point de vue de M. Simons jette une tout autre lumière sur la question. Selon Simons, le lien étroit qui à partir de 1963 – c'est-à-dire quatre ans avant la publication de *La Femme rompue* – unit l'auteur à Sylvie Le Bon, ainsi que la plénitude de leur relation auraient plutôt porté Simone de Beauvoir à l'euphorie qu'à la dépression.

7. T. Moi dit s'appuyer dans son étude sur la forme du journal,

En ce qui concerne la représentation spatiale d'abord, les espaces antithétiques figurant aux deux extrémités du texte me semblent d'un symbolisme, certes élémentaire, mais probant. Le journal s'ouvre sur une visite que fait Monique, seule après le départ de son mari, mais ignorante encore de l'infidélité et endormie dans la confiance, au lieu référentiel donné comme les Salines Royales d'Arc-et-Senans. Le choix de ce lieu pour incipit, comme d'ailleurs de celui de l'excipit, ne me semble pas fortuit [8]. Le lieu réel d'Arc-et-Senans, fait pour l'extraction industrielle du sel, fut construit à la fin du XVIIIᵉ siècle par l'architecte utopiste Claude Nicolas Ledoux et resta inachevé et inutilisé. Il devait être entouré d'une ville modèle dont il reste des vestiges, et demeure encore aujourd'hui un parfait exemple d'architecture du siècle dit « des Lumières ». Voici la description qu'en fait le texte :

> C'est un extraordinaire *décor,* cette *ébauche de ville abandonnée aux lisières* d'un village et *en marge des siècles.* J'ai longé une moitié de l'hémicycle, j'ai monté l'escalier du pavillon central ; longtemps j'ai contemplé la sobre majesté de ces bâtiments édifiés à des fins utilitaires et qui n'ont *jamais servi à rien.* Ils sont solides, ils sont vrais ; cependant leur délaissement les transforme en un *simulacre* fantastique : on se demande de quoi [9].

Le temps des verbes au présent puis au passé composé évoque soit une matérialité éternelle, soit une action révolue,

---

mais ne fait que de brèves références à la langue. En revanche, dans son article « La langue brisée », Lucy Stone McNee examine en détails l'utilisation des stratégies langagières dans les trois nouvelles. Son analyse des deux premières nouvelles est cependant plus complète que celle de « La Femme rompue ». Mon étude s'inscrit dans le sens de son analyse.

8. L'importance des Salines a été perçue par Hélène de Beauvoir qui les a représentées dans ses burins. Parmi les illustrations celle des Salines figure aussi dans la première livraison du magazine *Elle* (19 octobre 1967, p. 9).

9. Les références sont à l'édition Folio (121). C'est moi qui souligne ici et dans les autres citations.

une décision prise une fois pour toutes. Dans sa solidité, son silence, sa stagnation, son absence de vie humaine, ce lieu statique est, à mon avis, le signifiant même de l'« en-soi » tel que postulé par Sartre et Beauvoir. Ce « décor vide », ce « simulacre », cette « ébauche de ville abandonnée » qui n'a « jamais servi à rien » sont à l'image de la vie de Monique telle qu'elle va se dévoiler au lecteur, enfouie qu'est l'héroïne dans l'immanence et la mauvaise foi, figée dans le passé, comme une statue de sel, justement. Elle aussi, le lecteur l'apprend peu à peu, est restée « en marge » de la vie, « aux lisières » de ses semblables, en dehors du temps. Par ailleurs, à quelques pages du dénouement, alors que la narratrice, dans son effort pour enquêter auprès des siens sur la vérité de son ancien couple, rend visite à sa fille cadette Lucienne, installée à New York, une scène se déroule où la chaleur, le bruit, l'échange humain, un dialogue entre les deux femmes expriment au contraire la mouvance et la vie (245). L'opposition emblématique des deux lieux laisse déjà présager la possibilité d'une évolution de l'« en-soi » vers le « pour-soi », de l'état d'objet intériorisé comme autre inférieur, à celui de sujet se projetant vers un avenir.

Malgré un certain caractère lugubre la dernière entrée du journal figure justement cet espoir, ce franchissement d'une étape, tant dans sa symbolique spatiale que temporelle. Monique est de retour à Paris dans son appartement vide. Sa fille aînée et son gendre sont venus la chercher à l'aéroport :

24 mars
Voilà. Colette et Jean-Pierre m'attendaient. J'ai dîné chez eux. Ils m'ont accompagnée ici. La fenêtre était noire. Nous avons monté l'escalier, ils ont posé les valises dans le living-room. Je n'ai pas voulu que Colette reste dormir : il *faudra* bien que je m'habitue. Je me suis assise devant la table. J'y suis assise. Et je regarde ces deux *portes* : le bureau de Maurice ; notre chambre. Fermées. Une *porte* fermée, quelque chose qui *guette derrière*. Elle ne s'ouvrira pas si je ne bouge pas. Ne pas bouger ; jamais. *Arrêter le temps et la vie.*
Mais je sais que je *bougerai*. La *porte s'ouvrira* lentement et je *verrai* ce qu'il y a *derrière* la *porte*.

C'est l'*avenir*. La *porte* de l'*avenir* va s'*ouvrir*. Lentement. Implacablement. Je suis sur le *seuil*. Il n'y a
que cette *porte* et ce qui *guette derrière*. J'ai peur. Et
je ne peux appeler personne au secours.
     J'ai peur.

Le premier paragraphe de cette dernière entrée du journal
se termine sur la tentation d'« arrêter le temps et la vie », ce
qu'avait effectivement accompli Monique dans son mariage-
carrière [10] et que figurait précisément le lieu symbolique « en
marge des siècles » de l'incipit. Au contraire, le deuxième
paragraphe enregistre une mise en branle, lourde et douloureuse, certes, mais qui semble irrévocable.
     Les champs sémantiques évoqués ici sont en effet ceux
d'un passage vers un avenir comme projet, et comme source
d'angoisse aussi, il est vrai, celle-ci étant la condition même
du sujet qui assume sa liberté, selon l'orthodoxie existentialiste.
Ainsi la transition vers cet état est signifié par les substantifs
« seuil » (une occurrence) et « porte » (6 occurrences). De plus,
dans ces trois paragraphes, on passe de l'imparfait au passé
composé puis au présent, au futur et de nouveau au présent.
Avec les deux vocables qui constituent le dernier paragraphe :
« J'ai peur », on assiste à la naissance d'un présent tourné vers
l'avenir. L'instance humaine en devenir qu'est Monique exprime
son projet par la réitération, le martèlement même, de onze
unités lexicales signifiant l'avenir sous la forme de 4 verbes
au futur (« il faudra », « je bougerai », « la porte s'ouvrira »,
« je verrai »), d'un verbe au futur immédiat (« va s'ouvrir »),
de 2 substantifs (2 occurrences de « l'avenir »), de 2 prépositions
(2 occurrences de « derrière » la porte) et de 2 verbes au
présent (2 occurrences de « guette »). A cela il faut ajouter
l'opposition sémantique du fermé et de l'ouvert qui structure
les deux premiers paragraphes, ainsi que l'opposition syn-
taxique entre les constructions au négatif d'abord, puis ensuite
à l'affirmatif. Le progrès est donc clair, comme il est d'ailleurs

---

10. Elle reconnaît à plusieurs reprises dans son journal ne pas
avoir su remarquer ni mesurer l'impact du passage du temps sur les
êtres et leurs relations (163, 211-213).

mis en évidence par la diègèse, la protagoniste refusant désormais de se laisser materner par ses enfants. De plus, le
deuxième paragraphe comporte 13 vocables connotés par l'espoir alors que le premier n'en comportait que 6. Le troisième
« paragraphe » est pure angoisse, état même de l'authenticité.
Bref, les trois derniers, et en particulier les deux derniers
paragraphes du texte, évoquent la naissance vraisemblable
d'un sujet libre et authentique.

Il est à noter qu'ailleurs dans le texte la narratrice utilise
surtout le futur, ou le champ sémantique de l'avenir, pour
associer son sort à celui de Maurice, soit dans une illusion
d'unité qu'elle s'obstine à conserver, soit pour nier la réalité
de ses actes. « Je ne lutterai pas. Je ne te disputerai pas
Noëllie (la rivale) » (168), dit Monique, alors qu'elle est, bien
entendu, en train de le faire. C'est dire qu'elle utilise alors le
futur pour éluder sa liberté et par là même l'angoisse qui
l'assaille à la dernière ligne du texte, mais qui, en réalité,
avait commencé à s'immiscer en elle, depuis la révélation de
l'infidélité [11]. La signification de l'emploi du futur s'est donc
ici inversée, comme s'est enfin mis en marche le temps figé
de l'incipit.

Cet avenir rendu possible, c'est sa fille Lucienne qui le lui
avait indiqué à New York en affirmant devant les ressasse-
ments et les objections de sa mère : « C'est l'avenir qui
compte. » « Trouve-toi des gars ou prends un job » (247), et
plus loin « Tu te retrouveras » (251). Lucienne, dont l'étymo-
logie du nom évoque la lumière et la lucidité – et c'est là
l'ironie – me semble d'ailleurs, et non Maurice, le personnage
le plus proche de la perspective existentialiste dans le texte,
à la fois par la vie qu'elle se choisit et par le sens de ses
échanges avec sa mère. Quand celle-ci lui demande « Tu es
heureuse ? » Lucienne rétorque « Ça c'est un de tes mots. Il
n'a pas de sens pour moi [...] ma vie me convient parfaitement » (249). C'est en effet à l'aune de la liberté qu'il convient
d'évaluer sa vie, selon l'existentialisme, et non à celle, inau-
thentique, du « bonheur ».

---

11. La peur et l'angoisse sont en effet un des leitmotive grandis-
sants du journal (129, 198, 204, 233, 238).

De la même manière que pour les lieux, la chronologie du
déroulement de l'intrigue représente le passage de la mort à
la vie, évoque une quête sur le point d'aboutir. Alors que le
journal s'ouvre sur la date du 13 septembre, c'est-à-dire presque
au début de l'automne, en tout cas à la fin de l'été, il se clôt
comme on l'a vu à la date du 24 mars, soit peu après le retour
du printemps. Encore une fois, la dernière page du journal
s'inscrit comme l'antithèse de la première à tous points de
vue. Il s'y agit d'un nouveau départ, malgré le poids de
l'angoisse. Au cours des six mois qu'a pris ce cheminement
douloureux, l'époque la plus difficile a lieu au cœur de l'hiver,
le journal, qui perd alors de sa cohérence, n'étant d'ailleurs
même plus daté entre les 6 et 20 février (235-8), et ce avec
le même souci de représentation allégorique du temps.

La progression (car j'insiste pour l'appeler « progression »)
de la narratrice peut aussi être suivie dans l'utilisation des
pronoms personnels et adjectifs possessifs. Les innombrables
« nous », « notre », « nos » (133, 134, 136, 138, 157, 159, 179)
énoncés par elle jusqu'à l'acceptation finale qui verra advenir
le « je », sujet autonome, sont comme autant de fils qu'elle
tisse pour s'enfermer avec Maurice dans l'unité imaginaire de
leur couple et dans l'idéal mensonger de leur chimérique
« amour fou » ou de leur « famille modèle ». Son entêtement
à croire que l'infidélité de Maurice a été provoquée par un
brusque changement de la personnalité de son mari (144),
qu'il s'y trahit lui-même ainsi que « leurs » goûts et « leurs »
valeurs (168) explicite son refus de le considérer dans sa
différence, autre que la simple extension de son moi à elle.
Elle exprime ainsi sa méconnaissance du passage du temps et
de l'évolution des goûts et des sentiments en général [12].

La rivale Noëllie devient alors l'autre absolue de ce « nous »
qui forme bloc. Elle incarne « tout ce qui nous déplaît » (138)

_____

12. Dans DS l'auteur écrit « Le drame de la femme c'est le
conflit entre la revendication fondamentale de tout sujet qui se pose
toujours comme l'essentiel et les exigences d'une situation qui la
constitue comme inessentielle » (I, 31). Et plus loin « La femme ne
s'accepte comme l'inessentiel qu'à condition de retrouver l'essentiel
au sein de son abdication », II, 403. C'est exactement la posture de
Monique.

selon Monique, alors que Maurice voit en elle une « femme estimable » (157). Ce n'est que vers la fin du journal que Monique pourra se référer au couple « Noëllie-Maurice » à la troisième personne du pluriel (« ils », 214, 229 et « leur/s », 234, 238). Elle devra alors passer par une phase quasi para- noïaque où, se sentant traquée, elle englobe tous ses proches et amis en un autre absolu chimérique et maléfique qui conspire contre elle et qu'elle nomme « on » ou « ils ». « Ils parlent de moi dans mon dos » (227), « ils ne sont plus les mêmes avec moi » (230), « on me ménage » (212), « on m'a envoyée chez le psychiatre » (241) dit Monique qui subit une dépression clinique et ressemble alors pour une courte période à l'héroïne de la deuxième nouvelle du recueil, « Monologue ». De plus, mais à l'opposé de Murielle, au dénouement les êtres qui l'entourent reprennent pour Monique visage humain et c'est alors qu'émerge de ce piège du « nous » un « je » vacillant qui s'énonce, comme nous l'avons vu, en une litanie de courtes phrases, comme pour tenter de s'affirmer sujet autonome, sujet qui a enfin le courage d'avoir peur, d'affronter l'angoisse.

Mais plus encore que dans ces éléments du texte, c'est dans la structure même du récit et dans la réflexion, souvent implicite, sur le langage que s'exprime la prise de conscience de son altérité absolue par la narratrice qui doit alors affronter l'anéantissement de toutes ses anciennes certitudes. La forme du journal met le lecteur en posture de détective par rapport aux énoncés de Monique dont il doit se distancer pour comprendre l'action, ce qui lui confère donc un pouvoir inha- bituel dans les textes beauvoiriens [13]. C'est au lecteur, par

---

13. Dans TCF Simone de Beauvoir écrit qu'elle voulait que le public lise « entre les lignes » (175) de son texte. Elle ajoute : « J'au- rais voulu que le lecteur lût ce récit comme un roman policier. J'ai semé de-ci de-là des indices qui permettent de trouver la clé du mystère : mais à condition que l'on dépiste Monique comme on dépiste un coupable » (175-176). L'auteur dit bien « comme on dépiste un coupable », ce qui est différent que de croire Monique coupable. A mon avis T. Moi fait là un contresens. D'ailleurs Beauvoir dit de son héroïne qu'elle est « la victime » de sa banale histoire dont elle tente de « fuir la vérité » (TCF 175). Elle dit aussi : « Monique est la victime stupéfaite de la vie qu'elle s'est choisie » (dos de la

exemple, de tenter de rétablir la chronologie des faits tels que
relatés par la mémoire sélective de la narratrice. De plus, les
silences, les omissions, les failles, les contradictions du journal
alertent le lecteur attentif qui découvre l'infidélité conjugale
avant Monique, ce qui jette le doute sur la fiabilité de la
narratrice, et le force à traquer les faits. Par exemple, il n'y
a aucune entrée le jour de l'aveu. De même, le journal donne
trois versions différentes d'une même sortie dans un bar de
Saint-Germain-des-Prés (136-137, 142, 156).

D'autre part, les conversations et les dialogues rapportés,
les réflexions ruminées multiplient les regards et les points de
vue sur les événements relatés, soulignant en même temps que
les difficultés de la communication, la relativité des assertions
de chacun des personnages, et faisant planer le doute sur la
possibilité même d'une version véridique des faits et des
sentiments. Ainsi, de Monique ou de Maurice, le lecteur ne
saura jamais qui a provoqué l'aveu. De même, chacun a une
opinion différente de soi-même et des autres. Monique se croit
épouse et mère parfaite (129, 162, 205) alors que Maurice
l'accuse d'égoïsme et de tyrannie (186, 206, 213, 237) et que
chacune des deux filles considère encore sa mère d'une façon
différente (188, 250). Le médecin à qui Monique se confie
analyse les débuts de leur mariage (195) autrement que ne le
fait l'héroïne qui a oblitéré les disputes (191) et enterré des
épisodes (225) du passé. Quant à Maurice, il est traité de
« salaud » par sa femme, mais seulement de « naïf » par sa
cadette et le texte suggère, d'autre part, qu'il a largement
contribué à créer la situation dans laquelle il se débat assez
piteusement [14]. Enfin, les hésitations, les réticences des proches
du couple (225) sont autant d'indices pour le lecteur que la
narratrice ne saurait être crue sur parole, ni prise au pied de
la lettre.

Par ailleurs, une ironie grinçante et qui parcourt tout le

_____

couverture). Monique est donc bien victime, complice, sans doute,
mais victime néanmoins.

14. En particulier il a laissé s'endormir Monique dans la confiance
alors qu'il la trompe depuis huit ans et ne l'« aime plus » ; et il ne
lui a jamais proposé une carrière, mais uniquement des « jobs » pour
s'occuper, ce qui explique en partie le refus de Monique.

texte, mais qu'aucun critique ne semble avoir relevée, permet la distanciation [15]. C'est ainsi que j'interpète comme ironique l'opposition entre les fausses « Lumières » du siècle des Salines qui ouvrent le texte et l'obscurité lancinante, et angoissante, bien entendu, de la dernière page du texte [16]. En effet, la tâche herméneutique qu'entreprend la protagoniste va peu à peu la faire passer du leurre d'une fausse certitude aveuglante par sa feinte clarté à l'obscure insécurité du doute. Par ailleurs, la bonne conscience, la complaisance satisfaite de Monique, ses contradictions la rendent parfois grotesque ou ridicule (160, 202), de même que sa prétention d'y voir clair (139) alors même que le lecteur la sait de parfaite mauvaise foi.

Tout comme le lecteur qui prend du recul par rapport aux énoncés de Monique, celle-ci, en se faisant lectrice de son propre journal, genre dont on connaît la nature auto-réflexive (222), voit ébranlée sa propre confiance en soi. S'interrogeant à plusieurs reprises sur les véritables raisons qui l'ont poussée à commencer, puis à continuer à écrire (139) elle se découvre chaque fois des motifs différents et parfois contradictoires. En outre, elle se prend elle-même en flagrant délit de mensonge ou de mauvaise foi : « J'ai déformé les faits » (213), dira-t-elle, « pas une ligne de ce journal qui n'appelle un démenti ou une correction » (222, 223), poussant ainsi le lecteur à une relecture plus suspicieuse du texte. Après avoir remarqué que « ce qu'on tait [...] est plus important que ce qu'on [...] note » (128) dans un journal, elle finira même par considérer qu'elle a une part de responsabilité dans les choix de vie qu'elle a faits (159).

Ces découvertes vont l'encourager à un décryptage systématique du sens de sa vie et de son entourage. A la recherche des traces d'un ancien désaccord refoulé par sa conscience elle relit sa correspondance avec Maurice, tente une interprétation de leurs vieilles photos (224), mène une enquête serrée tous azimuts auprès des amis et des proches. Ces déchiffre-

---

15. Toril Moi parle même d'un texte particulièrement dénué d'ironie et d'humour (85).
16. L'obscurité y est signifiée trois fois. On compte une occurrence de « nuit » et deux de « noire » (252).

ments successifs et non nécessairement convergents effectués
par la narratrice, ainsi que par les autres personnages, et par
le lecteur, instaurent dans le texte une ère généralisée du
soupçon et entérinent la ruine de la notion même de vérité et
de connaissance absolues. En même temps qu'une crise existentielle d'identité, c'est donc aussi une profonde crise épistémologique que traverse la protagoniste, et que le texte force
ainsi le lecteur à traverser lui-même.

En plus des êtres, les idées et même les choses la trahissent,
s'avérant avoir un visage autre que ce qu'elle avait cru (174,
232). Ses repères naguère clairs et nets se brouillent (245).
Jusqu'aux décors et aux objets familiers qui semblent étrangers. Elle « perd pied », ne reconnaît plus son appartement, les objets ayant maintenant « l'air d'imitation d'eux-
mêmes » (152).

En outre, au lieu de s'en remettre désormais à ces univer-
saux figés que sont « la famille », « le mariage », « l'amour », etc.,
elle se prend à débusquer les clichés sous ces termes qui,
éclairés par d'autres et autrement, vont lui révéler les attitudes
culturelles implicites qu'ils ont encodées et qu'ils véhiculent.
Ainsi aborde-t-elle véritablement pour la première fois sa
relation au langage [17]. Elle songe que « les mots ne disent
rien » (222), qu'ils l'ont trahie, que Maurice les a « assassinés » (251) en reniant leur code, et elle en vient à se défier
de ce langage médiateur qu'elle croyait autrefois transparent.
« Partout, derrière mes paroles et mes actes il y a un envers
qui m'échappe », constate-t-elle (218).

Sa parole, elle devra la réinventer après être passée par

---

17. T. Moi, quant à elle, oppose cette méfiance de Monique par
rapport au langage à la confiance inébranlable de l'auteur et de
Sartre dans le pouvoir des mots pour changer le monde (80). C'est
là, à mon sens, faire peu de cas de la littérarité du texte et réduire
le texte à la femme, ce que font les autres critiques, selon T. Moi (23).
Sur cette question du langage A. Ophir cite la prière d'insérer
de Simone de Beauvoir elle-même : « J'ai voulu faire entendre les
voix de trois femmes qui se débattent avec des mots dans des
situations sans issue » (60). Et E. Fallaize remarquait en 1988 qu'il
s'y agissait des « voices of three women who use words in their
struggle with a situation in which all exits are blocked » (144).

une étape où elle semble perdre la maîtrise d'une langue
autrefois châtiée et soutenue. Au cours du dernier tiers du
récit la voix narrative se défait, les phrases raccourcissent, se
disloquent, se fragmentent, se chargent d'expressions familières, ou même vulgaires, restent inachevées (220 ff).

La perte de contrôle de la narratrice sur les mots et les
objets est évidemment le signe de l'effondrement de son
système de références et de valeurs [18]. A une page du dénouement elle s'interroge :

> et je me demande à présent : au nom de quoi préférer
> la vie intérieure à la vie mondaine, la contemplation à
> la frivolité, le dévouement à l'ambition ? [...] Je ne sais
> plus rien. Non seulement pas qui je suis, mais comment
> il faudrait être. Le noir et le blanc se confondent. Le
> monde est un magma et je n'ai plus de contours.
> Comment vivre sans croire à rien ni à moi-même ? (251)

Ainsi, son mode de savoir se situe-t-il désormais au-delà de
cette opposition binaire manichéenne noir/blanc [19].

Certains critiques avaient déchiffré Maurice comme un
modèle, d'autres comme un repoussoir. Dans les deux cas, à
mon sens, c'était méconnaître le texte et le doute généralisé
qu'il semble vouloir instaurer quant aux valeurs éthiques ou
même métaphysiques traditionnelles. Dans l'ensemble, les personnages secondaires – et Maurice en est un ; c'est même un
personnage assez falot – ne me paraissent significatifs que
dans la mesure où ils provoquent l'action et permettent de
jeter sur les événements des perspectives « autres ». D'ailleurs
l'auteur elle-même écrira à propos de sa nouvelle : « Je n'ai
guère cherché à [y] élucider le rôle des hommes [20]. »

---

18. Cette perte de maîtrise se manifeste concrètement par les
saignements intempestifs de la narratrice, qui ne durent pas moins
de trois semaines (233-239).

19. Il est vrai qu'à ce stade de l'évolution de l'héroïne les
oppositions binaires (vie intérieure/vie mondaine, contemplation/
frivolité, dévouement/ambition) sont encore chargées d'un certain
jugement éthique. Plus tôt dans son journal la protagoniste avait déjà
noté qu'elle ne savait « plus rien » (193).

20. Dans la préface à l'ouvrage d'Ophir (13). De plus, le médecin

C'est d'après moi sur l'héroïne narratrice que se concentre tout l'intérêt du récit et ce parce qu'il s'agit pour le texte de présenter la situation exemplaire d'une femme épouse et mère au sein d'un mariage-carrière, c'est-à-dire d'exposer les écueils de l'état d'altérité absolue telle que définie dix-huit ans plus tôt dans *Le Deuxième Sexe* [21]. De la même manière que les deux autres nouvelles du recueil « La Femme rompue » met en effet en scène une femme mûre, c'est-à-dire pouvant jeter un regard rétrospectif sur sa vie, mais pour qui la question de l'avenir devient urgente. Le singulier générique du titre dit assez qu'il s'y agit d'une situation exemplaire, et la superposition des trois textes permet de conclure que l'ensemble s'organise autour de ce questionnement de l'inégalité dans l'altérité, qui est la spécificité de la condition féminine. Dans chacun des cas un événement apparemment fortuit, la révolte d'un fils, l'abandon par la famille, la découverte de l'infidélité d'un mari, provoque chez l'héroïne qui s'exprime à la première personne une crise morale aiguë [22]. Des trois protagonistes seule Monique, forcée par les événements, réussira une remise en question totale de sa vie et de ses valeurs [23]. La dernière

---

de Monique désapprouve le silence de huit ans de Maurice sur ses liaisons.

21. En particulier dans l'introduction et aux chapitres sur la femme mariée et l'amoureuse. Soit dit en passant, *Le Deuxième Sexe* aussi avait provoqué à sa publication, et continue de susciter, les mêmes réactions désordonnées et souvent haineuses du public et des critiques que ce recueil de nouvelles.

22. « L'Age de discrétion » relate la prise de conscience d'une femme âgée ayant vécu en grande partie à travers son fils qui maintenant lui échappe. « Monologue », la plus sombre des trois nouvelles, entérine l'échec d'une vie de femme vécue dans une totale aliénation et dans la mauvaise foi la plus complète. Chaque nouvelle inscrit l'évolution de la protagoniste qui chemine du leurre de la certitude vers le chaos du doute.

23. On note que l'« abandon » de Monique par Maurice constitue pour elle une « chance » d'échapper à son aliénation, selon une perspective existentielle. C'est sans doute une des raisons pour lesquelles l'intrigue se déroule dans un milieu bourgeois. En effet, des conditions matérielles précaires détourneraient l'intérêt du lecteur

nouvelle est donc de loin la plus optimiste des trois. Il me
paraît significatif à la fois qu'elle ferme l'ouvrage et qu'elle
lui donne son titre.

Il est si vrai que « La Femme rompue » est l'illustration
de l'altérité féminine dans le « mariage carrière » traditionnel
que Colette, l'aînée des filles de Monique, reproduit le sort
de sa mère, comme s'il s'agissait de provoquer un effet didactique de redondance. Presque dans les mêmes termes que
Simone de Beauvoir elle-même dans *Le Deuxième Sexe*,
l'héroïne se demande pourquoi « la brillante lycéenne » qu'était
sa fille à quinze ans est devenue cette « jeune femme
éteinte » (219), et en cela elle se fait quasiment le porte-parole
de l'auteur de l'essai de 1949 [24].

Enfin, et dans un autre registre, une dernière preuve, selon
moi, qu'il s'agit dans le texte non pas d'une mise à mort de
la protagoniste, mais de l'exposition d'une situation aliénante
exemplaire [25], est le fait que contrairement à toutes ses habitudes Simone de Beauvoir publia cette nouvelle, et uniquement
celle-là, en feuilleton dans le magazine *Elle,* avant de le faire
paraître en volume avec les deux autres quelques mois plus
tard [26]. A mon sens, il convient donc d'interpréter ce choix

---

loin du problème philosophique et existentiel qu'affronte la protagoniste.

24. Monique est donc là le truchement de l'auteur ce qui, à mon
sens, infirme une partie des arguments de T. Moi dans son chapitre
sur la nouvelle. Dans DS Simone de Beauvoir écrivait : « On a dit
que le mariage diminue l'homme : c'est souvent vrai ; mais presque
toujours, il annihile la femme » (II, 124) ; et elle cite ailleurs dans le
même ouvrage le mot de Diderot à Sophie Volland : « Vous mourez
toutes à quinze ans » (I, 425).

25. Simone de Beauvoir dit bien que Monique « est la victime
stupéfaite de la vie qu'elle s'est choisie, une dépendance conjugale
qui la laisse dépouillée de tout » (dos de la couverture), assertion qui
correspond parfaitement au message du *Deuxième Sexe,* la femme
abandonnée « n'a plus rien, n'est plus rien » (II, 254). Dans l'ouvrage
d'Ophir Simone de Beauvoir déclare que c'est « *notre* condition de
femme » qu'elle a voulu représenter dans ces nouvelles (12). C'est
moi qui souligne.

26. Ceci va dans le sens d'une interprétation de la nouvelle comme
dénonciation de la condition féminine et affirmation d'une solidarité

non seulement comme un acte de solidarité féminine, mais
encore comme une tentative d'avertissement quasi militant [27]
à celles qui justement ont de fortes chances de se retrouver
dans la position de l'héroïne. Celle-ci dit à Maurice : « Me
voilà, à quarante-quatre ans, les mains vides, sans métier, sans
autre intérêt que toi dans l'existence » (205). La situation de
Monique provient, bien entendu, d'un système où, pour
reprendre les mots du *Deuxième Sexe,* « les époux subissent
ensemble l'oppression d'une institution qu'ils n'ont pas créée »
(II, 131), et où le sacrifice que la société encourage la femme
à faire de son accomplissement personnel se transforme en
fardeau [28] pour ceux-là mêmes qui bénéficient de ce dévoue-

---

avec les femmes. En effet, Simone de Beauvoir souligne (TCF 177)
à la fois son désir de collaboration avec sa sœur et le fait que l'édition
de luxe et les livraisons de *Elle* sont signées de leurs deux noms.

D'autres suggèrent en revanche que le but de Simone de Beauvoir
était essentiellement lucratif (Bair 673, note 35, Bieber 93 et Fallaize
1990, 22). Cet argument ne me convainc pas entièrement même si
l'auteur elle-même peut avoir parfois abondé dans ce sens. En effet,
je crois légitime d'affirmer que l'intentionnalité du texte peut fort
bien ne pas coïncider avec celle de l'auteur. De fait, Beauvoir m'y
incite presque quand elle note dans sa préface à l'ouvrage d'Ophir :
« Il peut paraître étrange qu'un auteur ne sache pas exactement ce
qu'il a écrit. Mais le fait est qu'il suit une certaine ligne et qu'il est
plus ou moins aveugle au fond sur lequel cette ligne se dessine » (13).
Je crois donc, au contraire de E. Fallaize (1990, 20) que la nouvelle
réussit effectivement la subversion et le détournement de l'idéologie
« roman de midinette » repérée par B. Pivot (TCF 178).

27. Sonia Kruks dit du *Deuxième Sexe* qu'il est politique et non
militant (19). On mesure le chemin parcouru entre les deux textes.

28. L'ouvrage de F. Gontier et C. Francis (352) rapporte un
propos fait à un journaliste norvégien par Simone de Beauvoir sur
sa nouvelle : « Dans " La Femme rompue " la femme est mystifiée
parce qu'elle croit qu'en vivant pour sa famille elle accomplit une
tâche qui justifie sa vie – une tâche que sa famille réclamera toujours
d'elle, un sacrifice que sa famille accepte avec plaisir. En réalité,
c'est à cause de son " sacrifice ", qui l'a rendue dépendante de son
mari et de ses enfants, qu'elle leur devient un fardeau. Comme elle
n'a jamais essayé de développer sa personnalité elle n'a rien à leur
offrir et n'a aucune ressource pour lutter contre ses difficultés. » Ma
lecture du texte confirme cette intentionnalité *a posteriori* de l'auteur.

ment nécessairement envahissant, et qui risque de la laisser
totalement dépouillée. A un certain niveau la nouvelle est
donc bien l'illustration de cet aphorisme du *Deuxième Sexe* :
« Il y a peu de crimes qui entraînent pire punition que cette
faute généreuse : se remettre tout entière entre des mains
autres » (II, 413).

De ce qui précède on peut donc tirer une double conclusion.
D'une part on peut dire que cette nouvelle s'inscrit dans une
visée philosophique didactique et militante qui rejoint et va
même au-delà de la dénonciation d'une situation, comme le
fait *Le Deuxième Sexe,* et qui s'accorde dans l'ensemble aux
intentions explicitées *a posteriori* par l'auteur, en particulier
dans *Tout compte fait* quatre ans plus tard (1972). Mais, et
c'est contradictoire, l'intentionnalité du texte pouvant fort
bien échapper à celle de son auteur, je crois aussi avoir montré
qu'il dépasse ces intentions et cette visée philosophique. En
effet, la lente prise de conscience de l'altérité par Monique
qui accède à l'angoisse de la liberté dans cette ascèse exigeante
de la philosophie existentialiste n'a pas laissé intacte la notion
de sujet, quelque paradoxal que cela puisse paraître. De fait,
c'est précisément le conflit entre ces deux grands courants de
pensée, sous-jacents et contradictoires, qui prête sa tension au
texte. Loin d'être resté ce superbe « moi » [29], sûr de lui-même,
du langage, de ses valeurs et du monde qui l'entoure, le sujet
féminin qui émerge à la fin du journal a volé en éclats, s'est
brisé. C'est en ce sens aussi qu'on peut comprendre le participe
passé du verbe rompre du titre. Le sujet y a perdu ses
certitudes, sa conscience unifiée et centralisante et a adopté
une vision pluraliste, fragmentée, éclatée du monde et de lui-
même. C'est ainsi que ce texte de Simone de Beauvoir dont
on dit généralement l'écriture traditionnelle et monolithique
me paraît un de ses plus modernes [30]. De fait, une ouverture

---

29. Sonia Kruks montre bien l'opposition entre le « sujet cita-
delle » à la Sartre et celui, plus nuancé de Simone de Beauvoir qui,
perméable et relationnel permet l'interaction (19). Une autre différence essentielle qu'elle démontre également c'est la limite à la liberté
du sujet que crée toute oppression (6). C'est en ce sens que Monique
est victime et non coupable.

30. Pour T. Moi cette modernité du texte de Simone de Beauvoir

aux idées contemporaines travaille le texte de « La Femme rompue » de façon qu'on n'a pas assez relevée. Ainsi, dans le débat rationalisme/post-modernisme, l'écriture de Simone de Beauvoir me paraît-elle occuper une position nuancée qui se situerait à mi-chemin entre les deux extrêmes [31].

Chantal BERTRAND-JENNINGS

LISTE DES OUVRAGES CITÉS

Les abréviations utilisées sont indiquées entre parenthèses après l'intitulé de l'ouvrage.

Bair, Deirdre, *Simone de Beauvoir : A Biography,* New York, Summit Books, 1990.

Beauvoir, Simone de, *Le Deuxième Sexe,* 2 vols, Paris, Gallimard, 1949. Folio Essais nos 37-38 (DS).

Beauvoir, Simone de, *La Femme rompue,* Paris, Gallimard (Folio), 1967.

Beauvoir, Simone de, *La Femme rompue,* Avec des burins originaux de Hélène de Beauvoir, Paris, Gallimard, 1967.

Beauvoir, Simone de, « La Femme rompue », illustrée de burins originaux de Hélène de Beauvoir, *Elle,* paru entre le 19 octobre et le 16 novembre 1967, nos 1139-1143.

Beauvoir, Simone de, *Tout compte fait,* Paris, Gallimard (Folio), 1972 (TCF).

Bieber, Konrad, *Simone de Beauvoir,* Boston, Twayne, 1979.

Fallaize, Elizabeth, *The Novels of Simone de Beauvoir,* London, Routledge, 1988.

Fallaize, Elizabeth, « Resisting Romance : Simone de Beauvoir, " The Woman Destroyed " and the Romance Script », *in* Atack, Margaret & Phil Powrie, eds., *Contemporary French Fiction by Women. Feminist Perspectives,* Manchester U. Press, 1990, 15-25.

---

n'est pas intentionnelle. Elle écrit : « " The Woman Destroyed " may paradoxically – and quite unintentionally – come across as a far more " modern " text than any of Beauvoir's other writings » (78).

31. Nous nous inscrivons ainsi dans la même perspective que Stone McNeece et Kruks.

Francis, Claude et Fernande Gontier, *Simone de Beauvoir,* Paris, Perrin, 1985.

Kruks, Sonia, « Gender and Subjectivity : Simone de Beauvoir and Contemporary Feminism », *Signs,* vol. 18, n° 1 (Autumn 1992), 89-110.

Kruks, Sonia, « Genre et subjectivité : Simone de Beauvoir et le féminisme contemporain », *Nouvelles Questions féministes,* vol. 14, n° 1 (1993), 3-28 (traduction de l'article précédent).

Moi, Toril, « Intentions and Effects : Rhetoric and identification in Simone de Beauvoir's " The Woman Destroyed " », in *Feminist Theory and Simone de Beauvoir,* Oxford, Blackwell, 1989, 61-93.

Moi, Toril, *Simone de Beauvoir. The Making of an Intellectual Woman,* Oxford, Blackwell, 1994.

Ophir, Anne, *Regards féminins,* Paris, Denoël/Gonthier, 1976.

Simons, Margaret A., « Lesbian Connections : Simone de Beauvoir and Feminism », *Signs* (1992-1993) 18 : 1.

Stone McNeece, Lucy, « La langue brisée : Identity and Difference in De Beauvoir's *La Femme rompue* », *Simone de Beauvoir Studies,* vol. 16 (1989), 13-29, repris dans *French Forum* (Jan 1990), 73-92.

Françoise Rétif

LE MIROIR BRISÉ *

On peut distinguer deux groupes distincts au sein de l'ensemble de l'œuvre de fiction de Simone de Beauvoir : les œuvres écrites avant 1960 et celles écrites après. Le premier groupe, dans un mouvement qui tente avec détermination de relier le passé à l'avenir, met en scène la femme qui se cherche à la jointure de deux mondes, la femme en quête de totalité, en quête de l'autre de l'autre côté du miroir, en quête d'accomplissement dans l'utopie de l'être androgyne telle que je l'ai analysée précédemment. La lecture de cette quête androgyne dans les premiers romans de Beauvoir ne doit toutefois pas voiler l'autre, à la fois opposée et complémentaire : la femme en quête d'accomplissement androgyne est une *femme divisée,* « écartelée entre le passé et l'avenir » [1], déchirée entre le monde des hommes qu'elle ne veut et ne peut rejeter, renier totalement, et des impératifs, des besoins qui sont les siens propres et que ce monde ne satisfait pas, voire n'identifie même pas. La quête androgyne naît de la prise de conscience de ce déchirement et de la volonté de le dépasser. Il n'est pas dans mon propos ici d'analyser en détail les signes littéraires de cette division. Je soulignerai seulement que les romans du premier groupe ont une structure bien particulière, qui leur

---

* Extrait de *L'Autre en miroir,* essai sur l'œuvre de Simone de Beauvoir. A paraître.
1. *Le Deuxième Sexe,* II, 570.

est propre et qui transcrit formellement la thématique de la
division : ou bien en effet ils sont ce que j'appellerais des
œuvres polyphoniques, c'est-à-dire qu'ils sont écrits dans une
double perspective, celle de l'homme et de la femme (cf. *Le
Sang des autres, Les Mandarins,* et, d'une façon déséquilibrée
mais signifiante, *Tous les hommes sont mortels*) ; ou bien ils
inscrivent la division et la tentative de la dépasser dans la
quête androgyne dans la structure fondamentale du trio en
tant que forme déstabilisante du duo, du face-à-face (cf. *L'Invitée, Les Mandarins*). Le dualisme homme/femme illustre
les catégories traditionnelles du féminin et du masculin et
cherche en même temps à les dépasser dans l'utopie de l'être
androgyne, puisque cet être serait justement celui ou celle qui
réussirait, malgré toutes les résistances qu'on lui oppose, à
réunir en lui, en elle, les qualités traditionnellement féminines
et celles traditionnellement masculines – bref, à être un être
humain dans toute sa richesse et sa complexité. En attendant,
la femme est située du côté de l'amour (Anne, Hélène,
Françoise, Paule), l'homme du côté de l'action, de l'Histoire
et de l'écriture (Pierre, Henri, Dubreuilh, Brogan, Blomard).
Cependant, la mort, physique ou symbolique, est toujours celle
de la femme, seule, victime de l'homme (à part dans *L'Invitée*)
et de son incapacité d'aimer (c'est le cas des couples Hélène/
Blomard, Anne/Brogan, Paule/Henri, Régine/Fosca) [2]. La
structure relativement simple du *Sang des autres* se complique
dans *Les Mandarins*. Les duos se multiplient : il y a non
seulement les duos Anne/Henri, Anne/Dubreuilh, Anne/Bro-
gan, mais aussi le duo littéraire (conception antinomique de
la littérature [3]) Henri/Dubreuilh, ainsi que celui Dubreuilh/
Brogan qui symbolise encore plus que les autres l'écartèlement
de la femme entre les mondes qu'elle n'arrive pas à concilier.
La femme apparaît en fait comme étant le pivot de trios
(Anne/Dubreuilh/Henri et Anne/Dubreuilh/Brogan) qui ne
font que contrefaire l'habituel triangle adultère femme/mari/

---

2. Voir à ce sujet : Françoise Rétif, *Simone de Beauvoir et
Ingeborg Bachmann : Tristan ou l'Androgyne,* Berne, Peter Lang,
1989.
    3. Cf. *infra.*

amant. Car il est évident que ce n'est pas ici l'adultère en tant que tel qui est au centre de la problématique. *Le trio, chez Beauvoir, est la représentation symbolique du déchirement de la femme rêvant de totalité.* Dans *L'Invitée,* le trio est le thème même du roman. Cependant, bien qu'il soit évidemment très significatif qu'il apparaisse dès la première œuvre, il n'y revêt pas exactement la même signification : il a pour fonction de dénoncer l'illusion du duo (entre Pierre et Françoise), c'est-à-dire l'illusion de l'amour-fusion. L'héroïne surmonte la prise de conscience de l'illusion en s'engageant avec résolution sur le chemin de la reconquête d'elle-même. En éliminant Xavière, l'autre femme [4], celle qu'elle ne veut pas être, celle qui appartient au passé, elle réussit à coïncider avec elle-même dans le face-à-face, à rejoindre l'identité souhaitée, la part plus masculine d'elle-même. Le trio, dans *L'Invitée,* est encore « hégélien », en quelque sorte : les termes de l'opposition sont supprimés dans le dépassement. Ce ne sera plus le cas à partir des *Mandarins* : à partir de cette œuvre en *effet,* le renoncement à l'un des termes, s'il ne peut être évité, sera toujours ressenti comme une mutilation. Si l'on considère la succession des œuvres (*L'Invitée* 1943, *Les Mandarins* 1954), le passage d'une forme de trio à l'autre montre le chemin parcouru : dans le premier cas, Beauvoir traite la difficulté à accéder à une identité réelle, jusqu'alors occultée, déformée, clandestine ; dans le second, son propos est de peindre la difficulté à concilier et à accomplir les pôles traditionnellement antagonistes de l'identité enfin révélée dans toute sa complexité, c'est-à-dire encore la difficulté à surmonter la schizophrénie de la femme dans la société, déchirée entre ce qu'elle tente d'être et ce à quoi on la réduit à être, entre l'homme tel qu'il est et l'homme tel qu'elle le rêve. Le trio, dans le premier roman de Beauvoir, a une valeur cathartique : il permet à l'héroïne, en le détruisant, de se libérer des liens sournois qui la retenaient encore prisonnière du passé et de se découvrir enfin au cœur de la véritable problématique qui se pose à elle sur la voie de l'avenir.

---

4. De façon significative le trio est ici formé de deux femmes et d'un homme.

Au début des années 60, se produit en Simone de Beauvoir comme une rupture, une déchirure, provoquée essentiellement par la guerre d'Algérie : une voix, une des deux voix, se brise. A partir de *Une Mort très douce,* elle n'écrira plus que des œuvres où seule une femme est protagoniste, les romans à une voix, ceux de la femme mutilée (*Les Belles images,* 1966, *Une Femme rompue,* 1968). La voix féminine se déploie, faute de l'autre. Il faut entendre le mot rupture ici au sens propre et premier : il n'y a pas de changement d'orientation – les idées, la pensée, la quête, fondamentalement, restent les mêmes – mais quelque chose *se rompt,* il devient impossible de relier par la force de l'écriture les voix différentes, les termes de la division. Entre les deux groupes de textes, les romans polyphoniques d'une part, les récits monophoniques d'autre part, se situe le gros bloc des trois plus importantes œuvres autobiographiques (*Les Mémoires d'une jeune fille rangée,* 1958, *La Force de l'âge,* 1960, *La Force des choses,* 1963) dans lesquelles la femme-écrivain fait une tentative désespérée pour vaincre par l'écriture la schizophrénie, le fossé, qui menacent de s'établir entre la lecture qu'elle fait de son passé et l'avenir tel qu'il risque de s'imposer [5] – *La Force des choses* se trouvant déjà au point de rupture, là où le passé rejoint la déchirure implacable du présent. Ainsi, tandis que les œuvres du premier groupe témoignent de la quête de la totalité, de la volonté de dépasser la division, celles du second groupe – auquel on peut rattacher non seulement *Une Mort très douce,* mais aussi *Tout compte fait* et *La Cérémonie des adieux,* c'est-à-dire la deuxième partie de l'autobiographie – *constatent la mutilation.* Qu'est-ce qu'il faut entendre par là ?

Dans *La Force des choses,* en 1963, Beauvoir fait ce constat terrible :

> « Hostile à cette société à laquelle j'appartenais, bannie, par l'âge, de l'avenir, dépouillée fibre par fibre du passé, je me réduisais à ma présence nue. Quelle glace [6] ! »

---

5. Cf. *infra.*
6. FDC, *La Force des choses,* 615.

La femme mutilée est réduite à « sa présence nue ». Elle est dépossédée du passé et de l'avenir. La première cause de la mutilation est la vieillesse. Privé d'avenir, le passé aussi se dessèche ; rien, pas même le récit n'a le pouvoir de le ressusciter :

> « [...] qu'avions-nous été l'un pour l'autre, tout au long de cette vie qu'on appelle commune ? Je voulais en décider sans tricher. Pour cela, il fallait récapituler notre histoire. Je m'étais toujours promis de le faire. [...] Je suis capable de réciter des noms, des dates, comme un écolier débite une leçon bien apprise sur un sujet qui lui est étranger. Et de loin en loin ressuscitent des images mutilées, pâlies, aussi abstraites que celles de ma vieille histoire de France [7]. »

Mais la vieillesse, analysée par ailleurs, comme on le sait, dans toute sa complexité par Beauvoir, est loin d'être la seule cause de la mutilation. Si la « femme rompue » découvre que sa « propre histoire n'est plus derrière (elle) que ténèbres [8] », c'est surtout parce que l'autre, l'homme en face d'elle, a trahi. Il a trahi par ses actes, par certaines paroles qui font douter de tout, parce qu'il n'aime plus ; il trahi surtout par tout ce qu'il a « omis » de dire, en particulier que depuis longtemps – depuis toujours peut-être – il ne vit pas leur relation de la même façon, avec la même intensité, le même engagement qu'elle. Le doute, fondamental, s'installe, et l'angoisse, aussi dévastatrice que celle de la mort. Le passé n'est plus ni « bonheur, ni fierté : une énigme, une angoisse [9] ». Toute une vie s'écroule :

> « [...] je me dis que s'il était mort je saurais du moins qui j'ai perdu et qui je suis. Je ne sais plus rien. Ma vie derrière moi s'est effondrée, comme dans ces tremblements de terre où le sol se dévore lui-même ; il s'engloutit dans votre dos au fur et à mesure que vous

---

7. *L'Age de discrétion,* dans LFR *La Femme rompue,* 65.
8. LFR, 225.
9. LFR, 213.

fuyez. Il n'y a pas de retour. La maison a disparu, et
le village et toute la vallée. Même si vous survivez,
rien ne reste, pas même la place que vous avez occupée
sur terre [10]. »

Survivre n'est pas vivre. La femme mutilée a perdu l'essentiel, ce qui lui permettait de se voir, de se projeter dans
le monde, elle a « perdu (son) image [11] ». Elle a perdu celles
que lui renvoyait son passé ; celles qu'elle projetait vers l'avenir
« ont volé en éclats » [12]. Le miroir ne la renvoie plus qu'à sa
« présence nue », à ce qu'est son identité sans l'Autre : *une
mutilation.* Dans *Les Belles Images,* Laurence découvre que
la société, la société capitaliste, de consommation, a inventé
une façon très perverse de mutiler : en piégeant tout, les objets
et les gens, et en premier lieu les femmes, dans de « belles
images », dans lesquelles, objets de désir, subordonnées et
passives, consommatrices avant tout, elles apparaissent bien
conformes aux besoins de la société régie par l'homme, bien
intégrées dans l'apparente harmonie de l'ensemble, la confor-
tant si possible – de belles images standardisées, aseptisées,
qui n'ont rien à voir avec celle, unique, que chacun doit
découvrir et créer pour soi, des images qui n'hésitent pas à
s'en prendre aux forces les plus vives de l'individu pour les
normaliser, les anesthésier, afin qu'ils ne risquent plus de
vouloir outrepasser les limites qui leur sont imposées :

> « Moi, c'est foutu, j'ai été eue, j'y suis, j'y reste.
> [...] Laurence brosse ses cheveux, elle remet un peu
> d'ordre sur son visage. Pour moi, les jeux sont faits,
> pense-t-elle en regardant son image – un peu pâle, les
> traits tirés [13]. »

Laurence se rend compte que, pour elle, c'est désormais
trop tard, car elle « a toujours été une image » [14], cependant,
en regardant une petite fille grecque qui « s'est mise à danser –

---

10. LFR, 193.
11. LFR, 238.
12. LBI, *Les Belles Images,* 124.
13. LBI, 183.
14. LBI, 21.

elle avait trois ou quatre ans ; minuscule, brune, les
yeux noirs, une robe jaune évasée en corolle autour de
ses genoux, des chaussettes blanches ; elle tournait sur
elle-même, les bras soulevés, le visage noyé d'extase,
l'air tout à fait folle [15] » –

elle prend conscience – intuitivement, dans son corps et ses
sens et sans que cela soit *analysé* par son intellect qui se
refuse justement à faire de sa fille « un cas », comme le fait
son mari – du danger qui menace sa fille et décide qu'elle au
moins, « on ne la mutilera pas » [16], qu'elle s'opposera à ce que
l'on tente d'éliminer en elle ce qui risque de menacer l'ordre
établi des « belles images », qu'il faut lui donner, ou tenter de
lui donner, la possibilité de chercher *son* image, indépendamment de celles que prétend lui imposer une société faussement
libérale. Si c'est désormais trop tard pour la mère, la fille
peut-être pourra être préservée. La mutilation de la femme
est une réalité, mais ce n'est pas une fatalité. La porte de
l'avenir n'est pas tout à fait fermée. Ou plutôt, elle est fermée,
mais il se peut encore qu'elle s'entrouvre. Beauvoir sauve
toujours ce qui peut être sauvé ; elle ne cède jamais à la
résignation. Cependant ce qui est à venir fait peur. « La femme
rompue », conclut ainsi son journal :

> « Voilà. Colette et Jean-Pierre m'attendaient. J'ai
> dîné chez eux. Ils m'ont accompagnée ici. La fenêtre
> était noire. [...] Je me suis assise devant la table. J'y
> suis assise. Et je regarde ces deux portes : le bureau
> de Maurice ; notre chambre. Fermées. Une porte fer-
> mée, quelque chose qui guette derrière. Elle ne s'ou-
> vrira pas si je ne bouge pas. Ne pas bouger ; jamais.
> Arrêter le temps et la vie.
> Mais je sais que je bougerai. La porte s'ouvrira
> lentement et je verrai ce qu'il y a derrière la porte.
> C'est l'avenir. La porte de l'avenir va s'ouvrir. Lente-
> ment. Implacablement. Je suis sur le seuil. Il n'y a que

15. LBI, 158.
16. LBI, 181.

cette porte-là et ce qui guette derrière. J'ai peur. Et
je ne peux appeler personne au secours. J'ai peur [17]. »

Le miroir s'est changé en mur, en clôture. L'eau trans-
parente et pénétrable s'est faite opaque et dure : de la glace.
Il n'y a plus de passage possible de l'un à l'autre côté. La
frontière entre le passé et le présent, le présent et l'avenir est
devenue pour ainsi dire infranchissable, le passage est muré.
Mutilée de l'Autre en miroir, la femme est enfermée dans le
présent de sa mutilation. Désormais, ce qu'il y a de l'autre
côté, l'avenir, fait peur, cela « guette derrière » : l'élan spon-
tané qui portait vers l'Autre ayant été brisé, rompu, trahi,
l'Autre, l'Ailleurs, l'Invisible, l'Inconnu est devenu une présence menaçante. C'est bien la peur de la mutilation qui
démonise l'Autre.

Le mur qui s'est dressé interdit que ne passe non seulement
le regard mais aussi la voix. La femme rompue « ne peut
appeler personne au secours ». Il n'y a plus d'autre voix en
écho. Pire encore, le dialogue risque de dégénérer en monologue. Dans une des nouvelles de *La Femme rompue,* une
femme « conjure, par un monologue paraphrénique, la solitude
où l'a jetée son égoïsme éperdu [18] ».

Cet enfermement de la femme mutilée préfigure la mise
en bière, la mort. La « boîte » ne symbolise pas chez Beauvoir
le danger de la découverte, de la transgression, du dévoilement
(la boîte de Pandore !), mais au contraire celui de la non-
communication, de la claustration, de la séparation irréversible. Dans *Une Mort très douce,* la mère, peu de temps avant
sa mort, fait des cauchemars : « On me met dans une boîte
[...] Je suis là, mais je suis dans la boîte. Je suis moi, et ce
n'est plus moi. Des hommes emportent la boîte [19]. » « Quand
nous étions jeunes », écrit Beauvoir dans la préface de *La
Cérémonie des adieux,* « et qu'au terme d'une discussion
passionnée l'un de nous triomphait avec éclat, il disait à
l'autre : " Vous êtes dans votre petite boîte ! " Vous êtes dans

17. LFR, 252.
18. Cf. préface à *La Femme rompue.*
19. *Une Mort très douce,* p. 91.

votre petite boîte ; vous n'en sortirez pas et je ne vous y
rejoindrai pas : même si l'on m'enterre à côté de vous, de vos
cendres à mes restes il n'y aura aucun passage [20] ».

Toute sa vie, Beauvoir a combattu l'enfermement : l'enfermement dans le cadre oppresseur de la famille, l'enfermement dans les conventions de l'ordre social bourgeois ;
l'enfermement dans la chambre d'amour [21] ; elle s'est débattue
contre l'enfermement dans les étiquettes [22], dans les mythes,
dans les images toutes faites qu'on plaque sur la réalité vivante
d'une personnalité. Il faut avoir cela présent à l'esprit pour
comprendre de quelle dimension subversive et utopique peut
être dotée la notion de *passage* chez elle. L'enfermement a
toujours été pour elle une réalité menaçante, mais longtemps
il lui a été possible d'inventer des stratégies pour le surmonter,
le transgresser, pour se frayer un passage. La femme mutilée
est celle pour qui le passage n'est plus possible : l'enfermement
est devenu irrévocable.

LA GUERRE D'ALGÉRIE OU LA FRATERNITÉ IMPOSSIBLE

En 1939, l'existence de Beauvoir, sans aucun doute, ainsi
qu'elle le dit elle-même, « a basculé : l'Histoire (l)'a saisie
pour ne plus (la) lâcher [23] ». Elle écrit dans *La Force de l'âge* :

> « Il n'est pas possible d'assigner un jour, une semaine,
> ni même un mois à la conversion qui s'opéra alors en
> moi. Mais il est certain que le printemps 1939 marque
> dans ma vie une coupure. Je renonçai à mon indivi-
> dualisme, à mon anti-humanisme. J'appris la solida-
> rité [24]. »

---

20. Cf. préface à *La Cérémonie des adieux*.
21. Cf. Françoise Rétif, *Simone de Beauvoir et Ingeborg Bachmann, op. cit.*, p. 24.
22. FDC, 683.
23. *La Force de l'âge*, Gallimard, édit. Blanche, p. 410.
24. *Ibid.*

Un peu plus loin, elle nuance singulièrement le jugement
apparemment si définitif, et exposé d'ailleurs en termes tellement généraux et vagues, qu'elle porte ici sur cette « conver-
sion qui s'opéra » en elle. Les choses semblent finalement ne
pas être tout à fait aussi simples :

> « A partir de 1939, tout changea ; le monde devint
> un chaos, et je cessai de rien bâtir ; [...] je cherchai
> des raisons, des formules pour me justifier de subir ce
> qui m'était imposé. [...] je découvris la solidarité, mes
> responsabilités, et la possibilité de consentir à la mort
> pour que la vie gardât un sens. Mais j'appris ces vérités
> en quelque sorte contre moi-même ; j'usai de mots pour
> m'exhorter à les accueillir ; je m'expliquais, je me
> persuadais, je me faisais la leçon [...] [25]. »

Les romans *Le Sang des autres*, publié en 1945, et *Tous
les hommes sont mortels*, un an plus tard, corroborent ce
témoignage : le choc que provoqua l'irruption de l'Histoire
dans la vie de Beauvoir fut d'ampleur. Ce qu'elle découvre
en effet, c'est le diktat du temps et de l'Histoire, la finitude,
l'insignifiance, voire la futilité des entreprises individuelles :
on comprend que son optimisme et son volontarisme aient
souffert. L'Histoire lui dérobait une grande partie de l'emprise
qu'elle pouvait exercer sur sa propre vie. Et c'est peut-être
par cette perte d'emprise qu'il faut comprendre et expliquer
l'apparition démesurée, incontrôlée, monstrueuse, pléthorique
de l'Histoire à travers le héros de *Tous les hommes sont
mortels,* Fosca. Beauvoir elle-même oppose le trouble, le
malaise, voire l'égarement, qui guidèrent sa plume dans cette
œuvre, à la maîtrise avec laquelle fut conçu *Le Sang des
autres*, comme s'il s'agissait, après avoir tout fait pour la
canaliser, de laisser libre cours à cette réalité qui la dépasse,
la fascine et la terrifie :

> « Je poursuivis cette méditation sur la mort où m'avait
> entraînée la guerre ; je m'interrogeai sur le temps ; il

25. FDA, 626.

m'avait été brutalement révélé et je m'étais aperçue qu'il pouvait, autant que l'espace, m'arracher à moi-même. Aux questions que je soulevais, je ne donnais pas de réponses. *Le Sang des autres* avait été conçu et construit abstraitement ; mais sur l'histoire de Fosca, je rêvai. »

« En le relisant, je me suis demandé : mais qu'est-ce que j'ai voulu dire ? [...] *Tous les hommes sont mortels*, c'est cette divagation organisée ; les thèmes n'y sont pas des thèses mais des départs vers d'incertains vagabondages [26]. »

Les deux romans ont toutefois en commun d'inscrire, certes fort différemment, au cœur de leur structure le fait que l'irruption de l'Histoire dans la vie de Beauvoir ait eu lieu « en quelque sorte contre (elle)-même ». La structure dichotomique, la double perspective des deux œuvres opposent nettement la vision féminine et la perception masculine de l'Histoire ; ainsi, tandis que l'Histoire est incarnée par l'homme, la femme est située résolument *en dehors*. Les faiblesses de l'œuvre publiée en 1946 sont singulièrement éloquentes à ce propos : le corps du roman – l'histoire de Fosca – est flanqué d'un prologue et d'un épilogue très disproportionnés qui font apparaître Régine, l'héroïne, comme appartenant à un monde *en marge* de celui de Fosca, dans un temps et un espace autres que le sien, dans le présent de la vie, tandis que le protagoniste principal appartient à l'immortalité, à un temps justement sans contact avec celui du personnage féminin : il *n'entre* que très peu dans l'espace et le temps de Régine ; Régine n'entre ni dans le temps ni dans l'espace qu'il a occupés pendant des siècles. Il n'y a pas de *passage* entre le temps de Régine et celui de Fosca, entre la réalité de l'un et celle de l'autre. Leur tentative pour entrer en contact reste sans lendemain. Car Fosca vit dans l'histoire passée, il *est* l'Histoire : « l'expérience malheureuse de Fosca » qui couvre « la fin du Moyen Age et le début du XVIe siècle » illustre « une conception résolument pessimiste » [27] de l'Histoire. Fosca, cet immor-

---

26. *La Force des choses*, coll. Folio, p. 75 et 79.
27. FDC, 76.

tel, est l'Histoire, mais Fosca est aussi un homme : « Fosca est le lieu maudit de l'oubli et de la trahison », commente Beauvoir dans *La Force des choses* (1946, est-ce un hasard, c'est l'année où Sartre révèle à Beauvoir qu'il « tient énormément à M. » ?). L'héroïne se heurte à un homme qui représente également beaucoup plus qu'un homme ; petite histoire et grande Histoire se rejoignent. Dans cette imbrication du général et du particulier, l'opposition homme/femme devient représentative d'une opposition qui dépasse largement le niveau des individus. Inversement, la « grande Histoire » et ce qu'elle représente ne peuvent être dissociés des problématiques individuelles. C'est Fosca, autant que son immortalité, qui « dépouille (Régine) de son être » [28], et quand elle se dit être « un brin d'herbe, un moucheron, une fourmi, un lambeau d'écume », c'est qu'elle se découvre « telle qu'il l'avait faite » [29].

Cependant, ils restent « *frères* », par-delà leurs différences. Beauvoir se situe autant, ou aussi peu, du côté de Fosca que de Régine. Après avoir affirmé que « Fosca est le lieu maudit de l'oubli et de la trahison », l'auteur ajoute aussitôt qu'elle-même « avai(t) cruellement éprouvé (s)on impuissance à saisir d'aucune manière la mort des autres [30] ». Par ailleurs, Régine est aussi peu sympathique, voire aussi « inhumaine » que le héros masculin : « Une femme avide de dominer ses semblables et révoltée contre toutes les limites : la gloire des autres, sa propre mort ; quand elle rencontre Fosca, elle veut habiter son cœur immortel : alors elle deviendra, pense-t-elle, l'Unique [31]. » Lui est prisonnier de son ambition passée et de son immortalité. Elle est prisonnière de son narcissisme et de l'obsession de sa finitude. Ils sont frères d'impuissance, pour avoir voulu trop de puissance. Deux porte-fanion, empesés, émouvants dans leur ridicule. Deux porte-voix, désemparés et maladroits, d'une réalité angoissante, que l'auteur ne peut faire autrement que de prendre en compte, mais qu'elle tente de rejeter aussi loin que possible d'elle-même. Comme si,

---

28. *Tous les hommes sont mortels*, coll. Folio, p. 527.
29. *Ibid.*, p. 528.
30. FDC, 78.
31. *Ibid.*

obligée de constater la distance qui s'inscrit entre l'homme et
la femme dès qu'il s'agit de leur rapport à l'Histoire, Beauvoir
les bannissait ensemble dans une même distance caricaturale.

D'ailleurs on voit bien que, assez vite malgré des périodes
très sombres comme celle de la contre-épuration par exemple,
Beauvoir reprend confiance en l'Histoire. Elle ne demande
qu'à croire que l'homme peut, pourra, la modeler à son gré.
Le choc a eu lieu, mais il ne fut peut-être pas aussi radical
qu'elle veut bien le dire ; il est resté, malgré tout, extérieur.
La Seconde Guerre mondiale n'a pas suffi à ébranler la foi
en un monde meilleur, la foi en l'homme. En 1948-1949, alors
qu'elle travaille au *Deuxième Sexe*, elle peut croire en l'avenir : « l'avenir reste largement ouvert », écrit-elle à la fin de
cette œuvre [32]. La condition féminine peut changer, et par
voie de conséquence, le monde également. Hommes et femmes
doivent y œuvrer côte à côte. Et en 1955, quand elle revient
de Chine, elle dit explicitement faire de nouveau « confiance
à l'Histoire : au Maghreb aussi, les exploités finiraient par
vaincre et peut-être bientôt » [33].

La guerre d'Algérie va mettre fin à cette fraternité malgré
tout. C'est elle qui va élargir le fossé entre l'homme et la
femme jusqu'à faire apparaître la nécessité, légitimée par
l'Histoire, de rompre le lien qui les lie, de dissocier leur sort :
leur chemin se sépare, la femme doit continuer sa route seule.
En 1939, Beauvoir découvre l'horreur de l'Histoire ; l'Histoire
assiège la femme qui se rend compte à quel point elle lui est
étrangère. Mais l'ennemi, l'occupant, le mal, vient de l'extérieur, il peut, il pourra peut-être, être banni. Quand par contre
ce qui fait horreur vient *de l'intérieur* ou est acclamé par une
grande partie de la population, on se sent exilé au sein même
de son propre pays, de sa propre culture. Beauvoir dépeint ce
qu'elle ressentit à ce propos sans aucune ambiguïté :

« Quelquefois, l'après-midi, des parachutistes instal-
laient sur le parvis de Saint-Germain-des-Prés une
espèce de baraque. J'évitais toujours d'approcher, je

---

32. *Le Deuxième Sexe*, II, 558.
33. FDC, 359.

ne sus jamais exactement ce qu'ils trafiquaient : en tout cas, ils se faisaient de la propagande. De ma table, je les entendais jouer des airs militaires [...] Je reconnaissais cette boule dans ma gorge, ce dégoût impuissant et rageur : c'est ce que je ressentais lorsque j'apercevais un S.S. Les uniformes français d'aujourd'hui me donnaient le même frisson qu'autrefois les croix gammées. Je regardais ces jeunes garçons en tenue léopard qui souriaient et paradaient, le visage bronzé, les mains nettes : ces mains... Des gens s'approchaient, intéressés, curieux, amicaux. Oui, j'habitais une ville occupée, et je détestais les occupants avec plus de détresse que ceux des années 40, à cause de tous les liens que j'avais avec eux [34]. »

Et un peu plus loin :

« Ce que je ne supporte pas, physiquement, c'est cette complicité qu'on m'impose au son des tambours, avec des incendiaires, des tortionnaires, des massacreurs ; il s'agit de mon pays, et je l'aimais, et sans chauvinisme ni excès de patriotisme, c'est difficilement tolérable d'être contre son propre pays [35]. »

« Je ne supportais plus cette hypocrisie, cette indifférence, ce pays, *ma propre peau*. Ces gens dans les rues, consentants ou étourdis, c'étaient des bourreaux d'Arabes : tous coupables. Et moi aussi. " Je suis française. " Ces mots m'écorchaient la gorge comme l'aveu d'une tare. Pour des millions d'hommes et de femmes, de vieillards et d'enfants, j'étais *la sœur* des tortionnaires, des incendiaires, des ratisseurs, des égorgeurs, des affameurs [36]. »

De façon remarquable, on voit combien Beauvoir ellemême souligne ici que c'est parce que, dans sa proximité, elle est devenue *physique*, que l'horreur est désormais absolument

---

34. FDC, 407.
35. FDC, 430.
36. FDC, 406. (L'italique a été ajouté par nous.)

insupportable. Le dégoût de cette virilité arrogante, paradante, meurtrière gagne tout. Ce qui dans l'homme a toujours attiré la méfiance de la femme grossit, prolifère, contamine sous ses yeux tout un pays, l'horreur envahit toute la réalité. Le frère, jusqu'alors aimé et recherché dans un lien librement consenti, est devenu un occupant, exilant la femme au sein d'elle-même ; il est passé du côté de l'ennemi. La complicité, la fraternité sont devenues impossibles, inacceptables ; la critique, le rejet, et donc la mutilation inéluctables. Les différences ne sont plus complémentaires, elles sont désormais antagonistes. Jusqu'alors, les deux pôles semblaient se compléter, les contraires s'ajouter, leur équilibre embrassait le monde ; maintenant la supériorité de l'un est devenue évidente, menaçante pour l'autre, les contraires se détruisent. Il y a d'un côté ceux qui tuent, pillent, torturent, violent ; de l'autre, les victimes. C'est l'un *ou* l'autre. Cela fait certes un moment, au moins depuis *Le Deuxième Sexe*, que Beauvoir sait que l'homme appartient « au sexe qui tue » et que « dans l'humanité la supériorité est accordée non au sexe qui engendre mais à celui qui tue [37] ». Cependant, jusqu'à la guerre d'Algérie, cette vérité s'était imposée surtout à l'intellect, à la raison ; elle n'avait pas été ressentie, vécue dans la chair. Au moment de la guerre d'Algérie, elle *prend corps* sous ses yeux, en face d'elle, en elle. Désormais, il n'est plus possible de parcourir la distance qui sépare de l'homme ; la distance est devenue insurmontable, la frontière infranchissable. Désormais, au niveau individuel, de personne à personne, d'homme à femme, comme à l'échelle de tout un peuple, ce sont les mêmes mots qui vont être employés par Beauvoir pour dénoncer toutes les sortes de crimes qui, d'une façon ou d'une autre, à petite ou à grande échelle, visent à éliminer l'existence de l'Autre. Qu'il s'agisse de la Deuxième Guerre mondiale, de la guerre d'Algérie, ou des crimes perpétrés par l'homme contre la femme, il n'y a pas de hiérarchie dans l'horreur. Nazi, tortionnaire, voilà les mots qu'utilise « La Femme rompue » pour crier l'horreur que lui inspire son mari, retrouvant ainsi, *a posteriori*, le lien qui unit toutes les guerres. Il ne s'agit pas de penser

---

37. *Deuxième Sexe*, I, 111.

bien sûr que Beauvoir range soudain tous les hommes dans la
même catégorie, ou que brusquement elle se soit mise à haïr
les hommes. Ce sont moins les individus qui sont en cause,
que les comportements, les rapports de force, les valeurs,
l'ordre dominant, l'Histoire qui n'avance qu'en éliminant
l'Autre. L'homme incarne, ou plutôt le masculin symbolise
désormais l'horreur – l'horreur passée et présente, dans les
relations entre individus ou entre peuples – l'horreur à bannir
pour que l'Autre survive. L'androgynie est et reste un idéal à
réaliser. Mais à partir de la guerre d'Algérie, elle cesse d'être
d'actualité.

LA TRAHISON DU PÈRE OU L'HISTOIRE EN QUESTION

L'imbrication du général et du particulier, c'est-à-dire
l'importance capitale du contexte historique pour Beauvoir
considérant la situation du « deuxième sexe » dans le monde
non plus dans une perspective idéaliste-philosophique, ni même
mythique-utopique, mais historique, est particulièrement bien
illustrée par *Les Belles Images*. En effet, la mutilation qu'a
subie Laurence, et qui menace sa fille, apparaît en premier
lieu comme étant directement provoquée par la société de
consommation capitaliste moderne dans laquelle elle vit et
qu'elle incarne si bien en tant que publiciste. A ce propos, il
faut rappeler que le livre fut publié en 1966, c'est-à-dire deux
ans avant l'explosion de 1968, et qu'il préfigure donc une
certaine critique *globale* de la société, du monde occidental,
et pas seulement de la situation de la femme dans cette société
– Laurence a un bon travail, elle est apparemment une femme
épanouie sur tous les plans, c'est une image sans aucun doute
plaisante d'elle-même, une « belle image » justement, que lui
renvoie cette société, il n'y a pas de critères matériels objectifs
à sa mutilation, elle est, en quelque sorte, *déjà* une « femme
libérée » – et cependant elle se rend compte qu'elle ne sait
plus ce qu'est la vie, qu'elle ne *vit plus* réellement, qu'elle est
en quelque sorte aliénée.

Mais l'aliénation de Laurence n'est pas seulement représentative du système capitaliste moderne. L'auteur a pris soin
en effet d'insérer la prise de conscience de cette aliénation

dans un cadre temporel et spatial beaucoup plus vaste faisant
apparaître les tares de la société moderne comme seulement
une des manifestations de l'histoire du monde occidental. A
travers le voyage qu'elle fait avec son père en Grèce, Laurence
remonte jusqu'aux origines et racines de la société actuelle,
la Grèce antique et l'époque de la stabilisation du patriarcat,
« de la révolution idéologique (la) plus importante qui subs-
titu(a) l'agnation à la filiation utérine [38] », c'est-à-dire le moment
où le Père prend le pouvoir. Beauvoir ne fait pas là que
renouer avec l'analyse faite près de vingt ans plus tôt dans
Le Deuxième Sexe ; par-delà la différence des genres, le propos
apparaît comme sérieusement plus radical. C'est toute l'histoire du monde occidental qui se rassemble sous les yeux de
Laurence, dans les images de la mutilation féminine, il n'y
eut jamais aucun progrès, le « choc » que crée la confrontation
avec l'Histoire se résume en tout cas pour elle à la prise de
conscience de l'immuabilité de la mutilation féminine :

> « Non, ce n'est pas à Delphes que la ligne s'est
> brisée. Mycènes. Peut-être est-ce à Mycènes. A quel
> moment exactement ? Nous avons gravi un chemin
> caillouteux ; le vent soulevait des tourbillons de pous-
> sière. Soudain j'ai vu cette porte, les deux lionnes
> décapitées et j'ai senti... était-ce là le choc dont mon
> père me parlait ? Je dirais plutôt une panique [39]. »

Elle voit la Grèce comme à travers un prisme qui concen-
trerait la lumière sur les seuls éléments du passé ou du présent
qui éclairent et lui permettent de comprendre sa situation
actuelle : « les lionnes décapitées » la renvoie à la mutilation
de sa personnalité, la petite fille qui danse à celle à venir de
sa fille, les Korai « belles, les lèvres retroussées par un sourire,
l'œil fixe, l'air gai et un peu bête [40] », aux « belles images »,
vieilles de bien des siècles, de la femme telle qu'aime à se la
représenter l'homme. Ce qu'elle découvre en fait, c'est que sa

---

38. *Le Deuxième Sexe*, I, 130.
39. *Les Belles Images*, coll. Folio, p. 160.
40. LBI, 167.

vie à elle « n'a rien à faire de ces ruines » [41] et qu'elle « se
sent étrangère à tous ces siècles défunts » qui cependant
« (l)'écrasent » [42]. L'Histoire n'a pas d'autre fonction que de
la renvoyer au présent de sa mutilation, que de rendre plus
évidente et plus oppressante sa mutilation présente. Car ces
« ruines » ne sont pas *son* Histoire, l'Histoire faite par elle,
pour elle, par elle et pour elle aussi, ce n'est que l'histoire de
la domination millénaire de la femme, de la mutilation qui
n'en finit pas de se poursuivre et de se reproduire ; l'Histoire
tout entière, pour la femme, est synonyme d'*aliénation*, au
sens propre du terme : elle appartient à l'Autre, *exclusivement*. Alors que Régine était obsédée par l'idée de réussir à
trouver sa place dans cette Histoire dont elle est exilée,
Laurence ne cherche même pas à sauver les apparences, elle
sait que « la ligne s'est brisée » [43], qu'il y a « une distance
infranchissable » [44] entre elle et ce passé, entre elle et son
père. Si elle s'est plu un temps à retrouver dans l'alphabet
inconnu le mystère enfantin du langage » et à espérer « que,
comme autrefois, le sens des mots et des choses (lui) vînt (de
son père) [45] » ; si elle a cru un moment pouvoir découvrir
« l'accord d'un ciel bleu et d'un goût fruité, avec le passé et
le présent rassemblés dans (le) visage cher [46] » du père, elle
sait désormais que la vérité, la réalité qu'elle doit découvrir,
personne d'autre qu'elle-même ne peut l'aider à la trouver.
« La ligne brisée » est à la fois celle qui ne la relie plus au
passé et celle qui menace de ne plus la relier à l'avenir. Le
père, qui transmettait l'héritage culturel, le Père en qui elle
espérait voir se rassembler le passé et le présent, afin de
pouvoir rassembler ensuite en elle-même le présent et le futur,
le Père symbolise toute une civilisation, une Histoire et une
culture qu'elle a aimées et qui l'ont trahie. Il est significatif
qu'il ne se révèle n'être finalement lui aussi qu'une « belle
image » :

41. LBI, 160.
42. LBI, 161.
43. LBI, 160.
44. LBI, 167.
45. LBI, 154.
46. LBI, 155.

« Elle respire trop vite, elle halète. Ce n'était donc
pas vrai qu'il possédait la sagesse et la joie et que son
propre rayonnement lui suffisait! Ce secret qu'elle se
reprochait de n'avoir pas su découvrir, peut-être qu'après
tout il n'existait pas. Il n'existait pas : elle le sait depuis
la Grèce. J'ai été *déçue*. Le mot la poignarde. Elle
serre son mouchoir contre ses dents comme pour arrêter
le cri qu'elle est incapable de pousser. Je suis déçue.
J'ai raison de l'être [47]. »

Lui aussi a trahi, lui aussi, comme le mari à propos duquel
d'ailleurs elle ne se faisait pas d'illusion, est prêt à sacrifier
la fille de Laurence, Catherine, pour que survivent les « belles
images », pour que le monde continue à faire semblant de
tourner rond, pour ne pas devoir regarder la vérité en face.
A force de ne regarder que vers le passé, on finit par ne plus
voir – ou bien, il faudrait peut-être plutôt dire qu'on ne
regarde que le passé pour ne pas devoir s'apercevoir – que
c'est l'avenir et la vie qu'« on est en train d'assassiner [48] » en
assassinant l'avenir de l'enfant, de la femme. Confrontée à
cette prise de conscience, la femme n'a plus qu'une seule
ressource, la dernière possible : le cri. Seul le cri, désormais,
peut défier l'enfermement, conjurer, peut-être, la mutilation à
venir, la mort d'un monde. Il faut que le cri soit entendu, le
cri qui dénonce l'ordre patriarcal et tout ce qu'il signifie, pour
que l'utopie, un jour, un jour peut-être, redevienne envisa-
geable...

L'ÉCRITURE DU CRI

L'écrivain, même mutilée de la foi qu'elle avait en l'homme,
dépossédée du projet essentiel de sa vie et de son œuvre, la
quête de l'androgynat, ne va cependant renoncer ni au combat
ni à l'écriture. Le temps de la foi, de l'utopie est certes révolu;
seul le cri de la révolte peut encore faire s'entrouvrir la porte

---

47. LBI, 179-180.
48. LBI, 158.

de l'avenir. Cette révolte *précède* dans l'écriture et accompagne dans l'action celles des mouvements féministes de la fin des années 60 et des années 70. L'écriture du cri est la dernière résistance de la femme mutilée, dépossédée du passé et craignant pour l'avenir – défiant le passé, le présent et l'avenir dans et par son écriture. Victorieuse malgré tout dans ce cri qui défie le temps.

Le présent escamoté

A la fin de *La Force des choses,* avant même de pousser le cri sur lequel s'achève l'œuvre et qui a fait couler tant d'encre : « j'ai été flouée » [49], Simone de Beauvoir fait le bilan suivant :

> « J'ai écrit certains livres, pas d'autres. Quelque chose à ce propos me déconcerte. J'ai vécu tendue vers l'avenir et, maintenant, je me récapitule au passé : on dirait que le présent a été escamoté. J'ai pensé pendant des années que mon œuvre était devant moi, et voilà qu'elle est derrière : à aucun moment elle n'a eu lieu. Ça ressemble à ce qu'on appelle en mathématiques une coupure, ce nombre qui n'a de place dans aucune des deux séries qu'il sépare. [...] Me remémorant mon histoire, je me trouve toujours en deçà ou au-delà d'une chose qui ne s'est jamais accomplie. Seuls mes sentiments ont été éprouvés comme une plénitude [50]. »

Bilan terrible. D'une lucidité sans complaisance, mais étrangement déroutée. Le présent a été escamoté. Et cependant qu'a-t-elle fait pour qu'il ne le fût pas? Il y eut, au cœur du présent, « les sentiments (qui) ont été éprouvés comme une plénitude ». Mais pas de livre qui retrace cette « plénitude » dans sa présence, dans la force de son présent. Henri, dans *Les Mandarins,* rêve d'écrire « un roman gai », c'est-à-dire un

---

49. FDC, 686.
50. FDC, 683.

roman « au présent » [51]. Ce « roman gai » ne verra jamais le
jour, ni Henri ni Beauvoir ne l'écriront. Que serait-il et
pourquoi ne fut-il jamais écrit? *Les Mandarins* ne nous livre
pas d'explication. A cette date-là, peut-être Beauvoir pensait-
elle encore l'écrire, un jour. Elle nous donne en tout cas, dans
le passage cité plus haut, quelques éléments de réponse.
D'abord, il apparaît que le présent qui aurait dû être le lieu
où s'effectue le joint entre le passé et l'avenir, où s'écrit la
plénitude des sentiments, se révèle être finalement le lieu de
la « coupure », de la rupture, où se creuse le fossé, insurmontable, entre le passé et l'avenir. Le présent devient le temps
où « se brise la ligne » du temps, où le passé ne rejoint plus
l'avenir, ni même le présent, où se brise le miroir dans lequel
l'individu se voit et se fait un, se rassemble de tous les côtés
du temps. Le présent ne réussit plus à être autre chose que
le temps de l'écriture de l'angoisse et de la mutilation. C'est
ainsi que les œuvres monophoniques sont écrites au présent.
En outre, si *La Force de l'âge* était tout entière tendue entre
l'engagement de véracité de l'avant-propos et la conclusion
situant l'œuvre dans l'espace dialectique entre réalité et utopie,
La Force des choses devrait être analysée dans la perspective
de la tension existant entre passé et présent, de ces irruptions
violentes et comme inéluctables du présent dans le récit au
passé, de cette longue agonie du passé finissant par rejoindre
le présent et devoir lui céder la place. Quand le présent du
journal surgit au milieu du passé de l'autobiographie, c'est
toujours (aussi bien d'ailleurs dans *La Force de l'âge* que dans
La Force des choses) que « l'anxiété » [52] rend impossible l'autre
écriture, celle qui tente de faire le lien entre le passé et
l'avenir [53]. Or, cette « anxiété » apparaît le plus souvent comme
la conséquence de l'irruption de la réalité sombre de l'Histoire,
de la guerre dans la vie de Beauvoir [54], de tout ce qui menace
de réduire à néant les efforts que fait l'individu pour maîtriser
son destin, pour construire sa vie. Sinon, les extraits du journal

---

51. *Les Mandarins* – coll. *Folio* I, p. 40 et 226.
52. FDC, 412.
53. Voir FDC, 82.
54. Voir FDC, 412 et FDA, II, 433.

sont rapportés parce qu'ils « livrent ce que (la) mémoire échoue à ressusciter : la poussière quotidienne de (la) vie » [55]. Formulation on ne peut plus ambiguë : le journal est le seul à pouvoir mettre en mots la dégradation de la vie en « poussière ». Il apparaît assez évident que les lettres ne font pas autre chose. Dans le présent du journal, ou des lettres, la vie *se défait* plus qu'elle ne se construit. Ou bien disons qu'elle tente de ne pas sombrer : les mots s'alignent comme les instants dont ils semblent subir le diktat intraitable. Diktat de l'Histoire et du temps, éparpillement des actes et des choses dans le monde loin de tout rassemblement possible dans un projet : voilà ce que subit et transcrit le présent. Voilà ce qui explique, en partie au moins, qu'à aucun moment, le présent ne réussisse à être le temps de l'écriture de la plénitude. Dans le présent, Beauvoir est confrontée à « la force des choses », à la résistance et à l'opacité du monde et de l'existence. Dans le présent, elle est confrontée à sa propre impuissance. Le présent lui impose l'Histoire comme aliénation, la dépouille de son rêve d'une autre Histoire.

Et cependant, malgré ce constat d'échec, Beauvoir persiste à penser qu'il y a une explication à tout cela, que les choses ne sont pas irrémédiablement telles qu'on veut trop souvent les faire apparaître, par défaitisme, par faiblesse, parce qu'il est plus facile d'invoquer la fatalité ou l'opacité du monde, etc., que d'essayer de le changer. Beauvoir reste convaincue du pouvoir et des forces de l'être humain, et que l'inertie du monde peut être surmontée. L'opacité est chez Beauvoir avant tout *le résultat* de la mutilation : il n'y a d'opacité que lorsque le miroir s'est brisé. La femme mutilée n'est pas née mutilée : on l'a faite ainsi. « Me remémorant mon histoire, je me trouve toujours en deçà ou au-delà d'une chose qui ne s'est jamais accomplie [56]. » Qu'est-ce que cette « chose qui ne s'est jamais accomplie » et qui puisse expliquer que le présent n'ait jamais « eu lieu » dans l'œuvre? Que le présent soit le lieu de la coupure et de la mutilation? Qu'il n'ait pu être le temps de l'expression de la plénitude des sentiments? Qu'est-ce qui fait

---

55. FDC, 82.
56. FDC, 683.

que Beauvoir ait en quelque sorte si longtemps refoulé le présent comme temps de l'écriture? Elle a « vécu tendue vers l'avenir », espérant sans doute le rejoindre un jour, le construisant, le préparant, attendant, comme Henri, de pouvoir écrire le « roman gai », un roman, probablement, où s'accomplirait l'être androgyne, où se réaliserait ou se profilerait l'utopie. Un roman à deux? Un roman en tout cas où le passage de l'un à l'autre, où la rencontre avec l'autre puisse *avoir lieu* dans le présent de l'écriture. Le sujet du « roman gai » d'Henri, ce serait peut-être le présent se déroulant du face-à-face d'Anne et d'Henri, du frère et de la sœur tous deux présents autour du livre en train de s'écrire. Je crois que si pendant si longtemps Beauvoir a cherché à écrire l'utopie en projetant l'avenir dans le passé, et le passé dans l'avenir, c'est que le présent menaçait l'utopie également dans la mesure où il risquait de s'avérer, au présent, que la présence de l'autre *par la faute de l'homme,* n'était qu'absence. La chute dans l'Histoire, c'est cela aussi : c'est la prise de conscience que l'homme et la femme n'habitent pas le même temps; qu'il n'y a pas de passage d'un temps à l'autre, que l'homme n'est pas là où il *devrait* être. Quand l'homme habite l'Histoire, et que la femme en est exilée; ou bien quand la femme habite seule le présent parce que l'homme ne fait que semblant de vivre, et que, tout entier tourné vers le passé, voué corps et âme au passé, il a désappris de vivre au présent de son corps et de ses sentiments, de sa spontanéité et de ses sensations, le présent s'avère être le temps du non-passage, du non-dépassement, de la non-rencontre. La « coupure » du présent n'est-ce pas en quelque sorte la mutilation que Zeus fit subir aux êtres primitifs, androgynes, radieux, orgueilleux, trop orgueilleux et trop puissants pour celui/ceux qui cherchent à dicter l'Histoire? Le présent se révèle être le temps d'où l'autre, virtuellement présent, est réellement absent. Le temps dans lequel la femme vivait ou voudrait vivre, entière et entièrement, et dans lequel elle est désormais enfermée, faute de l'autre. La plénitude des sentiments de l'un ne suffit pas, si l'autre ne répond pas. Il ne peut y avoir plénitude quand l'autre en miroir fait défaut. Quand l'autre en miroir fait défaut, il ne peut y avoir d'écriture que de la mutilation. La « chute » de la femme, ce n'est pas le soi-disant « péché », ce n'est pas l'amour. La femme ne « tombe » pas d'amour; elle ne tombe – et ne meurt à demi – que de s'apercevoir qu'elle est seule à habiter le présent, et qu'elle a été exclue du passé et de l'avenir, que l'autre fait défaut, et que l'on a *érigé* la frontière transgressable *en mur*. La terrible découverte que fait Régine dans *Tous les hommes sont mortels* est que « le regard » de Fosca « dévaste l'univers » [57] : il l'a « dépouillée de son être » [58], de son don pour vivre et aimer la vie, sans pour cela lui offrir quoi que ce soit d'autre à la place, pas même ce temps qui n'appartient qu'à lui, le passé. Son regard d'immortel ne voit pas l'Autre, il le nie, l'anéantit, le *pétrifie* – la Gorgone, c'est lui :

> « Les yeux de l'homme la fixaient avec une insistance qui aurait dû paraître insolente; mais il ne la voyait pas. Elle ne savait pas ce qu'il voyait, et pendant un moment elle pensa : est-ce que je n'existe pas? N'est-ce pas moi? Une fois elle avait vu ces yeux, quand son père tenait sa main, couché sur son lit, avec un râle au fond de la gorge; il tenait sa main et elle n'avait plus de main. Elle resta figée sur place, sans voix, sans visage, sans vie : une imposture. Et puis elle reprit conscience; elle fit un pas. L'homme ferma les yeux. Si elle n'avait pas bougé, il lui semblait qu'ils seraient demeurés face à face pendant l'éternité [59]. »

C'est par le cri que Régine rejoint la vie, celle malgré tout encore à venir – et que le roman s'achève :

> « Ce fut quand l'heure commença de sonner au clocher qu'elle poussa le premier cri [60]. »

Le présent d'où l'autre est absent, ne peut être que la pierre d'achoppement d'une poétique qui se définit dans la quête de l'autre.

---

57. FDC, 78.
58. *Tous les hommes sont mortels*, coll. Folio, 527.
59. TLHSM, 21.
60. TLHSM, 528.

LA BOUCHE DE LA MÈRE OU L'AUTRE RETROUVÉE

Une Mort très douce est peut-être le livre le plus bouleversant de Simone de Beauvoir. C'est le livre où la bouche
de la fille accomplit le cri que n'a pu pousser la bouche de la
mère. Le cri stupéfiant, inopiné, le cri surgi du plus profond,
trop longtemps tu, le cri où l'autre se révèle être le même, où
le même s'identifie à l'autre, surgi de la même bouche, du
même sexe :

> « Stupeur. Quand mon père est mort, je n'ai pas
> versé un pleur. J'avais dit à ma sœur : " Pour maman,
> ce sera pareil. " Tous mes chagrins, jusqu'à cette nuit,
> je les avais compris : même quand ils me submer-
> geaient, je me reconnaissais en eux. Cette fois, mon
> désespoir échappait à mon contrôle : quelqu'un d'autre
> que moi pleurait en moi. Je parlai à Sartre de la bouche
> de ma mère, telle que je l'avais vue le matin et de tout
> ce que j'y déchiffrais : une gloutonnerie refusée, une
> humilité presque servile, de l'espoir, de la détresse, une
> solitude – celle de sa mort, celle de sa vie – qui ne
> voulait pas s'avouer. Et ma propre bouche, m'a-t-il dit,
> ne m'obéissait plus : j'avais posé celle de maman sur
> mon visage et j'en imitais malgré moi les mimiques.
> Toute sa personne, toute son existence s'y matériali-
> saient et la compassion me déchirait [61]. »

L'autre retrouvé n'est pas celui qu'on attendait. C'est celle
« qui pleure en moi », celle qui a « été flouée », « cette part
d'échec qu'il y a dans toute existence [62] », cette part d'échec
commune à l'existence de toutes les femmes en mal d'accomplissement. La communion avec cet(te) autre-là n'est pas celle
de l'accomplissement, c'est celle de la perte, de la mutilation
et de l'échec, mais il y a communion, il y a présence de l'autre

---

61. *Une Mort très douce,* coll. Folio, p. 43-44.
62. Cf. préface à *Une Femme rompue.*

dans le même cri. L'autre est le surgissement de la même en dedans. L'autre est celle qui crie du dedans. C'est celle qui ne peut être révélée que dans le cri, et non dans le regard, puisqu'elle vient du dedans, du Même. C'est l'autre, mutilée de l'Autre, réduite au Même. C'est l'Autre, quand le miroir est brisé. C'est presque la même : c'est la mère morte, c'est la femme peut-être malheureusement à venir, ce sont tant d'autres femmes appartenant à un autre espace ou à un autre temps, réunies dans le même cri : NON, crie Laurence [63], tentant de préserver sa fille de la mutilation. C'est dans l'écriture du cri que se trouve finalement réalisé le passage du passé au présent, du présent à l'avenir. Le temps est rassemblé dans le cri. Quand le miroir est brisé, il reste le cri.

                                        Françoise RÉTIF

63. LBI, 180.

Sabine Mamou

LA PEAU DU VENTRE

France Fatter était la fillette que j'admirais le plus. Pourtant, quand je me souviens d'elle, c'est sa photo d'adolescente que je revois, celle qu'elle m'envoya de Nîmes, où sa famille s'était installée. Elle est assise par terre, sa jupe en vichy étalée autour d'elle, et avec sa queue-de-cheval, sa taille mince, elle ressemble à une actrice de *Cinémonde*. Moi, j'étais mal partie, mal fagotée, bien mal embouchée. J'habitais le pays des betteraves, et, sa photo à la main, je comptais les sacs de charbon que le livreur engouffrait dans la cave. Je ne me souviens pas de ce que j'avais obtenu en contrepartie, j'étais de ceux qui n'obtiennent jamais rien sans rien. Et j'avais mal aux pieds. Mes pieds nus, habitués au marbre, ramassaient les échardes des parquets et s'infectaient. Je ne voulais ni des patins, ni du froid, ni des odeurs, ni de l'accent, ni de plus d'argent. Je voulais pareil, comme avant.

Avant, dès les premières chaleurs, mon père louait à Sainte-Monique, pour l'été, une villa au bord de la plage. Ma mère s'appelait Monique, mais personne, à la maison, ne m'en parlait. Parfois, j'entendais mon père et ma nourrice chuchoter son nom, mais dès que je m'approchais, ils se taisaient. A force, je m'étais attiré la réputation de fureteuse. Quand Sainte-Monique fut, à l'indépendance, renommée Saïda, je perdis la possibilité de prononcer le nom de ma mère à haute voix. Nous appelions les lieux par leurs nouveaux noms, Jules Ferry avait perdu son avenue, Habib Bourguiba l'avait supplanté, mais l'école restait obligatoire, avec une matière de plus, l'arabe, pas celui que nous parlions, un autre, et que nous apprenions à décliner, *bèèbe, bébboun,* la porte. *Bèèbe,* pas *Bab,* comme dans Bab Sidi Abdelouahab, le nouveau nom de la Porte de France qui continuait à mener à la ville arabe. Elle avait perdu sa statue du Cardinal de Lavigerie. Certains disaient que les pères blancs l'avaient transportée à Jérusalem ; le père des pères blancs dans le pays des Juifs, ça m'intriguait. Enfin, au moins, ma tante Eliette, ma préférée, la majestueuse qui ne pouvait pas s'asseoir dans un fauteuil, sera moins dépaysée à retrouver la statue en allant faire ses courses. *Bèèbe,* mettez bien l'accent sur le *èè.* Sur un signe de notre maître, nous nous levions et avancions vers lui, la main tendue, les doigts repliés. Arrivés devant son bureau, nous attendions. Il s'attardait. Puis, sans que jamais nous ne l'ayons vu venir, le coup de règle. Deux si nous nous mettions à pleurer. Trois si nous le regardions droit dans les yeux. Sur mes doigts aux ongles rongés, parfois rouges du sang qui perle, parfois marron de la teinture d'aloès dont on me badigeonne. Un, deux ou trois coups. Avec la règle en fer qu'il m'avait confisquée, celle que mon père m'avait rapportée de Paris-Capitale. J'avais espéré qu'il me ramènerait ma mère, peut-être menait-elle là-bas la mauvaise vie, peut-être sa mauvaise réputation empê-chait-elle qu'on en parle tout haut. Son nom arabe, *Nejma,* étoile, était resté gravé sur la porte de la villa où j'étais née, que mon père avait dû vendre et mes doigts caressaient de droite à gauche, dans l'air le souvenir des lettres, noun, jim, mim. J'étais fille d'une étoile, celle que j'attendais la Nuit du destin, sur la terrasse. « Mon amour, mon cœur, mon foie, me disait ma nourrice, fais un vœu et regarde le ciel, quand tu le verras s'ouvrir, ton vœu s'accomplira. » Je faisais le vœu de voir l'étoile et blottie contre ma nourrice qui sentait la javel et le tabac à priser, je m'endormais. Le jour de l'indé-pendance aussi, nous étions montés sur la terrasse et nous avions crié avec les autres : « *Aouja,* Bourguiba ! » en agitant des drapeaux. Les klaxons nous accompagnaient, deux coups suivis de trois coups. La dissonance, les trois coups, suivis de deux coups, qui scandèrent Al-gé-rie fran-çaise, nous ne les avons pas entendus tout de suite. En principe, j'aimais les fêtes collectives, surtout Roch Ha Shana et Ras Sana ; nous nous souhaitions *Shana tova* en mordant dans de gros beignets frits et dégoulinant de miel, ou *Sana saïda* tandis que mon père cassait au marteau des pots de terre achetés au marché arabe et remplis de zlébias, délicates spirales translucides, plus sucrées que le sucre. La célébration de la troisième année nouvelle, la chrétienne, me faisait peur, avec sa malédiction à laquelle ma mère n'avait pas échappé : « Bonne année, bonne santé, 'Nch Allah qu' tu crèves à la fin de l'année. » Et la devinette : « Comment appelle-t-on celui qui a tué son père et sa mère ? Un orphelin ! », je la prenais pour moi, orpheline, ayant assassiné ma mère à petit feu, tout au long du mois qui avait suivi ma naissance, en décembre. Mais j'avais aimé le jour de l'indépendance, et la biche en sucre rose avec la permission de la manger tout entière et le mot indépendance. Plus tard, quand à chaque boutiquier juif fut imposé un gérant musulman, nous sommes devenus si dépendants que nous sommes partis.

Là-bas, je retrouvais France chaque été. Elle était Française, parlait le français de France, vouvoyait ses parents, et disait volontiers : « Père, je vous emmerde. » Elle n'accueillait pas chabat, n'embrassait pas la main de son père, ne recevait pas sa bénédiction et n'était pas tenue de se reposer l'après-midi. Son père fabriquait des parfums, le mien était garagiste. Mon père m'a aimée, j'en suis sûre, le jour où je hurlais, en sang, dans les figues de Barbarie, à l'heure où j'aurais dû faire la sieste. Le mur de terre qui séparait notre maison de celle des Fatter s'était écroulé sous moi, un pieu rouillé m'avait ouvert le menton. Au lieu de me gronder, me priver de dessert, ou de France, mon père m'a portée, emportée, ravissement de Sabine. Et, recousue, piquée contre le tétanos, presque débarrassée des épines, j'eus l'autorisation d'aller passer une soirée et une nuit chez France.

J'avais emporté mon goûter favori, un quignon de pain évidé, dans lequel ma nourrice avait versé de l'huile d'olive et du sucre avant de le reboucher avec la mie. Des gestes que je fais aujourd'hui pour ma fille, comme des prières. France préférait le beurre. Moi, le beurre, j'avais laissé tomber, j'avais trop peur de me tromper, fallait-il attendre une heure entre le beurre et la viande et trois heures entre la viande et le beurre, ou le contraire ? Elle m'entraîna dans la cuisine et fit du caramel. Du sucre mêlé au jus de citron. Quand de petites

perles se forment à la surface, retirer le sirop du feu, le verser
en boules de la grosseur d'une noix sur le plan de travail en
marbre préalablement huilé, puis enrouler chaque boule autour
d'un bâton pour en faire une sucette. A la maison, il y a un
jour pour le sucre, et le sucre ne sert qu'à s'épiler. La femme
qui remplace ma mère, celle que mon père a épousée, surveille
la cuisson du sucre, et quand il devient blond, elle crache
dedans, exprès, puis me regarde. Elle quitte la cuisine et me
laisse avec le sucre qui refroidit. Elle revient, étire le sucre,
le triture, le prend entre le pouce et l'index, et quand elle
écarte les doigts, un fil se tend sans se rompre. Alors, elle
étale la pâte sur sa peau à rebrousse-poil, tire dans le sens du
poil, mais pas complètement. Vite, après un geste continuel,
ses jambes deviennent lisses, et ses bras et ses aisselles aussi.
Elle part se doucher, passe une robe décolletée, met du rouge
baiser et attend mon père. Elle est belle. Sur la salade de
carottes, maintenant qu'elles sont bien écrabouillées avec l'ail,
l'huile, le citron, l'arrissa et le carvi, et qu'elles sentent si bon,
elle fait des dessins avec la fourchette. Si j'en pique, ça se
verra.

Du dîner chez France, je ne me souviens que de la frisée
à l'ail et de l'île flottante. A l'affût de nouvelles de ma mère,
j'écoutais les Fatter et leur invité. Je savais que M. Fatter
avait fait de la résistance quand un grand malheur, pire que
Ticha Béav, s'était abattu sur nos têtes : une guerre mondiale
contre les Juifs. Mon père, avec ses coreligionnaires, comme
il disait, avait creusé puis rebouché des trous à Menzel Tmim.
Et il n'avait pas réussi à réunir l'argent exigé. Quand je
pensais à la nuit qu'il avait passée à frapper aux portes, je
voyais aussi la vaillante chèvre de Monsieur Seguin. Au matin,
il attend, seul, les Allemands ; il entend des moteurs, voit un
nuage de poussière, découvre les Américains. Sur un des murs
de la synagogue, je lisais : « A Monsieur Raymond, déporté »
pendant qu'à Kipour les enchères montaient : *Miai ou tletine,
miai ou arbaïne, miai ou hamsine.* Je savais par cœur l'article
de journal que m'avait donné mon père : « Nécrologie. Ce
samedi 1er courant ont eu lieu à Nabeul les obsèques de
Mme Roger Mamou, épouse du conseiller municipal et président du comité de bienfaisance de notre ville. La population
de Nabeul, sans distinction de confession, a tenu à accom-

pagner la défunte, disparue à la fleur de l'âge, après une longue et douloureuse maladie, jusqu'à sa dernière demeure. Les obsèques ont eu lieu au milieu d'une grande affluence. Nous avons remarqué notamment la présence de Monsieur Ganiès, contrôleur civil du Cap-Bon et Madame, M. Martin, contrôleur civil de Nabeul et Madame, Madame Vve Scelos, MM. Karila et Mamou, grands conseillers, M. le docteur Abdelmoula, directeur adjoint de la Santé publique, MM. Mohsen, Khalifat, Djani, vice-présidents de la Municipalité, ainsi que MM. les conseillers municipaux et le receveur municipal, M. Morazzani, chef du poste de police, M. Jagauhe, adjudant de la gendarmerie, etc. Nous adressons en cette pénible circonstance à toutes les familles que cette perte douloureuse met en deuil l'expression de nos plus vives et plus sincères condoléances. » Mais certaines personnes avaient réapparu, qu'on croyait mortes. Peut-être n'était-ce pas ma mère qui était enterrée au cimetière de Nabeul. On avait bien enterré à Paris-Capitale un soldat inconnu que personne ne voulait déterrer pour le reconnaître. Peut-être allait-elle revenir. Honteuse, sûrement, d'avoir tant tardé, mais vivante et qui me reconnaîtrait, bien que j'aie huit ans déjà.

Après avoir trempé une pierre de sucre dans le café de M. Fatter, France et moi sortîmes de table, pour nous cacher en dessous. La nappe nous rendait invisibles et nous laissait dans le noir. Au pied de la table, le bol avec le reste de caramel. Nous devions laisser glisser la main le long du pied de la table, atteindre le bol, enrouler le sucre autour de deux ou trois doigts et sucer. Sans s'en mettre partout. C'était le jeu. Au-dessus de nous, soudain, le brouhaha devint net.

L'invité des Fatter disait : « A l'un des jumeaux, il a enlevé toute la peau des mains, et décollé la peau du ventre, et mis les mains dans la poche du ventre, comme un kangourou, et recousu la peau du ventre et il a laissé le malheureux cicatriser. »

Cette nuit-là, je couchai dans la chambre de France. Au pied de mon lit, du caramel encore. Immobile, les bras le long du corps, j'écoutais la respiration de France sans savoir si elle dormait déjà.

Mon père m'avait dit un jour : « Laisse le laurier, c'est du poison. » Le rose ou le blanc ? La route de la plage était belle, bordée du rose et du blanc. Ce fut amer, sans même le goût de l'odeur. Et le goudron, le goudron de la route qui fondait au soleil, ce n'était pas non plus du poison, une fois les graviers ôtés, ça ressemblait aux chiclets à la réglisse, c'était délicieux.

Sabine MAMOU

POUR MUMIA ABU-JAMAL

Claude Lanzmann, E.L. Doctorow, Léonard Weinglass, Marie-Claire Mendès-France, Jacques Derrida, C.S.P.P., Julia Wright

Claude Lanzmann

Réfléchissant à Mumia et à ce que j'allais dire ce soir [1], je pensais que ma vie déjà longue avait été jalonnée de sinistres repères. Je me souviens d'un été à Venise, il y a quarante-trois ans, cette même Venise qui a fait de Mumia son citoyen d'honneur le 18 octobre dernier, je me trouvais sur un vaporetto, j'avais rendez-vous avec Jean-Paul Sartre pour aller visiter le petit théâtre de Vicenze. Je devais le rencontrer à la gare et j'ai ouvert *L'Unita*. Une grande manchette barrait la page : « I Rosenberg sono stati assassinati. » Le visage de Sartre était fermé de douleur et de colère ; il m'a dit : « On n'a pas très envie d'aller au théâtre. Il s'est enfermé tout l'après-midi et toute la nuit pour écrire un article qui a été publié le lendemain matin dans *Libération* ; l'autre *Libération,* pas celui d'aujourd'hui, et je me souviens encore de la première phrase de son texte : « Les Rosenberg sont morts et la vie continue. » Il ne faut pas que nous puissions demain ouvrir un journal et y lire : « Mumia Abu-Jamal a été assassiné. » Il ne faut pas non plus que nous ayons à écrire : « Mumia Abu-Jamal est mort et la vie continue. » De toute façon elle ne continuerait pas de la même manière.

---

1. Ce texte reproduit l'intervention de Claude Lanzmann lors du rassemblement du 9-12-1996, devant la Fontaine des Innocents, à Paris. Les autres orateurs étaient : Marie-Claire Mendès-France, Jacques Derrida et Jacques Gaillot.

Je me souviens aussi, c'est une autre période, pendant la guerre d'Algérie, des nuits d'exécutions capitales, quand nous savions que des militants algériens, deux, trois ou plus, seraient guillotinés à l'aube dans la cour d'une prison française ou algérienne, et tentant désespérément, avec Simone de Beauvoir et quelquefois Sartre, d'appeler à 11 heures du soir François Mauriac pour que lui-même intercède dans la nuit auprès du général de Gaulle, afin que celui-ci revienne sur son refus de gracier. Evidemment rien n'y a fait.

Je me souviens de notre mobilisation pour Julian Grimau, le dernier garrotté du franquisme. Mais je me souviens aussi de tous les prisonniers de droit commun, ou des droits communs politiques – la frontière on le sait est fragile – guillotinés jusqu'en 1981. Je me souviens de Jacques Fesch montant à l'échafaud comme un saint mais autant de la douleur que nous éprouvions tous chaque fois que quelqu'un était guillotiné en France jusqu'en 1981, année où précisément Mumia Abu-Jamal a été pris dans l'engrenage infernal dont nous essayons de le sortir aujourd'hui.

La question qui se pose est celle-ci : comment peut-on infliger la mort comme peine ? Quelle que soit la réponse qu'on prétend donner à cette question, il s'agit toujours d'un assassinat légal. Aujourd'hui, les Etats-Unis, qui prétendent intervenir partout dans le monde là où les droits de l'homme sont bafoués, qui se présentent à nous comme les champions et les gendarmes d'un ordre humanitaire, violent chez eux allègrement ces mêmes droits humains. Ils ont restauré la peine de mort après l'avoir abolie. Ils détiennent le triste record du nombre des condamnés à la peine capitale – plus de trois mille – et peut-être approcheront-ils leur grand allié, l'Arabie saoudite, en ce qui concerne le nombre des exécutions effectivement accomplies. La peine de mort aux Etats-Unis semble être la solution à beaucoup de problèmes qu'apparemment ils ont beaucoup de mal à affronter – à l'exclusion, aux taudis, aux problèmes sociaux, politiques, etc. Comme l'a dit le cardinal archevêque de New York, le cardinal O'Connor, il faut en finir avec cette culture de mort. Prononcer des condamnations à mort c'est une réponse facile, une sorte de réponse à tout. Et l'on sait que le gouvernement américain a maintenant les moyens législatifs pour accélérer les procédures et diminuer les possibilités d'appel.

Nul d'entre nous ne peut dire ce qui s'est passé à Philadelphie en cette nuit du 9 décembre 1981. Nous n'y étions pas. Mais c'est notre conviction intime que Mumia, gravement blessé, retrouvé baignant dans son sang, poumons et reins perforés par les balles d'un policier, frappé, piétiné, tabassé malgré ses blessures dans le fourgon qui l'emmenait à l'hôpital, c'est notre conviction que Mumia est innocent, victime de la haine raciste, condamné à mort parce qu'il était un militant politique, « la voix des sans voix » comme on l'appelle, après un procès inique et bâclé, entaché des plus graves irrégularités : menaces à témoin, faux témoignages, subornation de témoin.

Mais il y a Mumia, l'homme Mumia. Ces quinze années d'attente dans le couloir de la mort ont fait de lui un être humain d'une trempe inégalable. Regardez-le, lisez-le. Regardez son sourire éclatant, son visage de lutteur, entièrement sculpté par l'abnégation et l'oubli de soi. Lisez les textes de son livre avec la si belle préface de Jacques Derrida, textes d'une tranchante intelligence, d'un homme qui s'est fait écrivain pour mieux se défendre, défendre ses frères, dénoncer l'injustice et les faux-semblants pour mieux dire le vrai. Pensant à lui, pensant à ses quinze années de torturante attente dans le couloir de la mort, je ne pouvais m'empêcher de le comparer à Nelson Mandela avec ses vingt-huit ans passés au pénitencier de Robin Island, à cette différence près, que les juges de l'Afrique du Sud de l'apartheid, pressentant sans doute la grandeur et le destin à venir de celui qu'ils jugeaient, n'avaient pas osé le condamner à mort. Que se serait-il passé pour l'Afrique du Sud et pour l'humanité si Mandela avait été pendu ? Mumia Abu-Jamal est fait du même acier que le président de la nouvelle Afrique du Sud. Allons-nous laisser tuer ce courage et cette intelligence ?

Claude LANZMANN

Pour des raisons de bouclage nous ne pouvons rien ajouter à ce dossier malgré les nouvelles les plus alarmantes que vient de nous faire tenir l'avocat de Mumia Abu-Jamal.

T.M.

E.L. Doctorow

TANT QU'IL Y AURA
DES COULOIRS DE LA MORT

Juste avant 4 h du matin, le 9 décembre 1981, dans un quartier malfamé du centre de Philadelphie, Daniel Faulkner, policier, force une Coccinelle Volkswagen à stopper et interpelle son conducteur, William Cook : il roulait en sens interdit. Peut-être par intuition d'ennuis à venir, ou bien parce que la situation est déjà difficile, Faulkner envoie un message radio pour demander de l'aide. Lorsque ses collègues arrivent sur les lieux, ils le trouvent gisant sur le sol : il a reçu des balles dans le dos et le visage. Non loin de lui, couché lui aussi dans une flaque de sang, le frère de W. Cook, un journaliste indépendant et militant noir qui a pris le nom de Mumia Abu-Jamal (pour l'état civil, Wesley Cook).

M. Abu-Jamal, qui complétait ses revenus en conduisant un taxi la nuit, a fait par la suite le récit suivant : il passait par là au volant de son taxi, et, voyant un policier frapper son frère, il s'est arrêté pour intervenir en sa faveur. Son pistolet, un calibre 38 pour lequel il avait un permis de port d'arme et qu'il avait acheté après avoir été dévalisé à deux reprises, a été retrouvé sur les lieux.

Faulkner est mort à l'hôpital de Jefferson University une heure après avoir été blessé. M. Abu-Jamal y a subi une intervention chirurgicale : une balle tirée par le revolver du policier avait perforé sa poitrine et s'était logée près de sa colonne vertébrale.

M. Abu-Jamal, qui proclame son innocence, est inculpé d'homicide volontaire et passe en jugement au début de 1982.

Selon l'accusation, il s'est approché du policier par-derrière et lui a tiré dans le dos, le policier s'est écroulé en tirant à son tour, puis M. Abu-Jamal, malgré sa blessure, s'est penché au-dessus de Faulkner et a tiré le coup fatal dans la figure du policier. L'accusation présente deux témoins oculaires qui identifient M. Abu-Jamal comme étant l'homme qui a abattu le policier, et un troisième qui est moins sûr de son fait. Elle fait également état d'une expertise balistique selon laquelle la balle extraite du corps du policier serait du même type (à grande vitesse initiale) que celles du pistolet de M. Abu-Jamal. Deux autres témoins affirment avoir entendu M. Abu-Jamal avouer sa responsabilité dans la mort du policier, au cours de son séjour à l'hôpital.

Parce qu'il n'a pas les moyens de payer un avocat, il choisit d'assurer sa propre défense. Le président du tribunal, Albert Sabo, se plaint de ce que M. Abu-Jamal passe trop de temps à interroger les jurés et le remplace donc par un avocat commis d'office, qui déclare lui-même qu'il est peu désireux de s'occuper de cette affaire. M. Abu-Jamal présente une objection et finit par être expulsé de la salle d'audience : ce n'est que la première expulsion d'une longue série. De ce fait, il n'assistera pas à plusieurs moments importants du procès.

M. Abu-Jamal est aussi confronté à un autre problème : son frère se montre incapable de témoigner en sa faveur, à moins qu'il ne refuse de le faire. Selon les défenseurs de M. Abu-Jamal, William Cook a eu à plusieurs reprises des problèmes liés à l'usage de stupéfiants, et il est terrifié à l'idée d'encourir une sanction policière. (Il serait, à l'heure actuelle, sans domicile fixe ; cela fait un an qu'on ignore où il se trouve [1].) Le 2 juillet 1982, Mumia Abu-Jamal a été déclaré

---

1. Depuis la parution dans le *New York Times* le 14 juillet 1995 de ce texte, William Cook, le frère du condamné à mort, s'est présenté, début septembre 1995, à la défense en indiquant son désir de témoigner pour disculper son frère. Le juge Sabo a alors fait savoir que si le frère de Mumia témoignait à décharge, il le ferait arrêter. C'est d'ailleurs ce qui devait arriver à un autre témoin, Veronica Jones, le 1er octobre 1996 alors qu'elle fit état à la barre de l'intimidation policière exercée à son encontre et du marché qui lui fut proposé par la police afin qu'elle devienne témoin à charge. Quant

coupable d'homicide volontaire et condamné à mort par le juge Sabo. Cela fait maintenant quatorze ans qu'il est dans le quartier des condamnés à mort. Ses appels ont été rejetés et son exécution doit avoir lieu à 22 h, dans la nuit du 17 août [1995]. Mais l'ordre d'exécution, signé par le nouveau gouverneur de Pennsylvanie, Tom Ridge, est émis au moment même où des doutes sérieux portant sur le dossier de l'accusation sont formulés par les avocats actuels de M. Abu-Jamal – qui sont peut-être ses premiers défenseurs compétents. (Ils se contentent d'honoraires extrêmement faibles, financés en grande partie par les fonds collectés par plusieurs comités de défense qui se sont formés au fil des années.)

Les avocats ont demandé en juin que le juge Sabo se retire de cette affaire ; d'après le Fonds pour l'éducation et la défense judiciaire de la NAACP *(National Association for the Advancement of Colored People)*, ce magistrat a prononcé un nombre de peines capitales plus de deux fois supérieur à aucun autre juge des Etats-Unis. Ils ont demandé qu'on sursoie à l'exécution et qu'un nouveau procès ait lieu, mais le juge Sabo a refusé de se retirer et de signer le sursis [2].

La formulation de la requête des avocats donne à penser que les éléments de preuve en vertu desquels M. Abu-Jamal a été condamné ne résistent pas à un examen attentif. Deux témoins ont soutenu que c'était lui qui avait tiré ; l'une de ces deux personnes était une prostituée sur laquelle pesaient

---

à William Cook, sur l'avis de l'avocat principal de Mumia, il a décidé de rester introuvable tant qu'il n'y aurait pas, dans le contexte d'un nouveau procès, des garanties lui permettant de témoigner en toute sécurité physique.

2. Sous la pression d'une campagne tant nationale qu'internationale marquée à l'extérieur par les interventions à titre humanitaire de Nelson Mandela, Vaclav Havel, Jacques Chirac, le Parlement international des Ecrivains, les Parlements italien et japonais, un émissaire d'Helmut Kohl, etc., ce sursis fut prononcé le 7 août 1995 par le juge Sabo. Quoique le gouverneur Ridge ait alors annoncé qu'il ne signerait pas d'autre mandat d'exécution tant qu'il resterait à Mumia un droit d'appel, il n'a pas précisé s'il parlait là au niveau de l'Etat dont il est gouverneur ou s'il reconnaît au-delà des cours de l'Etat, le droit d'appel ultime auprès de la Cour fédérale.

plusieurs inculpations, l'autre un chauffeur de taxi en liberté surveillée après avoir été condamné pour incendie volontaire.

Personne n'a vu la prostituée sur les lieux, au moment des faits. Selon la déposition d'un témoin, elle est arrivée alors que tout était fini et a demandé à des badauds ce qui s'était passé. Elle a pourtant affirmé devant le tribunal qu'elle avait vu M. Abu-Jamal brandir une arme à feu. (Par la suite, les poursuites engagées contre elles ont été arrêtées.)

Le témoignage du chauffeur de taxi corroborait celui de la prostituée ; mais la nuit même du crime, il avait fait une déposition totalement différente, indiquant que le tueur n'était pas M. Abu-Jamal, qui pèse moins de 80 kg, mais un homme corpulent, semblant peser une centaine de kilos, qui était parti en courant.

Quatre autres témoins que l'on n'a jamais fait venir à la barre, et notamment une femme dont l'appartement avait vue sur le carrefour, ont également signalé qu'ils avaient vu un homme s'enfuir. Pourtant la police n'a jamais entrepris la moindre enquête au sujet de la présence possible d'un autre homme armé.

Un examen des données balistiques montre que la police n'a fait aucun effort pour savoir si le pistolet de M. Abu-Jamal avait servi cette nuit-là. De surcroît, l'expert médical de la police est lui-même arrivé à la conclusion que la blessure fatale du policier avait été faite par une balle de calibre 44. Or, l'arme de M. Abu-Jamal était un calibre 38.

Les deux témoins qui se trouvaient dans la salle d'attente de l'hôpital avec M. Abu-Jamal et qui ont affirmé l'avoir entendu crier sur un ton de défi qu'il avait abattu Faulkner se sont avérés être le meilleur ami du policier, qui avait de plus travaillé avec lui, et un vigile de l'hôpital qui était également un ami. Le registre tenu ce soir-là par le collègue de Faulkner ne mentionne aucun aveu. La semaine suivante, dans une déposition faite de façon spontanée, il n'en parle pas non plus. En fait, des mois s'écouleront sans qu'aucun de ces deux témoins ne fasse état d'un aveu ; et ce ne sera finalement qu'après que M. Abu-Jamal eut porté plainte pour des mauvais traitements que la police lui aurait infligés pendant son séjour à l'hôpital. De plus, un autre policier, qui était resté avec M. Abu-Jamal entre le moment où on l'a emmené et le moment où les médecins de l'hôpital ont commencé à le soigner, a noté dans son registre tout de suite après les faits que « le nègre [n'avait] fait aucune déclaration ». Ce policier a bénéficié d'un congé au moment du procès et n'a jamais été appelé à témoigner.

L'accusation affirme que M. Abu-Jamal a reçu un coup de feu pendant qu'il était penché sur le policier couché à terre ; mais un médecin expert précise que la trajectoire de sa blessure à la poitrine va de haut en bas. On peut déduire du récit de M. Abu-Jamal lui-même un autre scénario, qui est cohérent, lui, avec les constatations de cet expert : le policier aurait tiré le premier, pendant que M. Abu-Jamal s'approchait. En outre, selon la déposition du troisième témoin à charge, les deux hommes se faisaient face.

Pourquoi la police n'a-t-elle jamais cherché à suivre des pistes qui sautaient aux yeux, pourquoi n'a-t-elle pas enquêté sur l'existence éventuelle d'un autre tireur ? M. Abu-Jamal n'était pas aimé de tous. Adolescent, déjà, il participe à la création d'une section du Parti des Panthères noires. Plus tard, il devient journaliste et anime des émissions de radio ; il y exprime son soutien au groupe militant noir MOVE, et condamne la police de la ville pour la brutalité dont elle fait généralement preuve à l'égard des Noirs. Pour les hommes en uniforme portant le deuil d'un des leurs, c'est l'ennemi par excellence qui tombe entre leurs mains.

Au long des nombreuses années que M. Abu-Jamal a passé dans le couloir de la mort, il a écrit des textes marquants sur la vie en prison et a rassemblé autour de lui un large mouvement de soutien. De nombreux groupes, reflétant toute une gamme d'opinions et de positions, ont collecté de l'argent en sa faveur : Amnesty International, le PEN American Center, Human Rights Watch, ont émis des doutes sur le caractère équitable de son procès. Tout cela n'a fait que renforcer la détermination du camp des représentants de la loi : il faut que le « tueur d'un flic » soit exécuté. Enfin, le livre de M. Abu-Jamal, *Live from Death Row* [En direct du couloir de la mort], récemment publié, lui a valu d'être mis à l'isolement disciplinaire. Peut-être n'a-t-il plus que quarante jours à vivre (c'est du moins ce qu'espère le *Fraternal Order of Police*, ou

Ordre fraternel de la police), et tout sera fait pour que ces jours soient atroces.

S'il faut vraiment que la peine de mort existe dans ce pays, les responsables à qui il incombe de l'appliquer ont la charge de ne le faire qu'en obéissant aux impératifs judiciaires les plus irréfutables et les plus terribles : faute de quoi la mort infligée par l'État ne pourra, sur le plan moral, être distinguée d'un autre meurtre. En l'absence d'un sursis à l'exécution et d'un nouveau procès d'une objectivité scrupuleuse, comment le gouverneur Ridge peut-il prétendre, en examinant les éléments de cette affaire, qu'ils répondent à ces conditions ? La souffrance de la veuve de Faulkner, qui est favorable à l'exécution de M. Abu-Jamal, sera-t-elle apaisée s'il se révèle que l'homme exécuté n'était pas coupable et que le meurtrier de son mari est toujours en liberté ?

E.L. DOCTOROW
New York Times, 14 juillet 1995

Traduction Sophie Mayoux

Léonard Weinglass *

LA PEINE DE MORT AUX ETATS-UNIS
DEVANT L'OPINION INTERNATIONALE

Alors que les Etats-Unis sont si prompts à condamner d'autres nations pour leurs atteintes aux droits de l'homme, et qu'en outre ils s'imaginent que cette responsabilité leur échoit en propre, l'Amérique se refuse à admettre la simple suggestion qu'elle-même puisse violer les normes de toute décence humaine envers ses propres citoyens. Cependant, c'est précisément ce que deux organismes internationaux, unanimement respectés, viennent de conclure. Le 21 juin 1996, la Cour constitutionnelle italienne a refusé l'extradition d'un de ses ressortissants, confronté à une accusation de meurtre au premier degré en Floride car, a-t-elle déclaré, la peine de mort n'entre pas dans les normes internationales du respect des droits de l'homme. D'autre part, à la mi-juillet, la Commission internationale des Juristes, à Genève, a publié un rapport de 260 pages sur la peine capitale aux Etats-Unis. Dans leurs conclusions, ils notent que la peine de mort, telle qu'elle est appliquée aux Etats-Unis, est « arbitraire et discriminatoire sur le plan racial », au regard de l'acception internationale des droits de l'homme.

Par hasard, et quasiment au même moment, la Cour Suprême des Etats-Unis a signifié son approbation aux restrictions nouvelles et sans précédent concernant les possibilités de recours des condamnés à mort auprès des Etats, ceci afin

---

* Avocat de Mumia Abu-Jamal.

d'accélérer les exécutions dans ce pays. Rien ne saurait illustrer de façon plus parfaite le gouffre qui ne cesse de se creuser entre les Etats-Unis et les autres nations du monde industrialisé à ce sujet. Cinquante-six pays ont désormais aboli la peine de mort, tandis que les Etats-Unis demeurent l'un des deux pays qui en conservent l'usage (l'autre pays étant le Japon). En 1995, 32 condamnés à mort attendaient leur exécution au Japon quand les Etats-Unis en comptaient un nombre cent fois supérieur.

Alors que le monde emprunte la voie de l'abolition, les Etats-Unis manifestent une tendance législative et judiciaire indubitablement en faveur d'une expansion de la peine capitale. En 1995, l'Espagne a été la dernière puissance en Europe à abolir la peine de mort. Récemment, les tribunaux internationaux concernés par le Ruanda et l'ex-Yougoslavie, reflétant ainsi l'opinion internationale, n'ont cessé de rejeter l'idée même d'infliger la peine capitale dans les cas de crimes contre l'humanité, génocide inclus. L'Ukraine, pour pouvoir accéder au Conseil de l'Europe, a dû accepter d'abolir la peine capitale. En 1994, l'Assemblée générale des Nations unies a rejeté de justesse, sous la pression des Etats-Unis, une résolution réclamant un moratoire sur la peine de mort jusqu'à l'an 2000. Les votes ont été de 36 pour, 44 contre et 74 abstentions. Les partisans de ce moratoire sont décidés à le re-soumettre.

En attendant, 56 personnes ont été exécutées aux Etats-Unis en 1995, c'est-à-dire deux fois plus que l'année précédente et le total le plus élevé de ces dernières décennies. Ce nombre risque éventuellement de doubler à nouveau cette année puisque la politique nationale est qu'il faut accélérer les exécutions trop longtemps différées. Lors de sa campagne des primaires, dans sa course à la présidence, le candidat Bob Dole n'a pas perdu de temps et a appelé à une accélération de la procédure d'appels des condamnés à mort. Il a tenu une conférence de presse devant la prison de Saint Quentin, en Californie, où résident plus de 400 condamnés à mort, au cours de laquelle il a déploré que 3 d'entre eux seulement avaient été exécutés, ajoutant dans l'une des plaisanteries de mauvais goût dont il a le secret, que, au cours du processus d'appel de leur sentence, les condamnés à mort ont plus de chances de mourir de cause naturelle que d'être exécutés. En l'espace de quelques mois, le Congrès américain (Chambre des Représentants et Sénat) s'est rangé à la tendance générale en complétant la loi antiterroriste de 1996 du Président Clinton par un amendement pour « Une peine de mort effective » (Effective Death Penalty Amendment), conçu pour activer le processus de révision des condamnations à mort et changer les critères de requête en Habeas Corpus. Ceci, en dépit du fait que, depuis que la peine de mort a été réintroduite en 1977, 61 personnes ont dû être libérées du couloir de la mort après que leur cas eut été révisé. Au moins 35 % des sentences de mort prononcées par les Etats ont été inversées pour violation de la loi constitutionnelle fédérale. Cependant, de tels recours pourraient désormais être bloqués, la Cour Suprême s'étant empressée de soutenir le Congrès dans le processus d'émasculation de l'Habeas Corpus fédéral.

Ont également été passés sous silence les résultats d'études autorisées qui ont conclu qu'entre 1 et 3 % des prisonniers incarcérés sont, en réalité, innocents (les défenseurs du système actuel de justice criminelle soulignent fièrement que ce système fonctionne bien dans pratiquement 99 % des cas). Néanmoins, si l'on projette ces chiffres sur les 3 000 prisonniers du couloir de la mort, cela signifie que, dans les années à venir, entre 30 et 90 personnes innocentes environ seront exécutées ; et ce nombre concorde avec les conclusions de spécialistes en droit qui ont examiné en détail les dossiers des condamnés exécutés au cours de ce siècle.

En dehors de l'aspect moral lié au fait même de prendre la vie, les Européens ont bien retenu les leçons de l'Histoire : l'exercice de ce pouvoir est bien trop hasardeux pour être remis aux mains d'un système judiciaire inévitablement altéré par des considérations de politique, de race et d'idéologie. Ces défauts inhérents au système, inacceptables à tous points de vue, se manifestent de la façon la plus insigne dans les procès débouchant sur la peine capitale. Aux Etats-Unis, les affaires Sacco et Vanzetti, de Haymarket, des Rosenberg nous viennent à l'esprit. Suite à leur expérience des dictatures fascistes, les nations européennes se sont mobilisées de façon unanime pour prévenir la réapparition de tueries légales. D'un point de vue européen, l'histoire de la justice raciale des Etats-Unis n'en demanderait pas moins. Loin d'être infaillible, le système de

justice criminelle aux Etats-Unis est perçu comme éminem-
ment critiquable à cet égard. Nombreux sont ceux ici qui en
conviennent. En 1987, la Cour Suprême des Etats-Unis, lors
d'un vote à 5 contre 4 dans l'affaire McClesky, a rejeté de
peu l'argument selon lequel la peine capitale devrait être
abolie pour des raisons de disparité raciale statistiquement
prouvées.

De manière insistante et croissante, les gouvernements
européens expriment leur inquiétude face au manque de pru-
dence avec lequel plusieurs Etats américains infligent des
sentences de mort. Il y a quelques années, le Pape a tenté
d'intervenir dans deux cas de peine capitale au Texas ; l'an
dernier, un ancien Président allemand, le ministre des Affaires
étrangères de Belgique, et le Parlement Européen ont déclaré
publiquement leur opposition à la condamnation à mort de
Mumia Abu-Jamal lors des jeux Olympiques. Des débats
publics se sont tenus dans plusieurs pays d'Europe pour
protester contre la peine de mort. Prévenu à l'avance, l'Etat
de Géorgie, qui auparavant était le leader national dans
l'application des sentences capitales, s'est abstenu de toute
exécution pendant plus d'un an.

Alors que l'on nous répète constamment que la peine
capitale est populaire en Amérique, de récents sondages
indiquent le contraire. A la question : « A la peine capitale,
préféreriez-vous des sentences de prison à vie, à condition que
le condamné n'obtienne pas de liberté conditionnelle ? », une
majorité de gens choisissent la vie. Même les Préfets de police,
auxquels on demandait de lister les 7 choses dont ils avaient
le plus besoin, ont placé la peine de mort en dernier, la
considérant comme l'instrument le moins performant dans leur
lutte contre le crime.

Les Déclarations de la plus haute Cour italienne et de la
Commission internationale des Juristes, accusant la Justice
américaine de se trouver en dehors des normes internationales
en ce qui concerne les droits de l'homme, sont assurées d'avoir
un écho dans les cercles judiciaires et politiques du monde
entier. Alors que le siècle s'achève, les Etats-Unis sont dan-
gereusement proches d'être mis au ban du monde civilisé à
ce sujet. Sans doute est-il temps que ce pays retienne les
paroles du Cardinal O'Connor de New York qui, argumentant

son opposition personnelle à la peine capitale, a mis en garde
les Américains contre leur propre tendance à aller vers une
« culture de mort », celle où la mort devient « ...la panacée
universelle ».

Léonard Weinglass
Lettre aux rédacteurs en chef
du *Los Angeles Times*, août 1996

Traduction d'Annie Bingham

Mme Pierre Mendès France
Jacques Derrida

LETTRE OUVERTE À BILL CLINTON

President William Jefferson Clinton
Mrs Hillary Rodham Clinton

The White House
1600 Pennsylvania Ave, NW
Washington, DC 20500
United States of America

Paris, le 15 novembre 1996

Monsieur le Président, Madame,

Au moment où le monde entier salue la réélection du président des Etats-Unis et son accès confirmé à la magistrature suprême, permettez-nous de nous adresser directement à vous, et de le faire sur un mode personnel, à la fois public et privé. Car, en vous parlant le langage du cœur autant que celui du droit, c'est avant tout par devoir et au nom de la justice que nous faisons appel à vous pour vous supplier, Monsieur le Président, Madame, de faire entendre votre voix.

Une terrifiante tragédie risque en effet de conduire un innocent à la mort. Emprisonné depuis quinze ans, jugé et condamné dans des conditions qui paraissent plus que suspectes aux yeux du monde entier, un Américain risque de payer demain de sa vie ce qui pourrait n'être que machination policière et erreur judiciaire. Il est aujourd'hui de notoriété publique, dans votre pays et partout ailleurs, que le procès de Mumia Abu-Jamal a été entaché, depuis le début, de graves et nombreuses irrégularités de procédure. D'innombrables manquements aux règles ont fait l'objet de publications fiables et détaillées (dossiers, interviews, livres, films). Des témoignages irrécusables ont démontré que la conduite de son procès a été détournée du droit chemin par des groupes de pression et par un juge partial (récemment confirmé dans ses responsabilités et célèbre pour détenir le record des peines de mort parmi les juges américains) ; et cela afin de punir à tout prix, sans preuve suffisante, le passé d'un militant politique (jeune « Black Panther » des années 70, puis journaliste de radio, « voix des sans-voix »). Dès lors, Mumia Abu-Jamal est souvent considéré, à juste titre, hélas, comme un prisonnier politique menacé de mort dans une démocratie.

Pour nous en tenir ici au dernier épisode dans une longue série de violences policières et judiciaires, nous nous contenterons de rappeler que le 1er octobre dernier, l'un des principaux témoins oculaires de la défense, Veronica Jones, a été arrêtée à la barre en pleine audience, sur un motif mineur et totalement étranger au procès, au moment même où elle apportait un témoignage décisif. Ce témoignage ne comportait pas seulement des éléments propres à innocenter Mumia Abu-Jamal (qui a depuis le début, chacun le sait, protesté de son innocence) ; il faisait aussi état, sous serment, des menaces policières sous lesquelles, il y a quinze ans, Veronica Jones avait été contrainte à altérer sa déposition initiale au lendemain de la mort non élucidée d'un policier de Philadelphie.

Au moment où, avec des milliers et des milliers de citoyens de nombreuses démocraties, nous en appelons à vous, Monsieur le Président, Madame, nous tenons, comme il va de soi, à marquer aussi notre respect pour les principes des institutions politiques et judiciaires de votre pays, pour la séparation des pouvoirs et l'indépendance de la justice. C'est d'ailleurs dans cet esprit que de nombreuses organisations (Amnesty international, le Parlement international des Ecrivains, le Pen Club, le Mouvement contre le racisme et pour l'amitié entre les peuples) se sont manifestées pour demander seulement la révision du procès ; c'est aussi dans cet esprit que certains chefs de grands Etats amis sont intervenus publiquement, par exemple le chancelier Kohl et le président Chirac. Ce dernier, vous le savez, avait autorisé l'Ambassadeur de France, le 3 août 1995, à « effectuer, à titre strictement humanitaire et dans le respect du droit américain, toute démarche susceptible de contribuer à épargner la vie de M. Mumia Abu-Jamal ».

Après avoir étudié de près, depuis des années, toutes les données accessibles de ce procès, nous avons certes, pour notre part, comme tant et tant d'autres, l'intime conviction qu'une effroyable injustice risque de conduire un innocent à la mort, dans la pire tradition des grandes erreurs judiciaires de l'histoire. Mais comme nous ne sommes pas en position de juges, comme nous acceptons, par hypothèse, que notre intime conviction puisse ne pas être unanimement partagée, comme nous respectons par principe toute autre conviction de bonne foi, notre demande est pressante mais reste limitée : que le procès soit enfin révisé. Nous demandons qu'un nouveau procès soit conduit dans des conditions dignes et transparentes, que la logique du « doute raisonnable » soit rigoureusement prise en compte au bénéfice d'un accusé présumé innocent, et que, quel qu'il soit, tout jugement à venir se fonde au moins sur d'irrécusables preuves. (Permettez-nous d'ajouter entre parenthèses que cette révision ne serait pas seulement un acte de justice, elle préviendrait sans doute de nouvelles explosions de colère, des réactions d'indignation prévisibles qui pourraient avoir, elles, des conséquences imprévisibles.)

Encore une fois, Monsieur le Président, Madame, nous n'oserions jamais vous demander une intervention contraire aux principes démocratiques de vos institutions et à l'indépendance des instances judiciaires, que ce soit dans l'Etat de Pennsylvanie ou à l'échelle fédérale. Nous nous tournons vers vous aujourd'hui pour vous prier seulement de prononcer très haut, forts de votre autorité légitime et d'une confiance renouvelée, des paroles de justice qui rappellent à l'esprit du droit et de la dignité humaine en démocratie. Ces paroles, nous croyons que le rayonnement de votre voix saura les porter là où une ultime prise de conscience paraît urgente, qui permettrait aux autorités compétentes de rouvrir un procès, en toute indépendance, et d'éviter ainsi les risques, tous les risques d'une impardonnable et irréversible injustice.

Veuillez accepter, Monsieur le Président, Madame, l'expression de notre confiante et respectueuse considération,

Mme Pierre MENDÈS FRANCE
Jacques DERRIDA

P. S. Bien entendu, si vous le jugiez bon, nous ne rendrions éventuellement cette lettre publique, au moment opportun et au titre de « lettre ouverte », qu'après avoir tenu compte de votre réponse et de votre avis à ce sujet.

(*Cette lettre, reçue par la « Federal Priority Issues Office » à la Maison Blanche est toujours sans réponse.* T.M.)

Mumia Abu-Jamal

UNE CAGE POUR NOËL

Lors du procès de 1982 qui a abouti à sa condamnation à mort, Mumia Abu-Jamal s'est vu retirer par le juge Sabo le droit constitutionnel de se représenter lui-même. Or, depuis le premier jour, Mumia clame trois choses : son innocence, l'atteinte à la présomption de son innocence et son intime conviction que, pendant la nuit du 9 au 10 décembre 1981, c'était lui qui avait été ciblé.

Aujourd'hui, Mumia, soutenu par son avocat, est décidé à n'apporter sa version circonstanciée des faits que lorsque tous ses droits constitutionnels lui auront été restitués, en particulier le droit à un procès équitable devant un jury de ses pairs et un juge impartial.

Il n'existe que deux textes où Mumia se réfère précisément au calvaire qu'il a vécu cette nuit-là. Le premier témoignage est publié dans « En Direct du Couloir de La Mort » (Editions de la Découverte, p. 185). Le second, qui date de 1990, est inédit en France et constitue, à ce jour, le seul texte où Mumia se remémore ce que, grièvement blessé, il a vécu en reprenant connaissance à l'hôpital.

Julia Wright

Peu avant 6 heures du matin, dans cette cellule minuscule et nue, le haut-parleur crache un message du directeur de la prison, David Owens :

« Joyeux Noël à tous les détenus du système pénitentiaire de Philadelphie. Nous espérons que cette
période de fêtes sera la dernière que vous passerez
avec nous. »

On entend le nom de Owens, puis le haut-parleur reste
silencieux pendant une demi-heure. Je réfléchis sur ces mots,
et médite sur mon premier Noël dans l'aile hospitalière du
Centre de détention. Noël dans une cage.

Il m'a été enfin possible de lire les comptes rendus écrits
par la presse sur l'incident qui m'a laissé aux portes de la
mort, accusé du meurtre d'un policier.

C'est un vrai cauchemar pour mon frère et moi d'avoir
été pris dans ce funeste piège, d'autant plus que mes principaux accusateurs, les policiers, étaient également mes agres-
seurs. Mon véritable crime paraît être d'avoir survécu à leurs
assauts, car c'est nous qui étions les victimes, cette nuit-là.

Pour ajouter les insultes aux blessures, j'ai appris que les
forces de la « loi et l'ordre » ont menacé ma mère et incendié,
ou permis la destruction par le feu, du petit stand à l'étalage
que tenait mon frère. Parlons-en de la justice du trottoir !
Selon certains reportages parus dans les journaux, les flics
plaisantaient tranquillement autour du feu puis ils sont allés
fêter l'événement au poste.

Nulle part, je n'ai lu le récit de la façon dont je me suis
fait descendre, comment une balle s'est frayé un chemin tout
près de ma colonne vertébrale, pulvérisant une côte, scindant
un rein en deux, détruisant presque mon diaphragme. Et les
gens se demandent pour quelle raison je n'ai pas confiance en
un « procès équitable » ! Nulle part je n'ai lu qu'une balle
avait perforé un de mes poumons, le remplissant totalement
de sang.

Nulle part, je n'ai lu comment la police m'a trouvé,
baignant dans la mare de mon sang, incapable de respirer, et
s'est alors mise à me frapper du poing, des pieds, à me piétiner
– mais pas à me questionner. Je me rappelle avoir été projeté
violemment contre un poteau ou une bouche d'incendie, la
police me tirant des deux côtés par les bras. Je me souviens
des coups de pied à la tête, au visage, dans la poitrine, le

ventre, et en d'autres endroits. Mais je n'en ai rien lu dans la presse et je n'ai entendu parler d'aucun témoin.

Nulle part, je n'ai lu comment on m'avait passé les menottes, jeté dans un panier à salade, battu, roué de coups, tabassé. Où sont les témoins d'un commissaire ou inspecteur de police montant dans le fourgon et se mettant à me frapper avec une radio de police, et pendant tout ce temps me traitant de « fils de pute noir » ? Où sont les témoins du passage à tabac qui m'a laissé une cicatrice de 10 cm sur le front, la mâchoire enflée, le bord des dents ébréché ?

A moins de vouloir mourir prématurément, qui se serait porté témoin de la façon dont on m'a arraché du fourgon, jeté un mètre plus bas sur le sol dur et gelé, battu encore, traîné à l'intérieur de l'hôpital Jefferson, et frappé encore à l'intérieur de l'hôpital alors que je cherchais désespérément ma respiration, n'ayant plus qu'un poumon.

Je me suis réveillé après l'opération pour constater que mon ventre avait été ouvert de haut en bas, et qu'il était à présent couvert d'agrafes métalliques saillantes. Mon pénis, attaché à un tube, et des tuyaux partant des deux narines vers Dieu seul sait où, sont mes premiers souvenirs. Les seconds sont une douleur et une pression intenses dans mes reins déjà déchirés, tandis qu'un policier se tenait dans l'encoignure de la porte, un sourire sous sa lèvre moustachue ; sa plaque d'identification avait été retirée, son badge était recouvert. Pourquoi souriait-il et pourquoi avais-je tant mal ? Il se tenait debout sur un carré de plastique, le réceptacle pour mon urine !

Devrais-je avoir confiance en ces hommes alors qu'ils ont essayé de me tuer, à nouveau, dans un hôpital public ? Peu de temps après, c'est un coup frappé au pied de mon lit qui m'a fait reprendre connaissance. J'ai ouvert les yeux, pour voir un flic debout à la porte, une mitraillette Uzi dans les mains. Franchement, comme « présomption d'innocence », on a fait mieux !

DES PANTALONS TROP COURTS ET LE FROID

Quelques jours plus tard, après avoir été transporté par la municipalité au Centre médical Guiffre, sous la garde de policiers en armes, on m'a mis dans une pièce (n° 202) au sous-sol de l'unité de détention, qui est l'endroit le plus glacial du Centre.

Après avoir été transféré dans ce que l'on surnomme avec ironie l'aile du « nouvel hôpital », j'ai découvert ce qu'avoir « froid » veut réellement dire. Les deux premiers soirs, la température tombait si bas que les détenus portaient des couvertures sur leur veste de prisonnier.

On m'avait officiellement remis une chemise à manches courtes et des pantalons étroits, trop courts, et j'avais tellement froid que, la première nuit, je n'ai pu fermer l'œil... Ce sont d'autres détenus qui m'ont sauvé du froid. L'un m'a trouvé une veste (j'en avais demandé une à un gardien, mais il m'avait répondu qu'il faudrait que j'attende qu'un vieux détenu meure, ou qu'il sorte. Voilà ce qu'on appelle « utiliser le système »). D'autres détenus, et une infirmière compatissante, achevèrent de me fournir ce qui rendrait mes nuits moins froides.

La prison ne donnait qu'un drap et une couverture de laine légère. Quand je m'en suis plaint auprès d'une assistante sociale, elle m'a répondu, sur la défensive : « Je sais qu'il fait froid, mais je n'y peux rien. Le directeur a été informé de ce problème. » Pourquoi le froid me souciait-il tant ? Parce que le médecin qui m'avait soigné à l'hôpital Jefferson m'avait expliqué que le seul véritable danger pour ma santé était d'attraper une pneumonie, à cause de mon poumon perforé. Est-ce par pure coïncidence que, la semaine suivante, j'ai passé les jours et les nuits parmi les plus froids de toute ma vie ? La municipalité, avec l'aide de son système carcéral, est-elle en train d'essayer de me tuer avant que je passe en jugement ? Que redoutent-ils ? J'ai parlé de tout cela à l'assistante sociale de la prison (une certaine Mme Barbara Waldbaum), mais elle a repoussé cette suggestion. « Non, Mr Jamal, nous voulons que vous vous rétablissiez vite. » « Sûrement », répondis-je !

Comme par miracle, après que je me suis plaint, un semblant de chaleur est parvenu jusqu'aux cellules du côté où je me trouvais. Du moins, assez pour dormir. Est-ce aussi pure coïncidence si le chauffage a été mis le soir même où le directeur, Davis Owens, est venu me rendre visite ? « Nous espérons que cette période de fêtes sera la dernière que vous passerez avec nous... » Les paroles de Owens me reviennent en mémoire. Un autre sens, plus sinistre, se cacherait-il derrière ces vœux de Noël apparemment inoffensifs ?

Mumia ABU-JAMAL
(1990)

Traduction d'Annie Birgham

MUMIA ABU-JAMAL : DERNIÈRES NOUVELLES
[*en date du 18 décembre 1996*]

Nous venons d'apprendre que Mumia a gagné le procès qu'il avait intenté fin 1995 contre sa prison (SCI Greene) et le Bureau central des prisons de Pennsylvanie pour violations de ses droits constitutionnels dans le couloir de la mort.

Suite à l'écriture de son livre *En Direct du Couloir de la Mort* et sous prétexte qu'il s'était livré au « commerce illicite d'écriture de livre » en prison, SCI Greene l'avait mis au trou pendant quatre-vingt-dix jours et ouvert une enquête carcérale contre lui, d'où un certain nombre de mesures arbitraires telle l'ouverture de son courrier légal et confidentiel dont certains documents avaient été retrouvés photocopiés sur le bureau du Gouverneur Ridge.

Le 1er décembre 1996, le juge Donetta Ambrose de la Cour fédérale américaine de District a donc rendu une décision défavorable à l'encontre de l'administration pénitentiaire qui, en interceptant le courrier de Mumia, a retardé l'interjection de son premier appel à cause « du blocage ainsi créé chez les avocats et le plaignant par rapport à l'utilisation de moyens de communications dont ils savaient qu'ils n'étaient plus libres ».

Rappelons que ce procès gagné par Mumia à l'encontre de sa prison a été rendu possible grâce aux collectes internationales de fonds envoyés à l'équipe de sa défense.

Les avocats comptent soumettre la décision favorable du juge Ambrose à la Cour Suprême de Pennsylvanie à l'appui de leur requête pour une révision de procès, requête rejetée en 1995 par le même juge Sabo qui a déclaré irrecevable, le

1er novembre dernier, le nouveau témoignage où Veronica Jones fait état des pressions policières qui l'avaient empêchée de raconter au procès qu'elle avait vu s'enfuir deux hommes.

Les auditions de la Cour Suprême de Pennsylvanie reprennent le 27 janvier et l'appel de Mumia est l'une des affaires en instance.

Comité de soutien aux prisonniers politiques
aux Etats-Unis (CSPP)

APRÈS LE JUGEMENT FAVORABLE À MUMIA PRONONCÉ PAR LA COUR FÉDÉRALE DE DISTRICT. LE CSPP A INTERVIEWÉ MAÎTRE LÉONARD WEINGLASS SUR LES GRANDES LIGNES DE SA CONFÉRENCE DE PRESSE DU 27 DÉCEMBRE À PHILADELPHIE (60 REPRÉSENTANTS DES MÉDIAS AMÉRICAINS ET INTERNATIONAUX DONT CBS ET CNN).

CSPP : Me Weinglass, pourriez-vous nous résumer les grandes lignes de votre déclaration à la presse le 27 décembre ?

Len Weinglass : J'y ai annoncé que nous allons soumettre aujourd'hui (le 28 décembre) un nouveau document à la Cour Suprême de Pennsylvanie afin de demander que celle-ci prononce sans aucune équivoque un non-lieu en faveur de Mumia pour la raison suivante : un juge fédéral de Pittsburgh vient de conclure à la violation des droits constitutionnels de Mumia (particulièrement en vertu du 6ᵉ amendement) puisque l'Etat de Pennsylvanie a abusivement intercepté sa correspondance avec ses avocats et que cette violation a causé « un préjudice réel » à Mumia alors qu'il tentait d'interjeter son premier appel contre sa condamnation à mort.

CSPP : A défaut d'un non-lieu, maintenez-vous la requête pour un nouveau procès ?

Len Weinglass : Oui. Si la Cour Suprême de Pennsylvanie devait refuser le non-lieu, nous demanderions alors à cette Cour de lui accorder immédiatement une révision de procès. A défaut d'une révision de procès, nous demanderions à la Cour d'annuler le jugement de son appel en premier instance (le « Post Conviction Relief Appeal » dominé par le juge Sabo) et de permettre que les audiences en première instance reprennent à zéro avec un autre juge. A défaut d'être entendus sur cette dernière requête, nous allons demander à la Cour qu'elle annule les décisions du juge Sabo afin que d'autres décisions indépendantes puissent intervenir sur la base de tous les témoignages et de l'intégralité des minutes.

CSPP : En quoi le jugement du « Federal District Court » constitue-t-il une victoire légale majeure ?

Len Weinglass : Nous n'avons pas cessé d'alléguer – preuves sérieuses à l'appui – que selon nous, les droits de Mumia ont été bafoués de façon systématique. Mais c'est la première fois qu'un jugement émanant d'une cour fédérale vient confirmer que ses droits ont réellement été violés. Cette décision apporte donc un poids, une crédibilité à toutes nos autres allégations et par là même constitue un rebondissement de la plus haute importance.

CSPP : A quoi ressemble maintenant votre calendrier légal ?

Len Weinglass : C'est difficile à dire car la Cour ne nous a pas encore répondu. En tout état de cause, le 6 janvier, le Procureur doit réagir au mémoire que nous avons soumis, le 9 décembre, pour maintenir l'intégrité du témoignage de Veronica Jones. Nous aurons alors droit de réponse. Reste à voir ce que la Cour Suprême de Pennsylvanie fera de notre toute récente requête : mettra-t-elle en place un agenda supplémentaire afin que le Procureur ait de nouveau son mot à dire et nous, notre droit de réponse ? Nous le saurons bien assez tôt. Les audiences de la Cour Suprême de Pennsylvanie reprennent fin janvier mais il y a peu de chances que nous ayons alors une date. Les audiences reprendront en avril et il y a une forte probabilité pour que nous passions alors en audience.

(Propos recueillis par J. Wright, le 28 décembre)

Alors que nous mettons sous presse, nous apprenons que l'association d'avocats la plus conservatrice des Etats-Unis – l'American Bar Association ou ABA – a adopté le 3 février 1997 par 218 voix contre 119 une résolution appelant à un moratoire contre la peine de mort, étant donné que les garanties constitutionnelles pouvant assurer une application « équitable » et racialement ou financièrement non discriminatoire de la peine de mort sont aujourd'hui érodées. Cette résolution de dix-neuf pages demande à l'ABA de mettre tout son poids derrière ce moratoire « tant que l'édifice judiciaire ne sera pas révisé de fond en comble ».

EXTRAIT D'UN ENTRETIEN DU CSPP
AVEC LÉONARD WEINGLASS LE 3 DÉCEMBRE 1996

(...)

CSPP : La question que l'on pose beaucoup ici est la suivante : à quelle étape et en quelles circonstances le président Clinton pourrait-il disposer d'un pouvoir indirect de persuasion ?

Len Weinglass : Tout ce qu'il y a de plus indirect... Il faut voir que le gouverneur Ridge est un républicain, qu'il est fervent supporter de Bob Dole, qu'il a même été pressenti pour devenir le coéquipier de Dole. C'est dire qu'il est très proche du parti républicain. Quant à Clinton, étant démocrate, il n'a guère d'opportunités véritables de persuasion vis-à-vis de Ridge.

La seule démarche que le président Clinton pourrait éventuellement autoriser – au moment où l'affaire relèvera uniquement du système fédéral – c'est de suggérer au Bureau du procureur fédéral d'intervenir en faveur de Mumia. Ce serait extrêmement inusité, très rare et, pourtant, pas impossible. Mais, à ma connaissance, il n'y a pratiquement aucun précédent.

(Propos recueillis par J. Wright, le 3 décembre)

Julia Wright

DIX POINTS SUR LE COÛT
DE LA JUSTICE AUX ETATS-UNIS

1. Selon des documents officiels du ministère de la Justice fédérale, il en coûte 1 300 000 dollars à 4 000 000 dollars pour épuiser les recours contre une sentence de peine de mort. Cette somme étant à la charge du condamné.

2. Ce coût augmente proportionnellement à l'insistance du condamné à plaider son innocence.

3. Pour ce qui est de l'affaire Mumia Abu-Jamal, maître Weinglass, son avocat « pro bono » principal, déclarait le 3 décembre 1996 : « Nous n'avons pu réunir par voie de collectes militantes que le tiers de la somme minimale. »

4. D'un Etat à l'autre, les sommes allouées par l'Etat à la défense des accusés peuvent varier du simple au décuple.

5. Dans le cas du procès qui se termine en 1982 par la condamnation à mort de Mumia, l'Etat de Pennsylvanie aura alloué moins de 1 000 dollars à un homme sans ressources : Mumia aura comparu à son procès sans les expertises indispensables en matière de médecine légale ou de balistique – et sans qu'il y ait eu contre-enquête.

6. O. J. Simpson, le millionnaire-footballeur noir américain, investit en tout 8 millions de dollars pour se faire innocenter d'un double meurtre – et il continue à débourser pour le procès civil en cours contre lui.

7. A titre d'exemple, celui-ci paiera 100 000 dollars l'unique comparution à la barre d'un expert en génétique nationalement connu.

8. Le juge Sabo dont le record de condamnations à mort aux USA (93 % de non-blancs) est de notoriété publique, pratique couramment la tactique de l'intimidation financière de la défense – telle une amende de 1 000 dollars à l'encontre de maître Weinglass « parce qu'il se déplace trop lentement d'un bout du tribunal à l'autre ».

9. Quand maître Weinglass remplace en 1992 l'avocat commis d'office et qu'il tente d'embaucher des enquêteurs sur place à Philadelphie, il se heurte à la peur et au refus car ces enquêteurs dépendent du Ministère public pour le renouvellement de leurs licences. La défense de Mumia est, à ce jour, obligée de faire venir des enquêteurs d'autres Etats à raison de 1 000 à 2 000 dollars par jour (frais d'avion, hôtel, repas, voitures de location en sus des honoraires).

10. Un journal de Floride, la *Houston chronicle* écrit, le 1er décembre 1996, qu'une décision prise par le Procureur de demander la peine de mort coûte de deux à cinq fois plus cher à l'Etat que la demande de sentences évitant la peine capitale. C'est la pratique économiquement et humainement la plus scandaleuse qui rapporte les dividendes politiques les plus prisés...

Julia WRIGHT

Ce dossier a été rassemblé par Julia Wright et Jacques Lederer. L'essentiel des textes a été fourni par le CSPP que nous remercions.

Ingrid Galster

L'ACTUALITÉ DE *HUIS CLOS* EN 1944 *

OU LA REVANCHE DE L'ANTI-FRANCE

Décidément, la fiction assure de plus en plus le rôle de l'historiographie. Au théâtre de l'Œuvre, a été créée le 23 janvier 1996 une pièce dont le début et la fin sont calqués sur *Huis clos*. Le personnage introduit dans le salon Second Empire n'est cependant pas Garcin, mais Albert Camus surnommé « L'Etranger ». C'est le 4 janvier 1960 : Camus sort tout droit de son accident de voiture pour se retrouver en Enfer. En proie au remords, il revit certaines scènes de l'Occupation allemande et fait défiler Sartre, Beauvoir et quelques-unes de leurs relations ainsi que Jean Genet. Dans des flash-back reliés par des fondus, les spectateurs assistent aux événements précédant la création de *Huis clos,* pièce qui s'appelait tout d'abord *Les Autres,* ce qui explique le titre. Le sujet – peu étonnant dans la conjoncture actuelle – est l'arrivisme caché de Sartre et de Beauvoir. Jean-François Prévand, l'auteur de la pièce, a condensé en une heure et demie tous les reproches – justifiés ou non – qu'on a pu faire aux prétendus résistants : la création des *Mouches* dans un théâtre aryanisé avec la bénédiction préalable de la Censure allemande et les applaudissements de militaires occupants, le travail de Beauvoir à la radio, le papier signé attestant qu'elle n'était ni juive ni franc-maçonne, le succès de son premier roman, etc. Il y a

---

* A propos de *Camus, Sartre... et « Les Autres »* créé au théâtre de l'Œuvre.

même une date modifiée [1] pour faire coïncider avec le massacre
d'Oradour un cocktail qui aurait été offert à la presse collaborationniste au moment de la création de *Huis clos*. Fiestas
et divertissements se succèdent pendant qu'une part de l'humanité est déportée et gazée. Pour ne pas gâcher la soirée de
son public avec ces tristes vérités, l'auteur a représenté ses
personnages de façon caricaturale. Sartre et Beauvoir sont
ridiculisés à souhait ; l'ensemble donne l'impression d'une
bande dessinée [2].

Prévand ne se contente cependant pas de rabâcher des
clichés, il présente du neuf. En effet, dans les Mémoires de
Beauvoir, on a pu lire que Sartre avait écrit *Huis clos* pour
deux débutantes : Wanda Kosakiewics, sa maîtresse, et une
amie de celle-ci, Olga Kecheliévitch (toutes deux élèves du
cours Dullin), mais que suite à l'arrestation d'Olga, la pièce
fut interprétée par des actrices professionnelles. Les sartriens
et sartrologues n'ont pas prêté suffisamment d'attention à cette
arrestation [3] : ce manque de sensibilité a, paraît-il, longtemps
été un des symptômes de ce qu'Henry Rousso a nommé « le
syndrome de Vichy » [4]. C'est seulement pendant les années 80
que les déportés et les Juifs, sujet auparavant moins central
ou refoulé, sont passés au premier plan. Tel est le contexte
qui, associé au dénigrement systématique de Sartre et de
Beauvoir dans les médias français, a permis à Prévand de
mettre l'accent sur la disparition d'Olga. Son arrestation et
les réactions de Camus et de Sartre constituent le pivot de la
pièce.

---

1. Ou erronée car l'erreur se trouve aussi dans les Mémoires de
Simone de Beauvoir où Prévand a puisé. Mais il y a longtemps
qu'elle a été corrigée.
2. Nous nous basons sur le texte paru aux éditions Lansman, le
programme et une trentaine de comptes rendus dont nous remercions
le théâtre de l'Œuvre.
3. Cf. par exemple notre propre étude *Le théâtre de Jean-Paul
Sartre devant ses premiers critiques. T. 1 : Les pièces créées sous
l'Occupation allemande, « Les Mouches » et « Huis clos »*. Jean-
Michel Place, 1986, p. 200.
4. Henri Rousso, *Le syndrome de Vichy de 1944 à nos jours*,
Seuil, 2ᵉ éd. 1990 (coll. « Points, Histoire »).

Comment Camus fut-il mêlé à cette affaire ? C'était à lui que Sartre avait d'abord confié la mise en scène et le rôle de Garcin. Selon Simone de Beauvoir, il se retira après l'arrestation d'Olga parce qu'il ne se sentait pas qualifié pour diriger des acteurs professionnels [5]. Dans un texte publié en 1988 par Marc Barbezat, le mari d'Olga Kecheliévitch, on lit une autre version des faits. A en croire Barbezat, Camus se retira estimant « qu'il fallait attendre le retour d'Olga [6] ». C'est à partir de cette phrase que Prévand a construit sa pièce. De même que dans le débat actuel en France, Sartre et Camus incarnent, de façon exemplaire, deux attitudes opposées [7]. Sartre est la bête noire – Prévand l'a surnommé « le Mouton noir » ; Camus est le personnage éthique. Non seulement il exige qu'on arrête les répétitions pour forcer les autorités allemandes à libérer Olga, mais il évolue de l'indifférence à l'engagement en s'associant au mouvement clandestin *Combat*. Sartre, par contre, avide de reconnaissance pour compenser sa laideur, veut se faire représenter coûte que coûte. « Il y a un désir de revanche chez Sartre, explique Prévand dans une interview. A l'échec des " Mouches ", il souhaite la réussite de " Huis clos " [8]. » L'intérêt exclusif de Sartre aurait donc été de faire avancer sa carrière.

Il y a sans doute une part de vérité dans cette supposition car Sartre avait longtemps piétiné, pendant l'entre-deux-guerres, et attendu la notoriété qui s'amorça par la publication de *La*

---

5. *La Force de l'âge,* Gallimard, 1960 (coll. « Folio »), p. 668. Robert Kanters relate l'histoire avec de légères variantes, cf. *A perte de vue,* Seuil, 1981, p. 171.

6. Marc Barbezat, « Comment je suis devenu l'éditeur de Jean Genet », dans Jean Genet, *Lettres à Olga et Marc Barbezat,* L'Arbalète, 1988, p. 244. Voir aussi l'article de Michel Cournot « C'est Albert Camus qui devait jouer " Huis clos " ! » (*Le Monde,* 3 mai 1990) paru à l'occasion de la reprise de la pièce à la Comédie-Française.

7. Cf. notre étude « Images actuelles de Sartre », *Romanistische Zeitschrift für Literaturgeschichte/Cahiers d'Histoire des Littératures romanes,* nos 1/2 (1987), p. 224.

8. « Jouer ou résister sous l'Occupation », *Le Figaro,* 23 janvier 1996.

Nausée en 1938 et s'affirma par *L'Etre et le Néant* et les deux pièces créées sous l'Occupation. Pourtant, s'il n'était pas prêt à laisser tomber *Huis clos,* il avait encore d'autres motifs que le pur carriérisme. Pour les percevoir, il faut replacer la pièce dans les circonstances de sa genèse et de sa création.

Huis clos fut écrit d'une seule traite en automne 1943 [9]. Lors de la première représentation, fin mai 1944, la presse collaborationniste cria au scandale [10]. Pourquoi ? Sartre avait choisi comme protagonistes une lesbienne, une infanticide et un don juan alors que les milieux collaborationnistes de Paris définissaient la femme comme procréatrice et que la Révolution Nationale de Vichy revalorisait la famille dans la triade « travail-famille-patrie » destinée à remplacer celle de la République tombée en disgrâce. Il y avait, de fait, une « volonté de choquer » de la part de Sartre, comme le voit bien Prévand, mais elle n'était pas seulement dictée par la « soif de reconnaissance [11] ». Etant donné que, dans le paradigme de lecture longtemps dominant pour l'œuvre sartrienne, *Huis clos* a été considéré comme illustration de la théorie du regard, on a négligé l'actualité de la pièce au moment de sa création. Cette dimension se révèle clairement quand on considère le texte comme réplique à la suspension de Beauvoir de ses fonctions à l'Education nationale, suspension intervenue en juin 1943 et effective à la rentrée suivante [12].

Dans ses Mémoires, Beauvoir est assez laconique sur cette affaire. Elle écrit, dans *La Force de l'âge,* que la mère de « Lise » (Nathalie Sorokine) l'accusa de détournement de mineure parce qu'elle avait refusé de faire pression sur son ancienne élève dans le sens souhaité par Mme Sorokine : accepter un mariage avantageux. A la fin de l'année scolaire,

9. Cf. *La Force de l'âge,* éd. cit., p. 635, et « Chronologie » dans Jean-Paul Sartre, *Œuvres romanesques,* Gallimard, 1981 (Bibliothèque de la Pléiade), p. LIX.

10. Cf. notre livre (cité dans la note 3) pp. 216 ss.

11. Interview parue dans *La Terrasse,* mars 1996.

12. Dans notre livre (note 3), nous avons envisagé l'éventualité d'une telle lecture (cf. p. 222 note 192), mais ne l'avons pas entreprise pour nous limiter au cadre plus général d'une attaque du vertuisme vichyssois.

la directrice de l'établissement où elle enseignait lui signifia qu'elle était exclue de l'université. Beauvoir remarque : « Avant la guerre, l'affaire n'eût pas eu de suite ; avec la clique d'Abel Bonnard, il en alla autrement [13]. »

Après la publication, en 1990, de son journal de guerre et des lettres qu'elle écrivit à Sartre, nous savons que Beauvoir eut effectivement des relations physiques avec Nathalie Sorokine et d'autres femmes [14]. Un livre publié un an plus tard, qui prétend nous « dire tout » sur la vie de Sartre et de Beauvoir sous l'Occupation, reproduit des documents relatifs à cette affaire, documents qui desservent, en partie, gravement les propos de l'auteur car ils montrent comment les deux enseignants furent jugés dans l'optique de l'idéologie vichyste [15]. S'appuyant sur les rapports fournis par les directrices et le proviseur des lycées respectifs ainsi que sur l'enquête judiciaire (qui aboutit à un non-lieu), le recteur de l'Université de Paris s'adressa le 3 avril 1942 au secrétaire d'Etat à l'Education nationale pour demander l'exclusion de Beauvoir et de Sartre. Selon G. Joseph, l'expéditeur de la lettre, Gilbert Gidel, était un « juriste acquis au régime de Vichy [et] nommé à la tête de l'académie de Paris avec l'assentiment des autorités allemandes [16] ». Pour justifier sa demande d'exclusion, le recteur invoque à la fois la vie et l'enseignement des deux professeurs de philosophie. Dans le cas de Beauvoir, il relève, à mots couverts, la plainte de Mme Sorokine, malgré le non-lieu, et l'aveu qu'elle a eu un amant – Sartre – sans être mariée. Son enseignement a soulevé, poursuit-il, les protestations de quelques familles, car elle recommandait à ses élèves les lectures de Proust et de Gide « sans les mettre en garde contre les dangers qu'elles

13. *La Force de l'âge,* éd. cit., p. 618.

14. *Journal de guerre,* et *Lettres à Sartre* (2 tomes), Gallimard, 1990.

15. Gilbert Joseph, *Une si douce Occupation... Simone de Beauvoir et Jean-Paul Sartre 1940-1944,* Albin Michel, 1991.

16. *Ibid.,* p. 218. Cf. aussi Rita Thalmann, *La mise au pas. Idéologie et stratégie sécuritaire dans la France occupée,* Fayard, 1991, p. 114.

présentent pour elles [17] ». En outre, elle les initie à la psychanalyse et leur fait visiter l'hôpital psychiatrique Sainte-
Anne : autant traiter de l'instinct sexuel comme de la faim
ou de la soif ! Le recteur trouve peu étonnant que Beauvoir
n'ait pas eu de peine à enthousiasmer « les jeunes esprits
sans défense », si bien que les Présidents des œuvres catho-
liques de la Paroisse et du XVIe arrondissement ont fait une
démarche auprès de la directrice de l'établissement où elle
enseigna jusqu'en 1939, le lycée Molière. Bref : Beauvoir
« affiche dans sa propre conduite comme dans son enseignement un mépris supérieur de toute discipline morale et
familiale. Il ne lui appartient pas de former de futures
éducatrices [18] ».

Dans le cas de Sartre, l'incrimination vise surtout les
nouvelles publiées en 1939 sous le titre *Le Mur* et qualifiées
dans la presse, selon Gidel, de pathologiques et érotiques.
« M. Sartre qui a fait de son talent littéraire un usage si
édifiant – remarque le recteur avec ironie – emploie aussi
dans son enseignement un talent qui lui donne sur ses élèves
une " forte action ". Mais quelle peut être la nature morale
de cette action [19] ? » Quant à la « vie privée » du professeur
de philosophie, G. Gidel relève qu'il a été l'amant de Beauvoir
et – fait apparemment pire – que c'est à elle et non pas à sa
mère qu'il a fait virer son traitement pendant la guerre. Est-
ce signaler qu'il « entretient » une maîtresse ?

Voici la conclusion que tire le recteur de l'Université de
Paris de ses observations :

> « Le maintien de Mlle de Beauvoir et de M. Sartre
> dans des chaires de philosophie de l'Enseignement
> secondaire me paraît inadmissible *à l'heure où la
> France aspire à la restauration de ses valeurs morales
> et familiales.* Notre jeunesse ne saurait être livrée à

---

17. G. Joseph, *op. cit.*, p. 219.
18. *Ibid.*, p. 220. Au lycée Camille-Sée, Beauvoir préparait les
élèves au concours d'entrée de l'Ecole normale supérieure de Sèvres.
19. *Ibid.*, p. 221. Cf. aussi l'extrait d'un rapport d'inspection du
17 mars 1942 cité par Annie Cohen-Solal (*Sartre*, Gallimard, 1985,
p. 266) qui va dans le même sens.

des maîtres si manifestement incapables de se conduire eux-mêmes [20]. »

Le passage dit, *expressis verbis,* que la condamnation des deux enseignants se fait en fonction des valeurs préconisées par le gouvernement de Pétain. Celui-ci fustigeait la République dont « l'esprit de jouissance » fut rendu responsable de la défaite. Sartre et Beauvoir font partie des « mauvais maîtres » dont Gide et Proust, « invertis » que Beauvoir fait lire à ses élèves, sont les patrons [21]. Les deux professeurs prolongent l'œuvre néfaste de ceux qui ont mené la France à la catastrophe.

Après sa suspension, Beauvoir accepta, à la rentrée de 1943, un travail à Radio-Vichy – qu'il ne faut pas confondre avec Radio-Paris [22]. Quant à Sartre, l'Education nationale ne se conforma pas à la proposition de Gilbert Gidel. Mais on comprend que, dans le climat dont témoignent la lettre citée et les enquêtes qui la précédèrent, lui aussi eut envie de « dire merde à l'Alma Mater [23] ». Sartre eut-il connaissance de la demande d'exclusion le concernant ? Il n'est pas impossible que l'inspecteur général Davy lui ait fait part de la démarche du recteur. Quoi qu'il en fût, Sartre se présenta devant le juge d'instruction quand Abel Bonnard, ministre de l'Education nationale sous Vichy et condamné à mort à la Libération pour intelligences avec l'ennemi, revint d'Espagne purger sa contumace [24].

Avec ces événements en arrière-fond, *Huis clos,* texte

---

20. *Ibid.,* p. 221. C'est nous qui soulignons.

21. A propos des « mauvais maîtres », cf. l'étude instructive de Wolfgang Babilas dans *La Littérature française sous l'Occupation.* Presses Universitaires de Reims, 1989, pp. 197-226.

22. Cf. notre étude « Simone de Beauvoir et Radio-Vichy. A propos de quelques scénarios retrouvés ». A paraître dans *Romanische Forschungen,* nos 1-2 (1996).

23. Cf. la lettre qu'il écrivit dans l'été 1943 à Simone de Beauvoir, *Lettres au Castor et à quelques autres,* t. 2, Gallimard, 1983, p. 312.

24. Nous devons cette information à un article paru à la mort de Sartre dans le journal d'extrême droite *Rivarol* (M.G., « Sartre et Abel Bonnard », 24 avril 1980, p. 10).

lisible « à plusieurs hauteurs [25] », révèle un « étage » qui reste insoupçonné quand on se contente de *L'Etre et le Néant* comme seule référence. C'est une réponse immédiate à la suspension de Beauvoir que d'exposer sur scène une lesbienne qui convoite – encore que sans succès – une autre femme. Garcin, don juan et goujat, n'est pas sans rapport avec les reproches faits à la « vie privée » de Sartre [26]. En créant Estelle, l'infanticide, celui-ci fait allusion au débat sur l'avortement, assez actuel à l'époque, car Vichy – nous le savons par *Une affaire de femmes* de Chabrol – fit, fin juillet 1943, trancher la tête à une avorteuse [27]. Cependant – comble de l'ironie ! – les autorités de l'Etat français, réputées pour leur pudibonderie, n'auraient pas été en mesure d'interdire la pièce pour outrage aux bonnes mœurs [28] car les protagonistes « décadents » (de plus, assassins) ont été punis comme il se doit : ils sont en enfer...

---

25. La formule est de Pierre Jean Jouve et date de fin 1942, cf. Wolfgang Babilas, « Interpretationen literarischer Texte des Widerstands », dans Karl Kohut (éd.), *Literatur der Résistance und Kollaboration in Frankreich,* Tübingen, Narr, 1984, p. 113, note 59.

26. Abel Bonnard, membre de l'Académie française, avait réclamé, dans une conférence donnée en Sorbonne en juillet 1940, un mois à peine après l'occupation de Paris, la fin de « ces romans morbides et donjuanesques qui proliféraient avant guerre ». (Alice Yaeger-Kaplan, « Littérature et collaboration », dans *De la littérature française,* sous la dir. de Denis Hollier, Bordas, 1993, p. 909). Aux yeux de la Propagande allemande, les textes de Bonnard étaient, parmi ceux qui cherchaient les causes profondes de la défaite dans le comportement des Français d'avant-guerre, les plus nobles et les plus purs (cf. Gérard Loiseaux, *La littérature de la défaite et de la Collaboration,* Fayard, 1995, p. 170).

27. Cf. Francis Szpiner, *Une affaire de femmes,* Paris 1943. *Exécution d'une avorteuse,* Paris, 1986. Beauvoir mentionne l'exécution en évoquant le « vertuisme » de Vichy dans ses Mémoires, cf. *La Force de l'âge,* éd. cit., p. 638.

28. Les autorités occupantes jugeaient que les outrages aux bonnes mœurs étaient du ressort des Français eux-mêmes, cf. notre étude « Organisation et tâches de la Censure théâtrale allemande à Paris, sous l'Occupation ». Dans *La littérature française sous l'Occupation* (voir note 21), p. 256.

Tout le monde n'entend pas cette ironie. Pierre Drieu la Rochelle, qui a vu la pièce en juillet 1944, juge contradictoire que Sartre, considéré comme « communiste » (sic !), retombe dans la mythologie chrétienne [29]. Volker Roloff qui, au contraire, souligne, de manière générale, l'ironie dans les pièces mythiques de Sartre, reste cependant trop abstrait en se cantonnant dans le domaine des structures et du discours [30]. Pour comprendre comment Sartre, dans *Huis clos,* utilise le mythe chrétien de l'Enfer, il faut réinsérer la pièce dans son contexte initial, comme nous avons essayé de le faire ici. On voit en même temps la dégradation que le dramaturge fait subir à ce mythe dans la France traditionaliste et cléricale de Vichy, avec laquelle il règle ses comptes. Ses destinataires ont sinon compris, du moins senti, de quoi il s'agissait : la réception de la pièce montre que Sartre n'a pas raté son but. André Castelot, critique dramatique militant dans les colonnes de l'hebdomadaire politico-littéraire *La Gerbe,* dirigé par le collaborationniste notoire Alphonse de Chateaubriant, répéta en public les insinuations sur les capacités morales de Sartre professeur [31]. Qui sait si cette dénonciation renouvelée n'aurait pas eu d'effet si, au moment où elle fut prononcée – deux jours après le débarquement en Normandie –, la fin de la guerre n'avait pas été prévisible et si chacun, dans l'administration de Vichy, ne commençait pas à préparer son dossier ?

Dans les discussions interminables menées en France sur l'attitude de Beauvoir et de Sartre sous l'Occupation, il n'est, aujourd'hui, pas de bon ton d'insister sur ces faits. Ainsi, l'historien Jean-François Sirinelli signale, dans une étude comparative des parcours intellectuels de Sartre et d'Aron

29. Pierre Drieu la Rochelle, *Journal. 1939-1945.* Ed. établie, prés. et annot. par Julien Hervier, Gallimard, 1992, pp. 399 *ss.*

30. « Zur Ambiguität des Mythos in Theaterstücken der Okkupationszeit ». Dans *Paris sous l'occupation. Paris unter deutscher Besatzung.* Publ. par Wolfgang Drost, Géraldi Leroy et alii, Heidelberg, Winter, 1995, pp. 94-106.

31. « M. Jean-Paul Sartre est professeur de philosophie au lycée Condorcet. En dépit de sa prédilection pour l'abject inculque-t-il à ses élèves l'amour du Beau, le respect de ce qui est Noble et Grand ? » (*La Gerbe,* 8 juin 1944) Castelot demanda l'interdiction de la pièce.

parue en 1995, que Sartre fut promu, en 1941, professeur de khâgne (donc bien vu par les autorités de Vichy) alors qu'on rétrogradait nombre de ses collègues. Aucun mot sur la lettre de Gidel (pourtant publiée dès 1991) [32]. Serge Added, auteur d'une histoire du théâtre dans les « années-Vichy » parue en 1992, fait tomber, quant à lui, la notion de « théâtre résistant », faute d'objet [33]. Mis à part l'anathème dont souffrent Sartre et Beauvoir, boucs émissaires de l'ex-gauche, anathème qui explique pour une bonne part les vues actuelles, le concept de résistance utilisé dans ces études comme dans d'autres paraît trop limité. Mériteraient l'appellation « résistance » le seul combat armé et les appels explicites à y prendre part. Comme s'il n'y avait pas eu d'autres manières de montrer son refus face à l'ordre de soumission et à l'endoctrinement de valeurs officielles ! Tout ce qui, pendant les années de Vichy, rappelait la République, fut considéré hostile au *statu quo* et suspecté d'appartenir à l'Anti-France, ne serait-ce qu'une certaine façon de vivre. Sartre et Beauvoir ont rebuté les bien-pensants et attiré les non-conformistes (surtout les jeunes) parce qu'ils ont incarné cette Anti-France, sous l'Occupation, de manière flagrante : la lettre du recteur de l'Université de Paris le prouve à souhait. Si la discussion sur la vie et l'œuvre des deux auteurs pendant les années noires doit continuer, il serait temps de la situer dans le cadre plus vaste de l'histoire des mentalités, la guerre entre les deux France – celle de l'Ancien Régime et celle de la Révolution. La pièce représentée à l'Œuvre [34] n'est d'aucun secours pour élucider le comportement des protagonistes dans cette guerre idéologique franco-

---

32. Jean-François Sirinelli, *Deux intellectuels dans le siècle, Sartre et Aron,* Fayard, 1995, pp. 182 *ss.*

33. Serge Added, *Le théâtre dans les années-Vichy 1940-1944,* Ramsay, 1992, p. 273. Cf. notre compte rendu dans *Lendemains,* n° 82 (1996).

34. Elle est restée à l'affiche jusqu'au 30 avril 1996. Sa production (et la publication du texte) a été possible grâce au soutien de la Fondation Beaumarchais, une association créée par la Société des Auteurs et Compositeurs dramatiques (SACD) pour la promotion des auteurs de ses répertoires.

française : elle se contente de dénoncer. On peut d'ailleurs se demander quel défi est plus osé : écrire *Les Mouches* et *Huis clos* sous l'Occupation, ou caresser le public parisien de 1996 dans le sens du poil.

Ingrid GALSTER

Robert Redeker

LA VIE DES REVUES

TRIBU *

A première vue, le support de la revue *Tribu* peut sembler bien singulier, sinon barbare : un CD. Mais quand on connaît la poétique de son maître d'œuvre et exécutant principal, Serge Pey, on aura compris qu'il s'agit là de l'objet le plus parfaitement approprié à sa démarche.

Le numéro 30 de *Tribu* porte le titre « Notre-Dame la Noire, ou l'Evangile des Serpents ». Les différentes parties ont des titres aussi sorciers que : « L'Apocalypse des serpents », « La litanie de la bonne mort », « Prière pour la vierge de l'envers », « Le cantique aux graffiti » ou « Psaume d'Edaruad ». Il existe, avec une sérigraphie de Pierre Corneille, une impressionnante traduction en occitan de ces textes, réalisée par Eric Fraj.

Il y a plusieurs manières d'entrer en contact avec la poésie. Le poème peut se lire dans le silence qui s'instaure entre la page et le lecteur (c'est dans cette posture qu'on lira Philippe Jaccottet ou Guy Goffette). La poésie peut aussi exiger l'oralité, la présence physique du corps du poète – les œuvres de Serge Pey se classent dans cette catégorie, si bien qu'en l'occurrence il convient de les écouter plutôt que de les lire.

---

* *Tribu* (Centre d'Initiatives Artistiques, Université de Toulouse-Le Mirail, 5 avenue Antonio-Machado, 31058 Toulouse cedex).

Le rythme de ses mots ne peut être dissocié du rythme de son corps – le corps colle à la sarabande ivre des mots.

Cette poésie orale déborde de luxuriance chamanique. Si Tristan Corbière était le « *poète contumace* », Serge Pey est le poète chamane. L'écouter, c'est entrer en lui, épouser un verbal volcan en fusion, ou bien un généreux geyser, qui ne cessent, interminablement, de produire des images – lesquelles nous surprennent toutes, aucune n'étant stéréotypée, nous ravissant, nous raptant toutes. On croirait entendre dix langues, cent Babel, mille dialectes entretressés dans le langage de Serge Pey – sans compter toutes langues qu'il invente. Dans sa voix se confondent une infinité de voix mêlées, venues du fond des âges – des voix de sorcier, d'aède, de rhapsode, de troubadour, de ventriloque, de charlatan, de médium – traditions de la poésie orale qu'il continue avec une force suggestive peu commune.

Le corps de Serge Pey s'installe dans le corps de l'auditeur de telle manière qu'à la lecture solitaire, le CD débranché, c'est suivant le rythme de la diction du poète chamane, en entendant sa voix à lui résonner dans notre silence, occuper nos poumons et notre respiration, que nous suivons des yeux les mots imprimés. Signalons que dans ce surprenant travail de revue sociale, Serge Pey est accompagné par Eric Fraj [1], Dominique Regef et Hervé Taminiaux.

Cette revue est la preuve de la vie de la poésie orale.

REVUE PHILOSOPHIQUE *

La vénérable *Revue Philosophique,* fondée par Th. Ribot, est maintenant dans sa 120ᵉ année. Le numéro 3 de l'année 1996 est consacré à Sartre, Michel Kail en ayant été le coordonnateur. Quatre auteurs (Michel Kail, Hadi Rizk, Robert

---

1. On retrouve le nom d'Eric Fraj dans une aventure poétique : l'édition en trilingue (Eric Fraj pour la version espagnole et Rüdiger Fischer pour la version allemande) de l'œuvre saisissante de Claude Saguet, *L'espace de la nuit.* (Editions *Le Passe-Mots,* 1996.)

* *Revue Philosophique de la France et de l'étranger,* PUF éditeur, nᵒ 3, juillet-septembre 1996.

Harvey et Geneviève Idt) se penchent sur certains aspects de l'œuvre de l'auteur de *L'Etre et le Néant*.

Michel Kail propose au lecteur une analyse titrée « La conscience n'est pas sujet : pour un matérialisme authentique ». L'enjeu est de restituer toute l'originale modernité de la conception sartrienne de la conscience en la dégageant des caricatures marxistes et heideggériennes qui, tel le temps sur la statue de Momus, l'ont recouverte. Pour Kail, il s'agit de faire ressortir que « *la philosophie de Sartre est une philosophie de la conscience qui n'est pas supportée par une quelconque philosophie du sujet* [2] ». Pour cette démonstration, l'auteur est obligé de restituer contre la mésinterprétation heideggérienne, qui la superficialise, la véritable portée de l'insubstantialisable sujet transcendantal kantien (qui, contrairement à ce que Heidegger suggère, n'engendre pas nécessairement une métaphysique de la subjectivité). Ni Kant ni Sartre ne peuvent être intégrés dans « *une philosophie du sujet* » qui d'ailleurs n'est qu'une pure invention dans l'après-coup rétrospectif des interprétations de l'histoire de la philosophie. Le marxisme de son côté (malgré les avancées de Lukács, et d'E. Bloch) ne parvient pas à sortir d'un faux matérialisme, se laissant enfermer aussi bien dans la doctrine du sujet que dans un naturalisme dont Clément Rosset [3] a montré l'inanité. Véritable (et non superficielle, comme chez Heidegger) critique du subjectivisme et du (faux) matérialisme marxiste, la philosophie sartrienne de la conscience (qui n'est pas non plus une « *philosophie de la liberté* ») rend possible un « *matérialisme authentique* ».

Robert Harvey, dans « Panbiographisme chez Sartre », s'intéresse à la multitude de biographies et de portraits qui émaillent les écrits de Sartre. D'après Harvey « lorsqu'elles sont ramassées, toutes ces biographies successives font figure d'une énorme vie projective de Sartre lui-même sous d'autres identités ». L'analyse la plus intéressante que propose Harvey

---

2. Lire aussi : Michel Kail, « La conscience n'est pas sujet », dans *Les Temps Modernes* n° 560 (mars 1993) et Jean-Paul Sartre, « La conférence de Rome, 1961 : Marxisme et subjectivité » (dans le même numéro).
3. Clément Rosset, *L'Anti-Nature* (PUF, 1973).

est celle du regard de Sartre sur Gorz. Quant à l'article d'Hadi Rizk, « Etre social et logique de l'impuissance », il réussit à montrer avec conviction comment dans la *Critique de la raison dialectique,* en ayant recours au « *nominalisme dialectique de l'individu* », Sartre réussit à transcender l'opposition (qui lui avait été objectée par Merleau-Ponty) entre subjectivité créatrice et densité de l'Histoire en prouvant que « *c'est l'activité individuelle elle-même, activité constituante, qui produit l'aliénation et l'opacité propre au monde social* ».

Geneviève Idt, avec « L'engagement dans le *Journal de Guerre, I,* de Jean-Paul Sartre » se fait l'archéologue de la préhistoire de la notion d'engagement. Le travail méticuleux, parsemé de moments intéressants comme la comparaison entre Alain et Sartre sur la philosophie de la guerre, vise à répondre à la question : « *quand et comment Sartre passe-t-il d'un rôle à son opposé, de la révolte individualiste à l'écrivain engagé ?* ». Geneviève Idt reconstitue ainsi le parcours tortueux qui mène à l'engagement, y compris en s'attardant sur le passage par les catégories heideggériennes. Eclairant.

On le voit, chacun des articles cités apporte sa contribution à quelques-uns des enjeux capitaux que l'interprétation de l'œuvre de Sartre révèle, ou dans lesquels celle-ci se situe. Tout lecteur de Sartre verra sa compréhension de cet auteur enrichie par la lecture de cette livraison de la *Revue Philosophique* [4].

CRITIQUE *

L'amateur de revues – philosophe de surcroît – a désespéré toute une année de lire quelque contribution sur le 4e centenaire de la naissance de Descartes qui ne le fît pas bâiller d'ennui. Le salut est arrivé au mois de décembre 1996 grâce à un stupéfiant texte de Jean-Pierre Cavaillé, dans *Critique,* sur l'étonnant opuscule, que le même amateur avait dévoré à

---

4. De son côté *Raison Présente* (14 rue de l'Ecole Polytechnique, 75005 Paris) a consacré son premier numéro de l'année 1996 (117) à Sartre.

* *Critique,* n° 596, décembre 1996, 64 francs.

l'automne, de Frédéric Pagès, *Descartes et le cannabis*[5]. L'analyse de ce livre – titrée « Français, encore un effort si vous voulez être cartésiens... » – donne à Cavaillé l'occasion de régler leur compte à bon nombre de clichés qui défigurent la mémoire de Descartes. D'un côté en effet, Cavaillé dynamite Glucksmann qui, chantre du « *cogito national* », tonitruait à tue-tête, dans le sillage de Maurice Thorez[6] et en dépit de l'évidence étrangère d'un auteur qui préféra la Hollande à la France : « *Descartes c'est la France.* » D'un autre côté, il fait en outre un sort aux misérables quoique courantes interprétations biographico-psychologisantes (l'auteur épingle pour leur ridicule Alexandre Astruc, Catherine Clément, Alain Laurent, Geneviève Rodis-Lewis ainsi que le chapeau, fort comique dans sa démagogie racoleuse du numéro 342 du *Magazine Littéraire* consacré à Descartes « *philosophe, mais aussi homme de guerre, il aimait les batailles, provoquait en duel, engrossait une servante dont le strabisme était célèbre* »). Descartes n'était ni un cinquième mousquetaire s'ajoutant à ceux de Dumas (Alexandre Astruc avait poussé l'outrance jusqu'à en faire « *le frère de D'Artagnan* »), ni ce « *bourgeois prud'homme et raisonnable* » que décrivent Louis Dimier et Geneviève Rodis-Lewis. Entre les deux récifs, Cavaillé – qui pose la question « *pourquoi cet homme, dont on a fait l'incarnation de la culture et de l'esprit français, sinon de la France elle-même, a-t-il fui Paris et vécu la plus grande partie de sa vie d'adulte en Hollande ?* » – dégage toute la joyeuse subtilité de la lecture de Frédéric Pagès : Descartes est un « *exilé heureux* » en Hollande et « *la thèse cannabique n'est pas totalement absurde* ». En fait Descartes, qui peut-être mêlait le cannabis aux tabacs d'Amsterdam, est l'auteur inclassable, nomade, sans nationalité, qui n'a rien à voir avec l'individualisme réactionnaire qui veut le récupérer ni avec le « *ronron universitaire... des cérémonies organisées en son honneur* ». Ne cherchons pas à faire de Descartes un philo-

---

5. Frédéric Pagès, *Descartes et le cannabis,* Mille et une nuits, éditeur 1996.
6. Maurice Thorez, 2 mai 1946 : « *le monde aime la France, parce que dans la France, il reconnaît Descartes* » (cité par Cavaillé).

sophe à domicile fixe – « *Descartes est déjà loin, n'en doutons pas, il a encore changé d'adresse* ».

Moins brillant, l'article d'Eliette Abécassis [7], « *Descartes cosmopolite : l'étranger dans le Discours de la Méthode* » complète cependant utilement l'intervention de J.-P. Cavaillé. Le cogito ayant été découvert à l'étranger, quel est, demande l'auteur, *le lien de Descartes à l'étranger ?* Le « *où suis-je ?* », lieu du « *je pense* », éclaire ce « *je pense* ». « *Où suis-je ?* » voilà qui serait, selon Eliette Abécassis « *le véritable point de départ de la métaphysique* » cartésienne. Selon elle, la *géophilosophie* de Deleuze et Guattari aide à comprendre ce point de départ (après la déterritorialisation, « *la philosophie se reterritorialise sur le concept, qui n'est pas objet, mais territoire, et dont le cogito cosmopolite est sans doute la seule et la vraie patrie* »). On peut, la lecture de l'article achevée, être traversé par des doutes qui laissent sceptiques : Descartes avait-il besoin de cet exercice d'application deleuzien ? Les livres de Deleuze sont-ils des recueils de recettes pour renouveler à peu de frais les travaux d'une histoire de la philosophie exténuée ? Allons, lisons Deleuze sans penser à rien d'autre ! Lisons Descartes – dans l'amitié intellectuelle avec Pagès et Cavaillé –, sans tenir compte des mausolées érigés par les historiens de la philosophie, le plaisir de la pensée, inépuisable source, se recommençant à chaque page infiniment relue. Descartes n'a pas d'adresse, c'est pourquoi nous ne pouvons nous lasser de le lire.

Robert REDEKER

---

7. Cet article commente deux livres de Pierre Guenancia : *Descartes et l'ordre politique* ainsi que *Descartes, bien conduire sa raison*.

Robert Redeker

SON CHAGRIN EST AUSSI LE NÔTRE

A PROPOS DU LIVRE DE MARTINE STORTI :
UN CHAGRIN POLITIQUE [1].

> *« Je n'incarne pas ma génération, ou plutôt*
> *je ne l'incarne ni plus ni moins que les autres. »*
>
> Martine STORTI

Il est des chagrins politiques qui engendrent une mélancolie plus durable que bien des chagrins d'amour. Celui de Martine Storti, qui résulte du récit de ces trente dernières années, est une blessure à vif que beaucoup d'entre nous partageons, un ensemble de douleurs que l'auteur ravive au moment même où l'histoire semble bouger, et les idées de gauche pouvoir sortir du tombeau dans lequel l'idéologie libérale anti-politique des années quatre-vingt les avait enfermées.

Ce livre de témoignage paraît écrit contre ceux qui, incarnations auto-proclamées d'une époque, s'autorisent à parler au nom de tous, à renier au nom de tous, cherchant à faire excuser leur abjection présente au nom de tous ceux qui les accompagnèrent un temps dans des combats communs. Martine Storti, pour sa part, ne prétend parler ni au nom d'une époque, ni à la place d'une génération [2] : ne s'exprimant qu'en son nom propre, ne se faisant porte-parole de rien d'autre que de son existence singulière, tous ses lecteurs auront le loisir

---

1. Martine Storti, *Un chagrin politique, L'Harmattan* 1996.
2. Hervé Hamon et Patrick Rotman, auteurs de *Génération,* sont épinglés par la *« colère »* de Martine Storti, p. 15.

de faire leurs des bouts de sa parole. De vrai, nous avons tous dans notre passé cheminé sur des parcours parents avec celui de cette femme. Pourtant ce livre appartient à l'auteur – il est teinté par une singularité irréductible, une voix personnelle y déploie son verbe –, ce qui n'empêche pas que beaucoup d'entre nous pouvons nous en approprier des pages entières, détacher des morceaux de cette existence pour l'intégrer aux nôtres, composant de la sorte d'inédits patchworks avec des pièces de la vie d'autrui.

Dans l'existence au quotidien de ses parents gisent les racines des convictions de notre auteur. Qui étaient ses parents ? Comment vivait la famille Storti ? Son père et son oncle étaient des immigrés italiens arrivés en France dans les années trente, pour fonder une petite entreprise de mécanique à Colombes : l'oncle devint le patron tandis que le père resta toute sa vie ouvrier. La formule claque comme un coup de feu sur une barricade : « *Lui, ouvrier ; eux, patrons.* » Martine Storti eut à voir et à vivre les classes et leur lutte chez elle, à la maison, entre son père et son oncle, sa tante et sa mère, l'usine et le domicile, elle et ses cousins : « *J'eus tout au long de mon enfance le spectacle de ces deux manières de vivre, juxtaposées au sein de la même famille.* » Toute petite déjà, se déployait sous ses yeux, dans l'intimité de la domesticité familiale, cet affrontement qui pour Karl Marx figure le moteur de l'histoire.

Cette situation nous vaut de très belles pages, d'une rare sensibilité, dures et généreuses, pleines de compréhension et d'indulgence. Le travail du père est décrit avec des accents qui ne manquent pas de rappeler ceux de Simone Weil dans *La condition ouvrière :* « *debout devant sa machine, onze heures par jour, six jours par semaine, jusqu'au début des années soixante, payé à l'heure, par quinzaine* ». L'intolérable violence du salariat saute aux yeux du lecteur qui n'en aurait jamais eu aucune approche concrète. L'atelier, « *lieu magique de l'enfance* » est évoqué, de même que la vie à la maison, la vie d'une petite fille d'ouvriers immigrés. L'auteur trouve les mots pour restituer l'existence des milieux populaires de ces années-là : les livres (des best-sellers sentimentaux : Delly, Slaughter), les journaux *(Le Parisien Libéré, Paris-Turf)*, les hebdomadaires *(Bonne Soirée)* qu'on y lisait, les films qu'on allait en famille voir au ciné du quartier le dimanche après-midi, le tiercé toujours perdu, les conversations autour de la table. Les phrases sur la perception de la politique (j'ai, dans mon enfance, connu mes parents, ouvriers immigrés eux aussi, entretenant le même rapport à la politique que ceux de Martine Storti) sont particulièrement intéressantes [3]. Les origines du tempérament et des idées de notre auteur, la haine de l'argent, de l'arrogance qu'il procure, du pouvoir qu'il donne, des fausses valeurs dont il est l'étalon, se trouvent sans peine dans cette difficile enfance ouvrière ; tout au long de sa carrière, des classes préparatoires du lycée Fénelon aux cabinets de Laurent Fabius puis d'Alain Decaux, Martine Storti va – ce qui explique sa bienveillance pour Pierre Bérégovoy, dont elle analyse finement [4] le suicide en termes d'écrasement de classe – se cogner contre ces deux murs, celui de l'argent et celui de la naissance. L'école républicaine fut pour notre mémorialiste la voix du salut : tenaillée par l'amour des études (*« de la maternelle à la terminale, l'école m'enchanta »),* elle y réussit remarquablement ; le succès scolaire (le parcours républicain) étant vécu sur le mode d'une revanche sur les patrons (à travers la fille, l'éclatante revanche de classe de ses parents sur ses oncles). Le lycée Fénelon est l'occasion de la vraie découverte d'autres classes sociales : celles qui sont nées dans la culture, les fameux *« héritiers »* de Pierre Bourdieu. A la fin de l'adolescence, un sentiment nouveau, politique autant que psychologique, qui s'incrustera jusqu'à ne plus la quitter, voit le jour chez Martine Storti : *« Je n'étais pas du sérail. »* Bilan : *« Mes deux années de classes préparatoires me firent prendre conscience de l'inégalité culturelle. »* Cette inégalité, corollaire de l'inégalité par l'argent, était jusqu'aux études supérieures camouflée par l'école dont il ne faut pas oublier que l'idéalisme a aussi un rôle idéologique.

« Je ne suis pas plus née dans la politique que dans la culture. » A la naissance biologique, involontaire et naturelle, en 1946, succède une naissance voulue, forcée, dans la culture et la politique, intrusion dans un monde qui n'est pas le sien,

---

3. P. 60.
4. P. 183-185.

une vingtaine d'années plus tard. Pas native des milieux dans lesquels la politique et la culture sont des héritages, des propriétés héréditaires : « *J'ai fait mon apprentissage de la politique, comme celui de la vie d'ailleurs, sans mode d'emploi.* » Un autre livre dans le livre commence à la naissance politique de Martine Storti, pour s'achever à la toute fin des années quatre-vingt, au terme de ces détestables années qui demeureront celles de Tapie et de Seydoux, où la morale devint celle de Michel Noir et où l'on voulait nous faire croire que le capitalisme était l'éthique. La « *gauche* » tapiste est diagnostiquée avec toute la rigueur qu'elle mérite [5] ; le suicide de Pierre Bérégovoy paraissant être le seul acte de grandeur – si ce n'est de résistance – de cette époque.

Sartre et Simone de Beauvoir furent, sans le savoir, les parrains de cette seconde naissance. La lecture de Sartre permettait de construire un projet de vie, au sens plein de la vie (non un prosaïque projet professionnel). Non seulement Sartre et de Simone de Beauvoir eurent une influence sur la suite de ses études de Martine Storti, mais cette influence s'étendit à tous les aspects de son existence – influence qui fait d'elle à jamais quelqu'un d'engagé, qui donne corps à un engagement tout en la gardant des embrigadements (si l'on excepte un bref et salutaire passage dans le groupuscule trotskiste l'OCI).

Comment se souvenir de ces années d'engagement politique, du bonheur et de la passion, de la fatigue et de l'activité enthousiaste, des meetings et des manifs ? Il suffit à Proust d'une madeleine pour que tout le passé remonte à la conscience. Il suffit à Martine Storti d'ouvrir l'armoire dans laquelle elle a tout gardé [6], le fatras des journaux, des affiches, des bulletins, des tracts, et de respirer un instant l'odeur des stencils – ou plutôt d'un unique stencil : « *il a conservé son odeur, cette odeur d'encre, de papier carbone, une odeur particulière, à la fois acide et douceâtre, poivrée et sucrée, odeur des heures, des journées, des nuits passées à tirer les tracts à la ronéo, avec cette hantise de la catastrophe...* » –

---

5. P. 183.
6. P. 51-53.

pour que le passé sorte de son ombre. Toutes ces années, qui nous semblent aujourd'hui d'une autre planète, qui ont été vécues comme dans un rêve dont l'auteur assume à présent franchement la nostalgie, reposent dans l'armoire, enfermées dans leur Hadès à elles : « *Si je n'avais pas de traces de papier, comment aurais-je la preuve qu'elles ont bien existé, ces années ?* »

Ainsi, Martine Storti traversa, en militante, toutes les aventures d'une génération politique : depuis les années 63-64 jusqu'au 10 mai 1981 : du gauchisme au féminisme en passant par le journalisme à *Libération* et en ayant été (de 1969 à 1974) professeur de philosophie dans un Lycée technique à Denain. « *Il s'agissait d'une activité militante, certes, mais aussi d'une manière de vivre, d'une morale et même d'une spiritualité, presque l'âme d'un monde sans âme pour reprendre le mot de Marx à propos de la religion, une sorte d'enchantement de ne pas être seulement embarquée dans un projet ou une stratégie individuels.* » Cette activité est typique de toute une part d'une génération dans la mesure où elle chercha sa voie à travers un double refus : du capitalisme, et du communisme réel, historique.

Des leçons sont tirées de son passage par une organisation gauchiste trotskiste-lambertiste, l'OCI. Elle découvre dans ce groupe, à vrai dire assez caricatural, le totalitarisme « *dans un petit périmètre parisien* ». La description de l'état d'esprit qui régnait dans ce parti [7], des pratiques staliniennes qui en étaient le quotidien, permet de comprendre à rebours le mécanisme des procès de Moscou. Finalement l'auteur quitte l'OCI à la suite d'un procès de ce type : « *Ce qu'on attendait de moi : la reconnaissance de mes torts. Tort de (me) poser des questions, tort de le dire, tort en somme d'avoir conservé quelque liberté de penser* [8]. »

Le témoignage sur le vif des journées de mai 68 [9] est l'un des morceaux centraux du livre ; probablement peut-on voir dans ces journées le point nodal de la biographie de l'auteur,

---

7. P. 65-78.
8. P. 77.
9. P. 85-99.

la référence : « *Mai est ce que j'ai eu de meilleur.* » Le mouvement prend de l'ampleur pendant les épreuves de l'agrégation de philosophie, contraignant Martine Storti à un choix. Elle opta pour la seule possibilité digne : sacrifier l'examen pour sacrifier à la révolution. « *Que pesait la réussite à un concours face à l'ambition de changer le monde ?* » L'enthousiasme qui traverse toutes ces pages quant aux formes de la contestation – manifs, A.G., etc., lieux de bonheur – est communicatif. Oui, toutes les pages sur ces journées sont prenantes, illuminées aussi bien que lumineuses : l'intelligence, l'âme, l'action, le corps, les pavés, les livres, les discours, les tracts, fusionnent dans un tourbillon grisant. Toutes les dimensions de l'existence s'en trouvent chamboulées. La vie devient, l'espace d'un mois ou deux, extraordinaire. Qu'est-ce que Mai 68 ? Beaucoup d'hypothèses ont été depuis avancées. Selon Martine Storti, qui se risque à nous proposer une très forte réponse de type fouriériste, c'est « *l'archétype du bonheur public* ». Veut-on la preuve que ce bonheur – aux antipodes du « *pour vivre heureux vivons cachés* » des épicuriens – est bien un accomplissement ? « *Mon père faisait grève.* » « *J'ai été effectivement heureuse, d'un bonheur que je qualifiais de public.* » Le bonheur est public, le public est la cause du bonheur. Ce bonheur est un bonheur politique pratique, il n'est pas l'hédonisme débridé, présent aussi en Mai 68, qui au fond préfigurait sans le savoir la société de la marchandisation généralisée et de l'égoïsme qui allait commencer à se développer une décennie plus tard.

Puis il fallut cesser d'être étudiante, et cela en 69, « *une année d'impossible travail de deuil* », juste après le renoncement définitif à l'agrégation : « *ce jour-là, j'ai eu l'impression de trahir mes parents* ». A la rentrée 69, l'été du suicide de Gabrielle Russier, Martine Storti fut nommée dans un lycée technique, non à T. comme François George [10], mais en pays ouvrier, à Denain. Il s'agissait, pensait-elle, de continuer dans/par l'enseignement à mettre en cause cette société ébranlée par Mai 68. Le milieu lycéen (familles, administration, élèves, professeurs) est décrit avec une précision toute

---

10. François George, *Prof à T., Galilée* 1973 et *10/18*, 1976.

simenonienne [11]. Au sein de la médiocrité des préoccupations du corps enseignant, où la vie intellectuelle est généralement mise sous l'étouffoir, il existait un havre de félicité : *L'Ecole Emancipée* [12] dominée alors par la figure tutélaire de Volovitch.

Elle rencontre simultanément (au milieu des années soixante-dix) l'aventure du journal *Libération* et celle du féminisme. Elle quitte l'enseignement, suivant Jean-Luc Hennig au journal (plus tard l'aventure journalistique se poursuivra à *Histoire d'Elles, F Magazine, Nouvelles et RMC*). A *Libération,* pendant cinq années, c'est le malaise permanent. Sans aucune concession, avec beaucoup de courage, ce journal est, quasi médicalement, raconté du dedans [13]. Martine Storti démystifie la légende gauchiste de *Libération* en mettant en exergue la terrifiante lutte pour le pouvoir à l'intérieur de ce quotidien. On y retrouvait, affirme-t-elle, les mêmes défauts qu'à l'OCI. Le *« populisme »* s'y conjuguait avec une mondanité frénétique. A travers ces descriptions, chacun peut se rendre compte comment peu à peu la roublardise de Serge July a fait de *Libération* un autre journal que ce que voulait son projet initial : un journal de marché, dans le vent des non-idées des années quatre-vingt ; *« le Libération d'après 1981 n'est pas la suite de celui d'avant »,* July s'étant livré à un détournement d'héritage. Ainsi *« nos beaux principes furent l'instrument d'une prise de pouvoir absolue ».* En effet *« notre refus principiel de délégation de pouvoir avait abouti à un pouvoir absolu ».* *Libération* a pris le tournant dans le *« vent qui soufflait à la fin des années soixante-dix »,* ce vent mauvais qui allait nous apporter les années quatre-vingt, anticipant ainsi sur ce qui allait triompher dans la période suivante. A cette heure, *« je sentais bien que ne s'achevait pas seulement une période politique, mais aussi une manière de vivre, d'être ».*

Les rapports étaient difficiles entre *Libération* et le féminisme, Martine Storti – l'électrochoc féministe ayant été

11. P. 101-114.
12. P. 117-123.
13. P. 125-149.

provoqué chez elle par la lecture du numéro de la revue *Partisans* consacré à cette question – se trouvant à la croisée des deux. Les grandeurs et les travers de ce mouvement sont passés au crible [14]. En soi, « *le mouvement était joyeux, tendre, vif, plein d'humour, de rigolades, de fêtes, de manifestations colorées, il donnait de l'énergie, de la vitalité, de la vivacité, il libérait des capacités créatrices* ». Pourtant, une partie du mouvement, sous la houlette d'Antoinette Fouque (devenue en 1994 député européenne sur la liste de « *ce grand féministe devant l'éternel qu'est l'ancien président du club de football marseillais* », Bernard Tapie) dont un superbe portrait est dressé [15], avec la structure « *Politique et Psychanalyse* », finit par reproduire le schème totalitaire/dogmatique déjà rencontré à l'OCI et à *Libération* jusqu'à devenir le propriétaire légal du sigle MLF. Il s'agissait bien d'un « *vol de la mémoire des femmes* ».

Arrivèrent les détestables années quatre-vingt, indéfinissables dans leur vulgarité. En ces années-là « *l'heure est à la mort des idéologies, aux gagnants et aux gagneurs, au fric, à la réconciliation avec l'entreprise, au marché devenu nouvel horizon indépassable* ». Dans *Le Nouvel Observateur*, Jérôme Seydoux se félicite qu'auprès de la jeunesse, Bernard Tapie ait remplacé Sartre ! Les années passées étaient traitées d'« *archaïques* » – insulte suprême en un temps où partout l'on substitua à la lutte des classes l'opposition ancien/moderne – parce que Sartre n'avait pas encore été remplacé dans l'imaginaire collectif par Bernard Tapie ! La politique devint une province de la « *gestion* » : ce concept pourtant renvoie aux idées de « *performance* » et d'« *efficacité* », c'est-à-dire à des idées libérales ; toutes ensemble, elles présupposent un apolitisme qui paralysa toute politique de gauche. (Michel Rocard en reconnaît aujourd'hui le résultat : « *c'est d'un défaut de politisation que nous souffrons* [16] ». Le « *socialisme* » disparut

---

14. P. 134-152.
15. P. 139-144.
16. Michel Rocard, « La cinquième renaissance du Parti Socialiste », *Le Banquet* n° 7. Cet article est inséré dans un remarquable dossier : « La gauche en quête d'elle-même » (la revue *Le Banquet* est disponible au CERAP, 289, rue Lecourbe, 75015 Paris).

peu à peu de l'horizon des « *socialistes* » – comme si ce
concept avait perdu tout sens, ne désignant plus une forme
de société à construire : ceux-ci ne se distinguaient plus des
politiciens de droite qu'en plaçant un tout peu plus du côté
de la justice le point d'équilibre entre la justice et l'efficacité
économique capitaliste. Je partage avec Martine Storti cet
étonnement scandalisé : comment est-il possible que la gauche
se soit convertie aux gagneurs, à la gestion et à l'entreprise,
au culte du toc et au jargon du chébran, en abandonnant
toutes les valeurs qui l'ont portée au pouvoir ?

Le 10 mai 1981 est vécu par Martine Storti à Château-
Chinon avec François Mitterrand ; le soir, elle se trouve avec
Danielle Mitterrand et le nouveau Président de la République
dans la voiture qui rentre sur Paris. Des illusions destinées à
ne pas durer trouvent leur incarnation ce jour-là. Elle raconte,
sur un ton haletant, cette journée, cette soirée, cette nuit –
« *Ce n'était pas les moments de magie de Mai 68, mais tout
de même j'eus là quelques instants de vrai contentement,
presque de bonheur.* » Ce jour-là, ce soir-là, cette nuit-là, la
fête disait partout la joie : nul d'entre nous n'oubliera cette
soirée [17], puis la nuit qui s'étira longuement, puis les premières
journées d'un monde que nous croyions – jusqu'à l'ivresse
d'une coupe dont on ne s'apercevrait que bien plus tard qu'elle
était vide – nouveau : nous entrions dans ce nouveau monde
que nous avions voulu, désirant ignorer qu'il ne serait pas
celui de nos désirs. Les premiers mois passèrent, assez heureux
car encore gonflés d'espoir, car encore sous le charme de la
première nuit. Aujourd'hui, en se retournant sur le contraste
entre cet espoir du 10 mai (« *l'esprit du 10 mai* » comme
disait François Mitterrand) et le bilan qu'on put dresser en
1993, une constatation s'impose : « *Comment pouvais-je imaginer un tel ralliement aux puissances de l'argent, un tel
assentiment aux modes, un tel désir de pouvoir pour le
pouvoir ?* »

« *A partir de 1981 je me suis mise à attendre quelque
chose d'un gouvernement.* » Pour conjurer l'impossibilité de

---

17. Robert Redeker, « Bastille-Concorde : d'un mai l'autre »,
Nouveaux-Repères, août 1995.

l'action collective, Martine Storti accepta le pari, inexorable-
ment décevant, de travailler dans l'ombre au cabinet de
Laurent Fabius. Elle devait, avec Jacques Tarnero, construire
des argumentaires pour le Premier Ministre. « *Lorsque je*
boycottais l'agrégation de philosophie, et que je quittais en
chantant L'Internationale *la bibliothèque Sainte-Geneviève*
quadrillée par les CRS, lui (Laurent Fabius) *jouait cavalier*
seul (littérature/équitation) au jeu télévisé La tête et les
jambes. » Les feuillets envoyés à Fabius, sur le sens de la
gauche, les valeurs républicaines, le contenu de la parole, ne
furent pas d'un grand effet ; l'homme de pouvoir était plus
préoccupé par le look, la portée de l'image, le choc des photos,
que par le sens des mots, la valeur de l'argumentation. Les
temps, et le Premier Ministre avec eux, étaient à autre chose
qu'à la pensée politique ; ils étaient voués à la communication
(construire une image, cibler des électeurs, marketing), à la
frime, aux sondages en ligne directe, à la stratégie mass-
médiatique. « *Les communicateurs étaient devenus les conseil-*
lers des princes qui, préférant les jeux d'images aux idées,
se mettaient à l'heure du temps. » Pour preuve, l'auteur donne
son point de vue sur le débat Fabius-Chirac d'octobre 1985,
sur cette sinistre émission, cette accablante comédie dans
laquelle Fabius s'est présenté sous un jour décidément anti-
pathique. La gauche cédait tout, se livrant tout entière à la
communication, autrement dit à « *la régression politique et*
morale, la toute-puissance de la communication, de l'instant,
du look, du fric » ! « *Ce fut l'un des signes majeurs du*
renoncement à vouloir autre chose que ce qui est » Le sens
de ce retournement de la gauche – qui n'a surtout pas touché
à l'essentiel : les rapports de pouvoir ! – contre elle-même
atteint son épiphanie lors de « *l'adoubement politique et moral*
donné à Bernard Tapie par François Mitterrand à partir de
1992. Comment se présentèrent pour moi le comble et le point
de rupture ». Il faut se souvenir de la folie d'alors sur la scène
publique (pages essentielles du livre, 204-206) : tout ce qui
est de gauche devint soupçonné de totalitarisme en germe, les
Vendéens comme Louis XVI passèrent pour des victimes de
la gauche sanguinaire et liberticide par essence, on réhabilita
les Chouans et les Versaillais, on vit l'ascension de l'in-éthique
apologie du modèle libéral-libertaire (Tapie, Berlusconi, De

Benedetti, etc.), de l'entreprise. « *C'est dans ces années, vers 83-84, qu'est né en moi ce sentiment difficile à décrire, l'impression d'être en exil de devenir peu à peu étrangère à ce qui paraissait séduire chaque jour davantage une partie de mes contemporains.* » Le chagrin politique commençait à se muer en sentiment, un peu plotinien, métaphysique d'exil. Mais auparavant, avant d'accepter cet exil, Martine Storti se permit une ultime tentative : avec Alain Decaux, dont un portrait aussi sympathique que chaleureux, sincère, est présenté [18], elle embarque dans un cabinet ministériel sur le vaisseau de la francophonie, celui de « *la nécessaire résistance culturelle* ».

Ces années quatre-vingt – qui virent aussi l'odieuse droite au pouvoir 1986 à 1988 (le droit du sang, les bavures policières dont la victime principale fut Malik Oussekine, la privatisation de TF 1 sous couvert, selon la formule de François Léotard, de « *mieux-disant culturel* », le pourrissement de la grève des cheminots, Pasqua affirmant que « *nous avons des valeurs communes avec le Front National* » – furent celles de la banalisation des thèmes du *Front National* [19]. En 1984 (le 10 novembre) Jacques Toubon clamait, langage extraordinaire pour un futur ministre de la Culture, que « *les idées socialistes* » n'étaient pas « *des idées françaises* » ! Le climat de la résistible renaissance de l'extrême droite amène une réflexion sur « *la manière dont les tabous avaient sauté dans une collusion de nostalgiques du Troisième Reich et de quelques gauchistes* ». Martine Storti relate et analyse la paralysie de la gauche face au retour en force de la thématique fasciste. La critique de la politique d'immigration conduite par la gauche (par exemple la loi sur les contrôles d'identité, les expulsions brutales) est pertinente. « *De même que la fréquentation d'un groupe trotskiste* » permettait de comprendre les mécanismes des procès de Moscou, une première énigme, la vie au jour le jour dans les cabinets et les rédactions, la somme de toutes petites lâchetés et de méprisables médio-

---

18. P. 234 et 235.
19. P. 198-205.

crités, permettait de comprendre l'autre énigme du siècle, la montée des fascismes dans les années trente.

Ce livre, on l'aura compris, est important : voyons en lui un baromètre hypersensible, objectivement subjectif et subjectivement objectif, appliqué à l'âme politique d'une époque. Le livre de Martine Storti – qui a l'impression d'avoir vécu *« deux vies, l'une avant 1981, l'autre après »* – est un livre de vie, ouvert sur l'avenir : il sera le livre de ceux qui n'ont pas renoncé, de ceux qui n'ont pas renié tout en devenant plus lucides – *« la lucidité,* a écrit René Char, *est la blessure la plus rapprochée du soleil »* –, plus incomplaisants. Dans l'abondante littérature *« générationnelle »,* cet ouvrage se distingue par sa tenue : aucune haine retournée contre ses idéaux de jeunesse (que, pour ma part, pour l'essentiel, je partage toujours) ne s'y montre, aucun de ces ressentiments malsains, qui firent la carrière de quelques-uns ne s'y fait jour, seulement un peu de nostalgie. *« Je ne veux pas aimer* le vieux monde, *ni celui qui se dessine sous nos yeux »* dit-elle à la dernière page. Tout est à faire, chère enfant du siècle.

Son chagrin est aussi le nôtre. Son chagrin est aussi le mien...

Robert REDEKER

Micheline B. Servin

QUOI DE NEUF SUR LA GUERRE ?

Tout comme il faut, texte de Luigi Pirandello, mise en scène de Jacques Lassalle au théâtre Hébertot.

En 1906, Luigi Pirandello écrivit *Tutto per bene* une nouvelle qu'il dramatisa, sous le même titre, en 1920. En 1926, Benjamin Crémieux en donne la première traduction en français. *Tout pour le mieux* qui sera créée l'année suivante par Charles Dullin. Andrée Maria choisit *Tout finit comme il faut*. Ginette Herry qui signe la version scénique actuellement jouée, opte pour *Tout comme il faut*. Pour l'historiette, la pièce n'avait pas été présentée en France depuis 1962. De la difficulté du choix du titre, à la mesure de la subtilité de l'écriture du Prix Nobel de littérature 1934.

Tout comme il faut, le titre en forme de proverbe suggère une conformité à une bonne tenue, à un ordre moral. Mme Barbetti se présente pour le mariage de Palma Lori avec le comte Flavio Gualdi. Elle est la grand-mère maternelle de la jeune mariée mais elle ne la connaît pas. Des recherches scientifiques poursuivies par l'époux et père ayant causé une brouille entre la mère et la fille, laquelle est morte trois ans après avoir épousé Martino Lori et mis au monde Palma. Le veuf qui vit dans le culte de son épouse a laissé le sénateur Manfroni, par ailleurs scientifique réputé dans la même discipline que feu Barbetti, veiller sur Laura. Une méprise de Palma détruit l'univers de Martino Lori : elle n'est pas sa fille mais celle de Manfroni qui lui avait laissé comprendre que lui, père officiel, le savait. Le mensonge est une boîte de

Pandore : Martino Lori avait tu que Manfroni devait sa renommée à un détournement de papiers de Barbetti pour préserver Palma. La jeune femme le choisit pour père, parce qu'il a conquis son estime et son affection. *Tout comme il faut.*

La pièce tient une place singulière dans l'œuvre de Pirandello puisqu'elle est la seule de sujet romain, écrite en italien qu'il a traduite en dialecte sicilien. Cela en 1924, juste avant son adhésion au parti fasciste. Que de contradictions ! En effet, la Rome mussolinienne se tient, menaçante, dans une ombre que Jacques Lassalle, metteur en scène, a judicieusement éclairée. Ainsi le jeune marié, le comte Flavio Gualdi, choisi par le sénateur, montrant un mépris sans faille pour le veuf éperdu, a-t-il le maintien rigide, sans aspérité ce que Mark Saporta joue avec une morgue froide. Il se tient toujours en compagnie de Veniero Bongiani, un homme dont on sait tout juste qu'il s'agite dans le milieu cinématographique et qu'il sait user des influences et relations, Jean Pennec, monocle à l'œil gauche, dans un costume blanc flottant, impose avec superbe un de ces esthètes décadents, insaisissables au regard de glace dont le fascisme s'entoura (avec en arrière-plan l'usage du cinéma dans la propagande), inquiétants. La dernière image du spectacle le montre, figure en attente, au lointain. Ces deux acteurs campent avec rigueur des hommes dont on comprend que l'affectif leur est d'une vulgarité inacceptable, et dont on apprend qu'ils célèbrent un ordre nouveau. Ils forcent le sénateur à les suivre dans une réunion un peu comme s'ils avaient barre sur lui, on peut le supposer puisqu'il appartient à cette catégorie d'individus dont la renommée se fonde sur une crapulerie (Michel Peyrelon un peu raide dans un Salvo Manfroni d'une hypocrisie achevée, préférant également sa carrière à sa vie privée). Tout trois, figures du nouvel ordre social, s'harmonisent aux trois décors (un par acte) de Rudy Sabounghi qui a choisi d'aménager en vestibule rempli de fleurs, salon et bureau vastes, l'espace scénique aux murs tapissés de noir, espaces du privé, reflets du social. La musique de Jean-Charles Capon rappelle que la valse fut prisée alors et la lumière de Frank Thévenon, ce crépuscule de l'humanité, annoncée par la montée du fascisme. Traversent ce microcosme en perte d'humanité, métaphorique du pouvoir,

plusieurs personnages. Mme Barbetti, dont on ne sait trop la
raison de son surgissement et que l'on apprendra âpre au gain,
par Dominique Blanchar extravagante à ravir, dominatrice
derrière ses rires de gorge et son fils – Philippe Lardaud
étriqué à souhait, étouffé en plus par la honte d'être né hors
mariage. Mlle Cei qui veille sur la maison de Lori, sans doute
amie de feu l'épouse, au courant des manigances de Manfroni
qu'elle surveille, Dominique Labourier la dote d'une dignité
et d'une retenue qui laissent comprendre une femme honnête
et simple. Et les deux personnages majeurs. Palma Lori, une
jeune femme ayant appris à taire ses sentiments, à jouer un
rôle social, à s'y plier, elle attend le moment ultime pour livrer
qu'elle est meurtrie et forte au point de choisir pour père un
homme que chacun tient par le mépris ; la jeune Océane
Mozas se révèle une actrice de formidable tempérament,
élégante et capable d'accents rares pour plaider la cause de
la tendresse. Contre le droit du sang, elle choisit le droit du
cœur. Il revient à Olivier Perrier d'être Martino Lori. L'art
avec lequel il conduit ce personnage complexe, absent de la
vie au début, découvrant qu'il a vécu pendant dix-neuf ans
dans un mensonge, profondément humain dans la tentative
désespérée de se raconter une histoire, homme que l'on voit
se fracturer jusqu'à frôler la mort puis se reprenant, faisant
face à ceux qui l'ont avili. Acteur pirandellien, formidable-
ment, il entraîne dans le jeu des apparences, les retournements
d'être, des différents reflets du soi. Il fait frémir. Il incarne
l'interrogation sur la vie – « ai-je vécu ma vie ? » –, la médi-
tation sur l'amour, la mort et le temps, l'importance de
l'imaginaire, les méfaits de l'hypocrisie auxquels Jacques Lassalle s'est à l'évidence attaché. Le travail scénique s'étaye sur
la direction d'acteur dont la finesse témoigne d'une approche
sagace de cette œuvre. Il lui confère une richesse humaine,
pas si évidente que cela et ne perd jamais de vue le contexte
sociopolitique. Il a été fidèle à plusieurs des comédiens qu'il
avait distribués dans *L'Homme difficile* de Hugo von Hof-
mannsthal dont il avait assuré la création en 1995 au théâtre
Vidy de Lausanne avant de le reprendre au théâtre de la
Colline. Déjà il avait scruté la difficulté de vivre d'hommes
entamés, en l'occurrence par la Première Guerre mondiale.

Une fois encore avec *Tout comme il faut,* il a eu le choix juste et la manière belle.

Kinkali, texte de Arnaud Bédouet, mise en scène Philippe Adrien au théâtre national de la Colline.

Une affiche sur laquelle figure en gros plan le visage d'un adolescent noir, le regard implorant, une croix rouge sur la bouche. L'œil est attiré, la sensibilité touchée. Faudrait-il comprendre que la Croix-Rouge réduit l'Afrique au silence ? L'affiche est dans l'esprit du spectacle de même que le titre, *Kinkali* qui évoque Kigali. Le metteur en scène précise dans le dossier de presse que la pièce a été écrite avant la guerre du Rwanda. Elle se déroule dans le « Bosamba, ancienne colonie française (qui) est un pays imaginaire. La coïncidence entre les événements réels au Rwanda, comme ailleurs en Afrique, et ceux de la fiction n'en est pas moins frappante ». Quelles que soient les situations, ce type de coïncidences et de généralités favorise les ambiguïtés, les interpétations tendancieuses et les erreurs.

La pièce [1] est la première d'un auteur né en 1958, ayant passé son enfance en Afrique, nanti d'une expérience théâtrale. L'action s'apparente à un huis clos s'inscrivant dans un hôtel jamais terminé et tombé en décrépitude dans un village, Kinkali, encerclé par l'armée qui réquisitionne les véhicules pour déplacer des personnes selon leur ethnie ; précisément, propriété de Marcel, blanc d'Afrique de la colonisation resté sur place. Dans la cour un vieil homme noir, Simon, a élu domicile sur un matelas et attend la mort qu'il sait proche. Une jeune Africaine, Marie-Annick, éduquée chez les religieuses, couche avec le patron, fait marcher la boutique et délasse les clients, par ailleurs elle lit des poèmes et rêve d'épouser Antoine, un jeune médecin blanc venu de Roubaix, arrivé là par réponse à une mission protestante. Pierre attaché culturel français et Claire, une greffière qui a quitté son mari et la France pour retrouver les traces de son père et de sa propre enfance, s'y retrouvent bloqués. Marie-Annick ne sera pas autorisée à quitter les lieux, mais les autres le pourront-

---

1. Editions Actes-Sud Papers, Paris, 1997.

ils ? Les patients d'Antoine seront assassinés malgré les croix
rouges peintes sur la case faisant office d'hôpital. A ces
données, s'en tissent d'autres, tout autant clichés : pour se
faire aimer d'Antoine, Annick recourt aux pouvoirs d'un
sorcier, mais les bières envoûtées, et efficaces, sont bues par
Claire et Pierre. De fait, à l'action, ou à la situation, l'auteur
préfère la peinture par dialogues verbeux de personnages
propres à conforter les a priori les plus convenus. Ainsi Marie-
Annick dont on rit beaucoup a quitté son mari avant d'avoir
un enfant ; elle se satisfait de sa vie actuelle « A Bosambaville
c'est femme-bordel, à Kinkali c'est femme-plaisir », au point
qu'on se demande pourquoi elle veut partir se marier avec
Antoine et partir pour Roubaix surtout que son fatalisme
n'exclut pas la perspicacité pour les magouilles de papiers
d'identité. Cela ne diffère pas avec le vieil homme réputé
redoutable chasseur, obnubilé par la mort au pays natal, le
désir de voir son petit-fils et la faim qui sévit. Ah ces noirs,
sont-ils naïfs, primaires et sensitifs ! Les autres personnages
participent du même tableau : Marcel, le propriétaire de
l'hôtel, plus de quarante ans en Afrique, est de ces braves
bougres (il protège Antoine), paternalistes qui affirment « Moi
je dis qu'il faut leur faire peur. Le noir quand il a peur, il
fait ce qu'on lui dit » ; l'attaché culturel cynique laisse supposer des trafics divers avec la complicité des autorités françaises et il tombe à argument raccourci sur le jeune Antoine
(un de ces médecins qui viendraient en Afrique pour fuir leurs
responsabilités en France et assouvir une soif de pouvoir)
lequel fustige une certaine politique humanitaire (tel « le coup
du riz » de Bernard Kouchner) ; Claire a voyagé trente-six
heures dans un camion. « Il (le chauffeur) tentait de résoudre
une impossible équation : conduire, boire et me sauter en
même temps. » Jamais les politiques des Etats, ne sont mises
en cause !

Quand le cliché est de mise, le personnage prend rapidement une valeur d'absolu. L'auteur déplace les responsabilités.
Cette forme de dénonciation, à laquelle les victimes – ce sont
des noirs – sont étrangères, porte un nom : la démagogie. La
forme est *ad hoc,* qui relève du boulevard ambitionnant au
politique, nouvel avatar du genre bourgeois nourri aux gros
titres, appâts pour le gogo. Ce n'est pas le mélange du privé

et du politique qui est en cause, mais l'esprit dans lequel il s'opère. L'écriture comprend ce qu'il faut de répliques à l'emporte-pièce, de mots vulgaires, d'allusions cochonnes. L'auteur connaît les ficelles de la répartie, mais pas l'art de la concision, défaut mineur d'un talent prometteur objecterat-on ! Il s'inscrit dans les lignées de Tilly dont la pièce *Y'a bon Bamboula* [2] tirait sur les mêmes ficelles, de fond avec relent de racisme (peinture du noir, attitudes des blancs), et de forme, laquelle toutefois était de meilleur maintien.

La mise en scène de Philippe Adrien dont on connaît l'enclin à la recherche au point d'être qualifié de « cérébral » (on lui doit des réalisations marquantes de *La Poule d'eau* ou *Les Pragmatistes* de Witkiewicz) est du même tonneau. Le décor, de veine réaliste (de Rodolpho Natale), comprend des murets, un bout de piscine craquelée, un comptoir, le tout sur un sol jaune ocre et coiffé d'un immense ventilateur, un portail à jardin est censé donner sur un extérieur qui n'existe que par les bruits de crapauds, de camions, de balles tirées et des interventions musicales rythmées. Les seaux contiennent de l'eau et les bouteilles sont remplies de liquide. Le jeu se développe dans le même ton. De l'allant, des silences supposés en dire long, des attitudes comme de vrai. Jean-Paul Roussillon (qui jouait déjà dans la pièce de Tilly susnommée un de ces blancs racistes ordinaires dont l'absence de lucidité peut entraîner à dire qu'ils sont braves), campe un Marcel, fort en gueule, pas compliqué. Il est de ces types dont on excuse les écarts sous argument qu'ils sont au fond généreux, sans préciser qu'ils agissent différemment selon la couleur de la peau du bénéficiaire. Thierry Frémont porte le personnage d'Antoine avec fougue et une insensibilité à la jeune noire requise par le texte. Jean-Yves Chatelais campe un copie pour ainsi dire conforme d'un attaché culturel caricaturé dans un journal s'interrogeant sur la pertinence à dépenser de l'argent pour la culture en Afrique, en arguant que les attachés culturels ne sont que des gaspilleurs véreux, pleutres au point de faire dans leur culotte à la première balle tirée. Marthe Keller joue avec une tenue des mieux venues, une Claire digne et libre,

---

2. Voir T.M. septembre 1988.

d'une drôlerie extravagante quand le philtre agit. Félicité Wouassi parvient à donner une Marie-Annick active, habituée à laisser dire et faire sans pour autant ne pas en penser moins. Umnan U. Ksët, port noble et jeu pudique sauve un texte qui tend vers le « petit nègre » et ferait douter de la capacité des noirs à apprendre et à prononcer le français. Inutile de commenter. La pièce est de ce « libertarisme » ferment du pire.

Jules César de William Shakespeare, mise en scène de Jacques Rosner au Sorano-Théâtre national de Toulouse Midi-Pyrénées.

Shakespeare se montre fidèle à sa source principale, *Vies des hommes illustres* de Plutarque, ce bréviaire des politiques dans cette tragédie qui fut sans doute représentée à l'occasion de l'inauguration du théâtre du Globe, en 1599. Le personnage éponyme n'est pas le sujet de la pièce, en revanche, sa mort l'est. Fallait-il tuer César ? Et plus encore fallait-il ne pas tuer Marc Antoine ? On a lu dans le geste de Brutus, un acte de défense de la république, menacée par l'avancée de César vers le pouvoir absolu. On sait que ce geste provoque son contraire : la guerre et la victoire de Marc Antoine, personnage pivot ayant su s'allier le peuple à la différence des conjurés dont Brutus, homme des idées, raisonneur de piètre prise sur la réalité, mené par une soif d'absolu. Il a pris la tête de la conjuration sur une spéculation. « *Ce qu'il est,* accru de *ce qu'il serait,* le précipiterait vers toutes les outrances. Donc, voyons en lui l'œuf du serpent, qui, couvé, grandit pour nuire, comme son espèce. Et tuons-le dans sa coquille ! » (II, 1). Il ne s'est pas montré politique dans une situation qui l'était et que surent exploiter, en politiques Marc Antoine et Octave. Ils récupèrent finalement sa mort clamant, le premier « Cet homme fut un homme », le second « (...) qu'on lui rende les honneurs que l'on rend aux soldats. Que l'armée soit conviée au repos » (V. 5). Alors qu'il s'est suicidé comme viennent d'en témoigner ses esclaves. « Seul Brutus a vaincu Brutus ; nul autre n'a l'honneur de sa mort », mais ils sont réduits au silence devenus esclaves des deux vainqueurs. Deux tours de passe-passe par lesquels Shakespeare noue puis dénoue la tragédie et traite avec une modernité criante de l'usage politique des morts et de la vérité.

On comprend que des artistes d'aujourd'hui soient tentés d'actualiser des tragédies de Shakespeare dont les personnages s'imposent atemporels en raison de leur densité humaine, de leurs attitudes et motivations en quoi se fondent public et privé, politique et psychologique. C'est ainsi qu'un *Richard III* fut située dans une Angleterre nazifiée par Richard Loncrane et son dramaturge-scénariste Ian McKellen, auteur et acteur s'étant illustré par une interprétation de Coriolan qui fait date. C'est ainsi que Jacques Rosner situe *Jules César* dans une Rome imaginaire où se mêleraient les dictatures qui ont marqué le XXᵉ siècle.

Le spectacle se déploie avec une solennité, soutenue par les musiques grandiloquentes, dans un décor épuré (de Laurent Peduzzi) constitué d'un espace vide et noir dont le mur du lointain laisse deviner, par un jeu de la lumière, un de ces portiques dont après Rome, des capitales de pays sous tyrannie s'ornèrent ; peu d'accessoires, selon les scènes un buste de César, une estrade portant un microphone, et meubles communs tels un bureau, un banc. D'entrée de jeu, la dictature se profile : des hommes dissimulés dans de longues gabardines sombres, le chapeau sur les yeux vont et viennent, deux athlètes en tenue des années 30 s'échauffent pour la course, plus tard des jeunes hommes de main bastonneront Cinna qui passait, avec un ludisme sadique de la souffrance infligée.

Alors que chacun se fige, César, portant la tenue d'un général (soviétique ?) bardé de médailles, s'avance (Jacques Seiler, de noble stature impose, non sans humour froid, un personnage énigmatique, intimidant dont on ne saisit guère qu'une connivence avec Marc Antoine, et dont le seul moment de relâchement se traduira par la stupeur face à l'identité de son dernier assassin « Toi aussi, Brutus ? Alors meurs César » (III, 1]). Le peuple qui n'existe qu'en tant qu'auditeur, manipulable (les quelques représentants de métiers illustrent sa versatilité) se manifeste par des cris et des applaudissements enregistrés, les sources sonores viennent de la salle d'où surgissent quelques personnages, harangueurs aguerris. De la salle également vient et va Le Devin dont les paroles amusent César – un mécréant – et inquiètent les épouses, sorte d'errant que Radhouane El Meddeb, dote d'une logique et d'une poésie anachroniques.

Les scènes du privé s'insinuent dans l'activité publique. Deux femmes seulement (dans des costumes des années 30, ou déshabillés blancs, très habillés), Portia (Nicole Rosner) qui atteste d'une trempe que la société lui interdit parce qu'elle est une femme ; et Calpurnia (Micheline Sarto) épouse de César qui serait encline à l'écouter si le politique ne l'emportait pas sur l'intime. N'aurait-il pas été pertinent de différencier leur univers de celui des hommes, tiré au couteau ?

La traduction de Michel Vinaver, efficace, sert le jeu des acteurs à qui il revient de livrer les incitations à la réflexion sur l'action, les attitudes et les conséquences (l'histoire en la matière devient modèle d'ironie, la formule est connue, mais la vie ne va-t-elle pas ainsi ?) dans des circonstances précises : l'aube d'une tyrannie probable.

Shakespeare, fin expert des méandres de la psyché sait qu'ils s'obscurcissent dans de telles circonstances. Entourés de personnages secondaires ayant chacun sa raison de présence (assurés par une poignée de comédiens), les responsables de ce moment d'équilibre précaire offrent une palette d'attitudes : Casca (par Jean-Pierre Beauredon, rugueux et martial) Cassius fort d'une conviction, par Alain Libolt, lucide dans les trafics nécessaires à la levée de l'armée, choisissant le suicide autant parce que la conjuration a échoué que par la blessure d'amitié assénée par Brutus. Avec une rondeur favorable aux esquives et duperies, à la déstabilisation de l'interlocuteur, Patrice Kerbrat joue ce personnage du raisonneur dont les raisonnements l'éloignent de la réalité ; des jeux laissent imaginer une attirance, à tout le moins, pour son esclave Lucius puisqu'il se suicide sur son corps allongé ; le texte n'en suggère pas tant. Ce Brutus, déjà stupéfait de son geste assassin sur César, devient un chef militaire dilettante et autoritaire, poigne de fer et gant de velours, la modernité du personnage s'en trouve servie. Eric Challier porte Marc Antoine de la demi-teinte derrière César à la maîtrise redoutable de l'attitude et du discours politiques ; la célèbre oraison funèbre (III, 2) devient un modèle du genre : au début orateur retenant sa peine, faisant comprendre par la prosodie qu'il parle sous surveillance, empruntant le payant rôle de la victime en laquelle attend le démagogue manipulateur. Derrière lui se tient un Octave un peu falot.

La mise en scène de Jacques Rosner qui clarifie les situations sans schématiser les personnages, aiguillonne sur les motivations inconscientes, la responsabilité de l'idéalisme (on peut aller jusqu'à celle des intellectuels) et sur le discours politique. Un théâtre de la démystification ? Le propos est dans Shakespeare.

Opéras pour Jean Cavaillès, Armand Gatti à Sarcelles.

Au milieu d'une cité, le foyer des travailleurs. Le dernier étage a été repeint tout en noir. Trente-six chambres ont été réparties entre les trente-six stagiaires afin qu'ils y déposent tel Jean Cavaillès sur le bureau de Charles de Gaulle à Londres, ce qui représente la France. Pourquoi ce noir ? Cela tient du sépulcre alors que la Résistance est un acte de vie, de défense de la vie. C'est justement parce qu'ils avaient une idée de la vie et de l'homme que, contre les envahisseurs et leurs complices, des femmes et des hommes ont résisté. Un peu plus loin un bâtiment en travaux a été recouvert de bâches, sur lesquels sont accrochés des portraits de résistants du réseau Cohors dont Jean Cavaillès, ce scientifique intellectuel qui fut arrêté sur les marches du Trocadéro, torturé et fusillé à Arras, était le chef. A hauteur d'hommes, des feuilles de papiers sur quoi jeunes et non jeunes ont tenté de définir « ce qui incarne l'esprit de la résistance aujourd'hui ». Ce bâtiment ainsi est appelé cathédrale. En raison du siège non d'un évêque mais de la Résistance ? Cathédrale. Le terme est récurrent dans les trois opéras dont Armand Gatti est l'auteur – *Opéra probable, Opéra supposé* et *Opéra possible* – avec parties musicales interprétées par des « loulous », individus suivant pendant plusieurs mois des ateliers divers de Kung-Fu, d'écriture, d'enseignement de musique, d'art dramatique. Ils ont de la tenue, de la conviction, et le salut que ces jeunes gens offrent à Jean Cavaillès dont un portrait préside aux représentations, constitue l'un des temps forts de cette nouvelle aventure.

Ces longs poèmes, ce qu'était *Opéra avec titre long,* en 1986, incluent des questions en base d'une réflexion sur le déterminisme et le probabilisme tenant pour référent premier la physique quantique. Gatti poète chemine dans la physique (la philosophie de la physique serait moins inexacte) peut-être en symétrie de quoi il pose la Résistance (refus du déterminisme) et Jean Cavaillès figure inspirante (d'autant qu'il exerçait l'épistémologie). Des personnages particuliers, axiomatiques. Celui qui disait Je, Celui qui ne dira plus Je, Chimère de saint Sernin, Le Livre brûlé (référence à Nathan de Bratzlav) prennent en charge ce qui s'apparente à un questionnement débridé de la physique, du monde, du théâtre et du mot, surtout du mot. Les digressions se multiplient vers le zéro inventé par les Aztèques, le vol des oiseaux d'Atar, l'angélisme ou encore Cantor, Evariste Gallois. La relation d'actions de Cavaillès, tels les rendez-vous qu'il donnait sur les marches des cathédrales à des résistants, à la mathématicienne Emmy Noetter, au philosophe et mathématicien Albert Lautman. L'exécution, le corps jeté dans une fosse, sous X, certes mais au milieu d'un vaste brassage. Les métaphores fleurissent, le verbe provoque, des données disparates font irruption en ces textes qui abordent avec identique ferveur et mystique syncrétique, sous des angles différents. La symétrie, du boson de Higgs à Jean Cavaillès. Soit. Nous demeurent les questions primordiales dont : Quel a été le sens du combat de Jean Cavaillès, des résistants, anonymes et si grands (et moins nombreux qu'on ne le clame), qui ont risqué leur vie parce qu'ils avaient foi dans la vie ? En quoi leur héritage nous revient-il ? Pourquoi l'urgence aujourd'hui est-elle de le préserver vif, de s'opposer à son détournement dont le légendaire participe ? Pourquoi ?

Quoi de neuf sur la guerre ? – Fragments au Théâtre de la Tempête.

Robert Bobert publie *Quoi de neuf sur la guerre ?*, son premier roman la soixantaine passée. La forme rappelle les agencements dont Georges Perec avec qui il a co-signé *Récits Ellis Island,* demeure le maître. Le roman prend l'allure de récits à voix multiples celles de personnes travaillant dans un atelier de confection de la rue de Turenne, et de leurs proches. A l'exception d'une ou deux, chacun a été atteint par les persécutions nazies contre les Juifs. Comment vivre après ? Charles Tordjman (metteur en scène et directeur de la Manufacture, CDN Nancy Lorraine), François Clavier (acteur) avec la complicité de l'auteur ont retenu des fragments de ce roman à semblance de récit, en choisissant pour fil conducteur, Raphaël, le fils d'Albert, le patron de l'atelier. Judicieusement, ils commencent par la narration d'un conte, un de ces contes dont la culture yiddish est si riche, par quoi Albert espère aider son fils qu'il craint avoir été victime d'antisémitisme. Suivent des lettres que le garçon envoie à ses parents alors qu'il est dans une colonie de vacances où des jeunes apprennent à vivre en uniques rescapés de leurs familles. Chacun défend la vie à sa manière avec la guerre en prégnance constante. Le petit monde de l'atelier se ravive par les mots qui transmettent les faits et gestes d'un quotidien en souvenir d'avant. François Clavier vêtu d'un pardessus, au début assis parmi les spectateurs, ne monte pas tout de suite sur l'aire de jeu, une sorte de dalle dont trois côtés sont entourés par des rangées de spectateurs, une machine à coudre étant posée sur le quatrième. L'acteur s'en servira pour siège, ou pour table en racontant un repas dans le restaurant. Nul réalisme. Entraînant dans le quotidien, il est en bras de chemise, un mètre ruban sur le cou, ou non. La mémoire est jouée avec une subtilité et une pudeur qui disent avec justesse qu'en chacun le passé persiste, avec ceux, et ce, qu'il a rencontrés. Le chant des combattants du Ghetto de Varsovie, celui des partisans français, une rengaine populaire de ces années 45-46. L'histoire se profile. Les êtres humains sont là, le jeune Georges qui s'agrippe à des listes de titres de films qu'il établit avec minutie, le petit garçon qui ne peut plus manger de confiture depuis l'arrestation sous ses yeux de ses parents qu'il n'a plus revus, à jamais, Raphaël qui, de douleur, se punit, sa mère qui comprend, les parents qui se disputent pour son avenir, le modeste marchand de tableaux qui sait si bien dire que sans ces œuvres, sans les artistes qui les ont peintes, on ne se souviendrait plus du passé, du shetl, par exemple. C'est une philosophie. Des années plus tard, des inscriptions antisémites sur les murs des locaux de l'UJRE, puis au cimetière de Bagneux où des tombes ont été profanées. Ce cimetière où chaque année devant des tombes vides, la prière des morts est dite, où le yiddish se parle, où des hommes et des femmes, savent, s'indignent et vivent. Des poignées de terre sont jetées

sur le plateau. Le dit des noms pour que les tombes ne soient
pas vides. Quoi de neuf sur la guerre ?

La mise en scène de Charles Tordjman, imperceptible,
repose sur le sens à chercher dans des images inspirées de la
vie simplement courante. Et, par des nuances de jeu, des
changements de registres, le sens de la cocasserie et de la
blague qui permet de vivre avec l'intolérable, une subtilité
révélatrice d'une intelligence fine du texte, le don du cœur
aux personnages, André Clavier leur offre silhouettes, attitudes
et sensibilité, avec la pudeur idoine. Le théâtre, singulièrement, permet de dire combien le passé demeure en chacun.
Il détient le pouvoir de la mémoire vive de ce tissu de rires
et de larmes, à nul autre égal qu'a été et qu'est encore la vie
de Juifs, adultes et enfants au lendemain de la Shoah. Le
devoir de l'espoir. Tout est dit à dire.

Micheline B. SERVIN

ALGÉRIE LITTÉRATURE/ACTION

revue mensuelle

éditée par Marsa Editions

103, Boulevard MacDonald – 75019 Paris
Tél. 01 40 35 15 26
Fax 01 40 34 48 07

Algérie Littérature / Action est une revue littéraire d'un genre particulier, née d'un besoin précis : faire connaître et promouvoir la littérature algérienne actuelle, celle d'expression française mais aussi des traductions d'œuvres en arabe.

La revue soutient cette littérature en lui ouvrant un lieu autonome, loin des pressions économiques et idéologiques, un espace où sa diversité peut s'exprimer avec pour seul critère la force des textes. L'ambition d'*Algérie Littérature/Action* est également de susciter des dynamiques, d'encourager les nouveaux auteurs, d'ouvrir des espaces de rencontre et de réflexion. La revue prend le risque, renouant en cela avec une vieille tradition, de publier des œuvres intégrales, même longues (romans, récits, théâtre...) et de les immerger dans une actualité littéraire déjà reconnue.

Toutes les sensibilités ont droit de cité dans ces pages, tous les « styles », toutes les préoccupations, surtout si elles sont novatrices : regard posé sur une Algérie d'aujourd'hui, d'hier ou en devenir ; voix de celles et de ceux qui se reconnaissent comme Algériens de nationalité, de cœur ou d'esprit. L'Algérie, du dedans et du dehors, veut plus que jamais dire sa pluralité.

Cette parole littéraire de l'urgence est autrement plus complexe, plus nuancée, plus humaine que tous les discours politiques ou médiatiques. Elle peut interroger un large public en même temps qu'elle s'adresse à une communauté à la recherche de son futur, qui revisite ses liens intimes et s'inscrit dans l'universel.